RÉPONSES
CHRÉTIENNES
à
vos questions

VOLUME 2

Gérard Desrochers
rédemptoriste

Je ne saurais trop remercier les pères Armand Savard et Maurice Dionne, mes confrères rédemptoristes, pour l'aide précieuse qu'ils m'ont offerte en révisant les réponses de ce livre. Tous deux m'ont fourni des conseils fort judicieux.

ISBN 2-89238-272-6

Couverture: peinture de Patrice Blondin

Imprimi potest
Guy Pilote,
Provincial des Rédemptoristes
Sainte-Anne-de-Beaupré, 1997

Imprimé au Canada
Printed in Canada

DU MÊME AUTEUR

EN ANGLAIS:

Guided by the Spirit   Épuisé
Healing in Marriage   Épuisé
Her Name is Mary   Épuisé
Light my Path   Épuisé
Popular Religion and Charismatic Renewal   Épuisé
Medjugorje, a Testimony   Épuisé
The Church, no! (But, Jesus says...)   Épuisé
Alfred Pampalon
Marie Celeste
Christian Answers to your Questions (in preparation)
The Life and Cult of Saint Anne   2e édition
Saint Anne's Prayer Book   3e édition
The Pilgrim's Guidebook   2e édition
The Way of the Cross   4e édition
A Month of Prayers to Saint Anne   Épuisé
A Choice of Prayers to Saint Anne
Healings through Good Saint Anne
Sodalities of Ladies of Saint Anne (Statutes)
A Child's Prayers to Saint Anne   Épuisé
Ten Novenas to Saint Anne

IN ITALIANO:

La vita e il culto di Sant'Anna
Raccolta di preghiere a Sant'Anna   2e édition
Guarigioni della Buona Sant'Anna
Novena a Sant'Anna

EN ESPAÑOL:

La vida y el culto de Santa Ana
Ramillete de oraciones a Santa Ana   2e édition
Novena a Santa Ana

AUDIO CASSETTES:

Cassettes: Prayers to Saint Anne
            A Novena to Saint Anne
            The Ordinary Rosary with Saint Anne
            Christmas with Saint Anne
            The Way of the Cross with Saint Anne
            Prayers and Hymns to Saint Anne
            Mass of Saint Anne

Teaching on Tapes:
            Faith   The Church
            Hope and Joy   Mary
            Love   Saint Anne

EN VENTE:
Secrétariat du Sanctuaire
Sainte-Anne-de-Beaupré, Qc, Canada, G0A 3C0

TABLE DES MATIÈRES

I - DIEU ET LE SALUT

II - LA FOI

III - L'ÉGLISE

IV - LA VIE SACRAMENTELLE, LE BAPTÊME ET LA CONFIRMATION

V - LE SACREMENT DU PARDON

VI - LE SACREMENT DE L'EUCHARISTIE

VII - LE SACREMENT DE L'ORDRE

VIII - LE SACREMENT DE MARIAGE

IX - LE SACREMENT DES MALADES,
LES SACRAMENTAUX

X - PARENTS, ENFANTS ET ADOLESCENTS

XI - PROBLÈMES DE MORALE

XII - PROBLÈMES DE MORALE ET DE BIOÉTHIQUE

XIII - LE CHEMINEMENT SPIRITUEL

XIV - LA DIRECTION SPIRITUELLE, etc.

XV - ARIDITÉ SPIRITUELLE ET ÉPREUVES

XVI LA PRIÈRE

XVII - LES CHARISMES

XXI - JUSTICE SOCIALE, PASTORALE ET ÉVANGÉLISATION

XXII - LA RELIGION ET LE NOUVEL ÂGE

XXIII - CERTAINES NOUVELLES RELIGIONS

PRÉFACE

L'Auteur a une longue et riche expérience pastorale. Il est directeur du Secrétariat du Sanctuaire de Sainte-Anne-de-Beaupré, membre de l'équipe d'animation pastorale du Monastère d'Aylmer, prédicateur de missions paroissiales, président de l'Association des centres de renouveau chrétien. Il a été curé plusieurs années. Dans le diocèse de Timmins, il fut responsable des mouvements diocésains et de la formation des laïques engagés. Il est également auteur de volumes sur l'Esprit Saint, l'Église, la vie spirituelle, les mouvements de renouveau chrétien, la dévotion à sainte Anne.

Le défi était de taille: répondre à un nombre considérable de questions touchant les thèmes les plus divers: le retour du Christ, le ciel, le mariage, le renouveau charismatique, la famille monoparentale, l'avortement, les abus sexuels, les horoscopes, l'occultisme et bien d'autres encore. Ces questions montrent bien les préoccupations, les inquiétudes, parfois même l'angoisse des fidèles d'aujourd'hui. En même temps, elles sont le reflet de leur désir de grandir dans leur foi.

Fort de son expérience d'un premier livre du même genre — *Réponses chrétiennes à vos questions*, (Sainte-Anne-de-Beaupré, 6e édition, 1997; sur l'internet: home.istar.ca/~repchret) — l'Auteur répond avec nuance et précision. Ses références à la Parole de Dieu et à l'enseignement du magistère de l'Église sont nombreuses.

Dans notre monde attiré par des valeurs et des certitudes éphémères, où Dieu est trop souvent mis à l'écart, *Réponses chrétiennes à vos questions - volume 2* apparaît comme une réflexion en profondeur sur les réalités fondamentales de notre foi.

Félicitations et sincères remerciements à son Auteur!

Maurice Dionne, C.Ss.R.

INTRODUCTION

Presque chaque jour, des questions me sont posées. Elles évoluent sans cesse. Toutes ces questions sont pertinentes. L'importance de certaines d'entre elles paraît évidente. Derrière l'apparence anodine d'autres questions, se dissimulent souvent des enjeux précieux. Plusieurs interlocuteurs manifestent le désir de mieux connaître la pensée miséricordieuse du Seigneur et de l'Église face aux problèmes que soulèvent la vie contemporaine et les développements technologiques. La confusion, tout aussi bien que la souffrance, règne en beaucoup d'esprits.

Les réponses de ce livre, sans esquiver les problèmes soulevés, dépassent souvent la portée des questions.

Ces réponses ne sont pas des opinions personnelles plus ou moins sentimentales, mais des énoncés qu'inspirent l'Écriture Sainte et l'Église. Elles s'efforcent d'exprimer la pensée du Seigneur; elles veulent révéler la bonté de son cœur. Jésus a respecté les personnes qu'il rencontrait; patiemment, il leur a indiqué le vrai chemin, la route du bonheur.

Un premier livre de réponses, «*Éclaire mes pas*», édité à trois reprises il y a quelques années, est épuisé. Un deuxième livre, «*Réponses chrétiennes à vos questions*», dut être imprimé cinq fois dès l'année de sa parution. Puisse ce troisième volume éclairer et pacifier les esprits, alors que s'intensifie le besoin d'une réponse chrétienne aux interrogations qui foisonnent.

Gérard Desrochers, C.Ss.R.

- I -

DIEU ET LE SALUT

Vérités fondamentales
qui se rapportent à Dieu,
à la création,
au Seigneur Jésus,
au salut

LA PAROLE DE DIEU EST-ELLE VRAIE?

Ai-je raison d'avoir confiance en la Parole?

***

Il va de soi que la Parole de Dieu contenue dans les Livres Saints est vraie et que nous pouvons et devons avoir confiance en elle.

La Parole de Dieu mérite tout notre respect et nous devons l'écouter et la mettre en pratique, comme nous l'enseigne Jésus. Nous bâtissons alors la maison de notre vie sur le roc (Mt 7, 24-26).

Il y a la Parole de Dieu écrite que nous trouvons dans la Bible. Elle est maîtresse de nos vies, éclaire notre foi.

Il y a aussi la Parole de Dieu orale, celle que nous trouvons dans la Tradition de l'Église que meut l'Esprit Saint. La Tradition, avec un grand T, est donc aussi Parole de Dieu. Saint Jean écrivait, à la fin de son évangile: «*Il y a encore bien d'autres choses qu'a faites Jésus. Si on les mettait par écrit une à une, je pense que le monde lui-même ne suffirait pas à contenir les livres qu'on en écrirait*» (Jn 21, 25).

Tout catholique croit à la Parole de Dieu, écrite ou orale, et interprétée authentiquement par les pasteurs mandatés par le Christ, le pape et les évêques, successeurs de Pierre et des apôtres. Il n'y a pas de contradiction entre la Parole de Dieu écrite et orale, telle que transmise par le Magistère de l'Église (Vatican II, La révélation divine, 7-10).

L'Esprit de Jésus fait approfondir son message de salut. Il ne nous abandonne pas aux quatre vents d'une interprétation que chacun et chacune peuvent donner à sa Parole.

QUI A ÉCRIT LA BIBLE?

Quelle Bible devrais-je lire?

* * *

Vous trouverez réponse à cette question en lisant l'introduction de toute Bible et de tout livre de la Bible. Il est bon de se renseigner pour une première approche de la Bible, de comprendre qu'elle est inspirée de Dieu, qu'elle comprend de nombreux livres, soit de l'Ancien Testament, soit du Nouveau Testament. Ces nombreux livres furent écrits par divers auteurs inspirés.

«La Sainte Écriture est la parole de Dieu en tant que, sous l'inspiration de l'Esprit divin, elle est consignée par écrit» (Catéchisme de l'Église catholique, 81). L'Écriture Sainte et la Tradition sont liées entre elles étroitement et c'est au Magistère de l'Église (le pape et les évêques, successeurs des apôtres) d'interpréter authentiquement cette Parole de Dieu que sont l'Écriture Sainte et la Tradition.

Je vous suggère de suivre un cours de Bible, soit oral, soit écrit. Il existe aussi des livres d'introduction à la Bible que vous pouvez trouver dans les librairies catholiques. Votre Centre paroissial ou diocésain pourra vous renseigner avec plus de détails.

Les manuscrits originaux hébreux, araméens et grecs, furent maintes fois traduits en langues courantes au cours des siècles. Aujourd'hui, nous pouvons lire la Bible en une multitude de langues grâce à la traduction faite par des experts.

N'hésitez pas à vous procurer, si ce n'est déjà fait, une Bible catholique. Toute Bible catholique se distingue par l'approbation ecclésiastique au début du volume, et par des notes explicatives au bas des pages ou en marge. Méfiez-vous de certaines Bibles incomplètes, surtout de celles aux textes soulignés d'avance et d'interprétation biaisée. Commencez la lecture dans la prière à l'Esprit Saint, en lisant d'abord des livres plus faciles et enrichissants que sont les évangiles, les lettres des apôtres, etc.

QUE VEUT DIRE LA TRANSCENDANCE DE DIEU?

L'enseignement du pape Jean-Paul II et de l'Église fait souvent référence à un Dieu transcendant. Qu'est-ce que veut dire ce mot transcendant?

* * *

Le mot «*transcendant*» se rapporte à ce qui nous est supérieur, à ce qui excelle.

Dieu nous transcende, encore plus que le ciel transcende la terre, la dépasse, en est éloignée. Il est hors d'atteinte. Il «*habite une lumière inaccessible*» (I Tm 6, 16).

Dieu, il est vrai, nous habite. Il est «*immanent*» en nous, en notre monde. Nous pouvons expérimenter sa présence. Cette «*immanence*» de Dieu ne doit pas nous faire oublier sa «*transcendance*», ni sa «*transcendance*» son «*immanence*».

Si Dieu se fait proche de nous, devient l'un de nous, si nous le tutoyons, gardons envers lui le respect qui lui est dû. Dieu est Dieu. La merveille est qu'il s'est fait notre Père. La transcendance de Dieu et le respect envers lui que nous devons avoir, ne doivent pas engendrer la crainte mais l'amour. «*Dieu a tant aimé le monde qu'il a donné son Fils unique, afin que quiconque croit en lui ne se perde pas, mais ait la vie éternelle*» (Jn 3, 16).

Que notre respect soit filial, celui d'un enfant pour son papa dont il se sent aimé. Dieu a la bonté d'un père, il a aussi la tendresse et la douceur d'une mère. Comme une maman, il ne peut nous oublier; comme une maman, il nous console (Is 49, 15; 66, 13). Dieu, qui *est au-delà de nos représentations sexuelles* (Gustave Martelet, S.J.), est l'Amour même.

POUVONS-NOUS CROIRE À L'ÉVOLUTION?

Les scientifiques nous disent que la terre et les eaux se sont formées par les catastrophes des astres, que nous venons du singe ou de cellules du bord de la mer. Moi, je crois en Dieu.

* * *

Moi aussi. Je crois aussi qu'il y a eu évolution de la nature créée par Dieu. Évidemment, tout n'est pas d'une clarté cristalline quand il s'agit de savoir ce qui s'est passé il y a des millions et des milliards d'années, au temps de la préhistoire. Certaines théories semblent bien fondées; d'autres sont encore des hypothèses.

Je puis croire à la théorie de l'évolution des espèces végétales et animales, même, jusqu'à un certain point, de l'espèce humaine, sans pour autant vénérer des ancêtres lointains qui seraient d'aimables chimpanzés au dos voûté.

La doctrine de l'évolution ne s'oppose pas à la doctrine biblique, pourvu qu'elle respecte la foi en la création par Dieu. La doctrine révélée me dit que Dieu est le Créateur de tout, qu'il a formé de façon spéciale l'être humain, qu'il l'a créé à son image et à sa ressemblance (Gn 1, 27-29), qu'il l'a créé libre, que l'être humain a péché, que le Seigneur l'a racheté. L'être humain est convié à une relation sublime et personnelle avec Dieu. Le concile Vatican II a souligné cette dignité humaine (Gaudium et Spes, 12ss).

Il existe au Vatican l'Académie pontificale des Sciences. Le pape s'entoure d'un «*sénat*» de savants et de scientistes et se tient au courant du développement des recherches scientifiques.

Le 22 octobre 1996, le pape répétait ce qu'écrivait Léon XIII: «*La vérité ne peut contredire la vérité*», la vérité de la science ne peut contredire celle de la foi. Jean-Paul II se réjouissait des études faites sur les origines de la vie par les diverses théories de l'évolution. Car il y a pluralité de théories, certaines matérialistes cherchant à exclure Dieu. Les contradictions apparentes entre les découvertes de la science et les données bibliques ne sont pas sans solution.

Déjà certains documents de l'Église ont traité du sujet, tel «*Humani Generis*» publié en 1950. Pie XII affirmait que, si le corps humain tire son origine d'une matière vivante pré-existante, son âme spirituelle est créée immédiatement par Dieu (l.c., 36). Si certaines théories de l'évolution enseignent que l'esprit vient des forces de la matière vivante, il faut les rejeter. Elles sont incompatibles avec la dignité humaine.

LE BIEN ET LE MAL VIENNENT-ILS DE DIEU?

L'histoire de Job nous dit que le bien et le mal nous viennent de Dieu ou par sa permission. Vrai ou faux?

* * *

Tout est voulu ou permis par Dieu pour notre plus grand bien.

Saint Paul certifie qu'«*avec ceux qui l'aiment, Dieu collabore en tout pour leur bien*» (Rm 8, 28). Il ajoute: «*Qui nous séparera de l'amour du Christ? la tribulation, l'angoisse, la persécution, la faim...*» (Rm 8, 35)? Nous pouvons continuer: *la misère, l'épreuve, la maladie, la brisure du mariage...*?

Job le disait: «*Si nous accueillons le bonheur comme un don de Dieu, comment ne pas accepter de même le malheur!*» (Jb 2, 10). Dieu sait mieux que nous ce qui peut nous être utile. Faisons-lui confiance totale, dans la désolation comme dans la consolation. À sa suite, il faut porter notre croix de chaque jour (Lc 9, 23). Un jour sera celui de la résurrection.

Ce qui ne signifie pas que Dieu a créé le mal, encore moins le péché. Dieu n'a pas créé le mal; le mal est l'absence du bien. Dieu ne veut pas le mal ni le péché.

Mais, il nous respecte quand nous abusons de notre liberté, ce qui est source de malheur; il respecte aussi la nature déchue par le péché, la création avec ses limites et ses cataclysmes. Il tire le bien du mal.

De la souffrance acceptée en union avec les souffrances du Christ se dégage une gloire éternelle. De la mort surgit la vie. Nous qui croyons en Jésus, confions-nous au Seigneur dans les épreuves et même face à la mort. Avec lui, nous sommes déjà passés de la mort à la vie (I Jn 3, 14).

JÉSUS N'EST-IL PAS LE SEUL MÉDIATEUR?

Une question me chicote: la Bible nous enseigne que Jésus est le seul médiateur entre Dieu et les hommes, et que nul ne vient au Père que par lui. Cela n'est-il pas en contradiction avec l'intercession des saints?

* * *

Nous croyons vraiment, comme chrétiens, et comme chrétiens catholiques, que Jésus est le seul Médiateur entre le ciel et nous, entre Dieu et nous. La Bible l'enseigne clairement: *«Car Dieu est unique, unique aussi le médiateur entre Dieu et les hommes, le Christ Jésus...»* (I Tm 2, 5).

Cette médiation de justice que Jésus seul possède n'empêche aucunement l'intercession des saints et des saintes, de la Vierge Marie surtout, en notre faveur.

Voyons la comparaison souvent présentée: si un dictateur de pouvoir absolu est le seul qui puisse sauver un citoyen coupable de son pays, rien n'interdit que quelqu'un puisse intercéder en faveur du coupable. Ainsi en est-il dans notre foi. Seul Jésus est Sauveur. Seul Jésus est Médiateur. Mais nous pouvons le supplier de nous secourir. Nous pouvons demander l'aide de sa Maman Marie et le soutien des saints et saintes si proches de lui. Le simple bon sens le fait comprendre et rien ne s'oppose à de telles démarches de prière d'intercession.

Les sectes religieuses interprètent de façon trop étroite le texte biblique qui nous réfère à Jésus, unique Médiateur. Quant à nous, catholiques, nous croyons, comme ont cru nos ancêtres dans la foi, que Jésus est le seul à pouvoir nous sauver et à intercéder efficacement pour nous. Mais, encore une fois, nous ne sommes pas d'avis que la prière des saints contredit ce point important de la foi chrétienne.

LES MIRACLES DE JÉSUS ET SA RÉSURRECTION SONT-ILS AUTHENTIQUES?

De nouvelles façons d'interpréter la Bible amènent beaucoup de croyants à douter des vérités sauvegardées par les Pères de l'Église. Il y en a même, parmi les catholiques, qui questionnent les miracles de Jésus, la résurrection, la présence de Jésus sous les espèces eucharistiques, la virginité perpétuelle de Marie et l'infaillibilité du Pape. Qui croire?

* * *

Dans la foi, il faut faire une option pour le Christ, pour l'Église aussi. Autrement, vers qui nous tourner? Qui a les paroles de la vie éternelle? Qui mandate les personnes qui récusent l'enseignement de l'Église, ceux et celles qui rejettent la richesse doctrinale des Pères de l'Église?

Nous pouvons lire la Parole de Dieu. Le Christ est venu, il a parlé. L'Église qu'il a fondée sur Pierre et les apôtres continue d'être inspirée par l'Esprit Saint, selon la promesse de Jésus. Nous pouvons lire l'enseignement de l'Église dans les documents du pape et de nos évêques, spécialement dans le Catéchisme de l'Église catholique. Nul besoin d'aller à la dérive, de se détourner *«l'oreille de la vérité pour se tourner vers les fables»* (2 Tm 4, 4).

Vers le tournant du siècle dernier, le modernisme, condamné par saint Pie X, en 1907, signifiait surtout des tendances qui voulaient renouveler l'exégèse de l'Église, en l'adaptant aux idées nouvelles et aux courants du temps. C'était un ensemble flou de théories qui vidait la foi de son contenu véritable. C'était la porte ouverte à l'athéisme.

Ne pourrait-on pas dire que le modernisme se perpétue dans le Nouvel Âge et dans certaines nouvelles façons d'interpréter la Bible? Le modernisme de la fin du 19e siècle était le propre d'une élite influente; le Nouvel Âge est plus que l'apanage d'un état-major, il affecte l'ensemble du peuple de Dieu.

Avec le modernisme, surtout biblique, tout devenait foi subjective, agnosticisme, immanentisme, évolutionnisme des dogmes, relativisme... Jésus n'était plus qu'un homme exceptionnellement doué dans ses illuminations religieuses. Sa doctrine était la meilleure parce qu'elle exprimait ce qu'il y a de mieux en l'homme, sa fraternité. Les dogmes n'étaient que temporairement la meilleure expression des données chrétiennes...

Le subjectivisme proposé par le modernisme limitait la révélation à une émotion personnelle, une expérience sans plus. Ce qui rendait la vérité changeante. Le dogme exprimait plus ou moins bien de telles expériences. Nul besoin n'était du magistère pour les proposer. Les modernistes voulaient rester dans l'Église, mais l'obliger à changer son attitude pour qu'elle n'impose plus rien. Ils étaient des hérétiques de l'intérieur (dom Charles Poulet), et donc dangereux. Parmi eux, se trouvaient des clercs. Le modernisme invitait à distinguer entre le Christ de l'histoire et celui de la foi.

Aujourd'hui, certains dangers analogues guettent les chrétiens et les chrétiennes, adeptes ou non du Nouvel Âge. L'interprétation de la Bible demeure toujours la responsabilité du Magistère, le pape et les évêques. Nous ne pouvons nier les miracles de Jésus, sa résurrection, sa présence dans l'Eucharistie, la virginité perpétuelle de Marie et l'infaillibilité du pape qu'il exerce selon certains critères.

QUELLE EST LA DIFFÉRENCE ENTRE LA RÉSURRECTION DE LAZARE ET CELLE DE JÉSUS?

Jésus est le premier ressuscité. Pourriez-vous expliquer le cas de Lazare? J'ai lu et relu le chapitre 11 de l'Évangile écrit par saint Jean, mais je ne comprends toujours pas la différence entre la résurrection de Lazare et celle de Jésus.

* * *

La différence n'est pas secondaire. Jésus ressuscite pour ne plus mourir, d'une résurrection qui le transforme définitivement. Lazare est ressuscité par Jésus, mais pour un prolongement de sa vie terrestre. Il mourra de nouveau d'une mort physique. Ce miracle de la résurrection de Lazare glorifie Jésus, fortifie la foi de ses disciples.

Sa résurrection est comme le symbole de la vraie résurrection qui sera nôtre, une résurrection pour la vie éternelle, une résurrection qui ne sera pas un simple retour à la vie terrestre, mais une transformation spirituelle, glorieuse et éternelle. Telle fut la résurrection de Jésus, telle sera notre résurrection.

Déjà, notre vie chrétienne nous fait passer de la mort à la vraie vie (Jn 5, 24). Tout chrétien et toute chrétienne meurent avec le Christ et vivront par lui. En Jésus, qui est la résurrection (Jn 11, 25), se trouve le pouvoir de donner une nouvelle vie sans fin.

La résurrection de Jésus, résurrection réelle et historique (Catéchisme de l'Église catholique, 639), est à la base de notre foi, comme l'écrit saint Paul:«*Si le Christ n'est pas ressuscité, vide alors est notre message, vide aussi votre foi*» (I Co 15, 14). La résurrection du Christ, résurrection glorieuse et éternelle, est beaucoup plus, infiniment plus que la résurrection temporaire et simplement physique de Lazare.

Au cours des siècles, les chrétiens et chrétiennes ont clamé leur foi en cette résurrection de Jésus, même au prix de leur vie.

JE NE COMPRENDS PAS QUE JÉSUS SOIT DESCEN-DU AUX ENFERS

*Dans la Profession de Foi, on dit: «Il descendit aux enfers».
Je ne peux pas dire cette phrase; je ne la comprends pas.*

* * *

Dans le credo, nous lisons que Jésus est *«descendu aux enfers»*.
N'identifions pas le mot *«enfers»* dans cette phrase avec le mot
«enfer», lieu de la damnation éternelle pour qui meurt dans l'ini-
mitié du Seigneur.

Quand, après sa mort, le Seigneur Jésus *«descendit aux enfers»*,
le texte signifie qu'il est descendu au séjour des morts, là où se
trouvaient des saints comme Abraham, Moïse, David, et tant
d'autres décédés avant la venue du Christ. Matthieu dit qu'après
la mort de Jésus, *«les tombeaux s'ouvrirent et de nombreux corps
de saints trépassés ressuscitèrent»*(Mt 27, 52).

«Il s'en alla prêcher aux esprits en prison», dit saint Pierre
(I P 3, 19). Ne s'agit-il pas des défunts, des justes qui attendaient
sa venue pour entrer dans le ciel?

Dans cette phrase, *«enfers»* ne concerne pas un lieu de souffrances, mais un lieu d'attente pour les personnes mortes avant la
venue du Sauveur.

DEPUIS QUAND COMPTE-T-ON LES ANNÉES?

*Depuis quand compte-t-on les années comme si elles avaient
commencé avec l'an 1? Depuis quand notre calendrier?*

* * *

Le dictionnaire fournit certaines données fondamentales.

Le calendrier est un système de division du temps fondé sur
les principaux phénomènes astronomiques (révolution de la terre
autour du soleil ou de la lune autour de la terre). Évidemment, le
calendrier existait avant Jésus Christ, avant l'an 1 de notre ère.

Notre calendrier actuel dérive du calendrier romain réformé en 46 avant Jésus Christ par Jules César (calendrier julien).

Nous parlons d'années avant Jésus Christ, et d'années après Jésus Christ. C'est depuis le 5e siècle que nous comptons les années d'après la naissance de Jésus.

En 1582, le pape Grégoire XIII fit une réforme nécessaire pour mieux adapter le calendrier julien à l'année astronomique ou astrale. Ce calendrier finit pas être adopté par les protestants à la fin du 18e siècle et par les Russes et Grecs à la fin de la Grande Guerre (1914-1918). C'est le calendrier grégorien, celui que nous utilisons. C'est celui qui commence avec l'an 1, date approximative de la naissance de Jésus et qui se poursuit jusqu'à nos jours.

———————

QUE VEUT DIRE LE SALUT ET COMMENT L'OBTENIR?

Que pensez-vous de l'option totale, c'est-à-dire que le Christ est mort une fois pour toutes et que tous les hommes ont été rachetés et seront sauvés sans exception?

* * *

Le salut est un don de Dieu qui requiert notre collaboration. Il prend sa source au baptême et se poursuit jusqu'à son plein épanouissement.

Le salut, nous enseigne le Catéchisme de l'Église catholique, consiste à nous ranger du côté du Seigneur Dieu, à accomplir sa volonté, à atteindre le ciel où s'épanouit son Royaume déjà commencé sur terre.

Le salut, c'est la libération du péché et de la damnation. Le salut, c'est le bonheur pour les pécheurs repentis que nous sommes. Le salut, c'est d'acquérir, grâce à notre Rédempteur Jésus, la justification et la vie éternelle (Rm 4, 25ss). Le salut affecte tout notre être, notre âme et notre corps.

Le Seigneur est notre seul Sauveur par son sang répandu (He 5, 9). Dans la foi, nous pouvons nous écrier comme le vieillard Syméon: *«Mes yeux ont vu ton salut»* (Lc 2, 30).

Dieu veut *«que tous les hommes soient sauvés»* (I Tm 2, 4). Par la foi, nous sommes justifiés et nous jouissons de ce salut (Rm 5, 1ss).

Le Christ est mort une fois pour toutes. Il est mort pour le salut de tous. Il nous indique la route du bonheur. Tout homme et toute femme sont libres d'accepter ou non cette route tracée par le Christ. Il est donc possible de refuser le salut que le Seigneur nous a procuré.

L'Église nous propose la voie du salut, en fidélité à l'enseignement de son divin Fondateur. C'est une voie étroite sans doute, mais elle est la seule vraie. Le salut consiste à marcher dans la foulée du Christ.

C'est Dieu qui sauve (I Co 6, 11; Rm 5, 1-2), mais nous travaillons à ce salut (Ps 2, 12). Nous vivons dans l'espérance de ce salut.

LES SECTAIRES NOUS DISENT
QUE NOUS NE SOMMES PAS SAUVÉS

Comment devons-nous réagir devant les personnes des sectes religieuses? Elles nous disent que nous ne sommes pas sauvés. Ont-elles le droit de nous parler ainsi?

* * *

Qui les rend juges de notre salut? Elles sont souvent motivées par une fausse interprétation de la Bible, une interprétation fondamentaliste et oblique. Elles parlent avec assurance, citent volontiers quelques textes bibliques, toujours les mêmes, pris hors contexte.

Je respecte les personnes dont l'esprit sectaire est obscurci par de fausses croyances, mais je ne puis respecter l'erreur.

Le Seigneur est notre Sauveur, il nous a tous sauvés par sa mort et sa résurrection (Lc 19, 10). *«Il est mort pour tous»* (2 Co 5, 15). Il n'y a de salut en aucun autre (Ac 4, 12). Nous sommes justifiés par son sang (Rm 5, 9).

À nous d'accepter l'évangile de salut (I Co 15, 1-2). À nous de croire dans le Seigneur pour être sauvés et avoir la vie éternelle (Jn 3, 15-18). À nous de travailler à accomplir notre salut *«avec crainte et tremblement»* (Ph 2, 12). À nous de persévérer. Jésus nous dit: *«C'est par votre constance que vous sauverez vos vies!»* (Lc 21, 19).

C'est la foi de tout vrai chrétien, c'est l'assurance de tout catholique.

L'ÉGLISE EXIGE QUE NOUS SUPPORTIONS TOUTES SORTES DE TORTURES

L'Église exige que nous supportions toutes sortes de tortures face aux persécuteurs plutôt que de renoncer à la foi. Si, tout en croyant et en aimant Dieu intérieurement, nous disions un mensonge pour nous délivrer de supplices insupportables, ne serait-ce pas préférable au supplice du martyre? Dieu, notre Père, s'y objecterait-il?

* * *

La question n'est pas de savoir si nous pouvons dire un mensonge ou non, la question» est plutôt de professer notre foi en Dieu ou de le renier.

Pourquoi écrire: *«L'Église exige...»*? N'est-ce pas notre amour pour le Seigneur, la fidélité au Seigneur, qui nous pressent de ne pas renier notre Créateur et Sauveur, le Dieu de nos vies?

Les martyrs, parfois jeunes et faibles, sont là pour affirmer la priorité de Dieu dans leur vie. Ils ont professé leur foi jusqu'au don de leur vie. Ils sont devenus les témoins du Seigneur et des valeurs surnaturelles.

Ils sont nos modèles. Depuis toujours, l'Église les vénère.

Dans l'Ancien Testament, il y eut de ces héros comme les frères Maccabées. Dans le Nouveau Testament, ils sont légion, depuis les apôtres jusqu'à ces nombreux fidèles, évêques, prêtres, religieux et religieuses, laïcs, qui, en tant de pays, demeurent au poste et sacrifient leur existence terrestre dans leur foi en Dieu et en la vie éternelle.

Sans la foi, leur geste est ridicule et insensé.

C'est toujours la folie de la croix, à la suite de Jésus. «*Qui aura perdu sa vie à cause de moi la trouvera*», dit Jésus (Mt 10, 39).

Voici un bref extrait d'une lettre écrite par dom Christian-Marie de Chergé, l'un des sept moines trappistes tués en Algérie au mois de mai 1996 par le Groupe islamique armé. Il ne cherchait pas la mort, mais, avec la grâce de Dieu, il acceptait de mourir pour l'évangile «*Je ne saurais souhaiter une telle mort...*». Il ajoutait, en parlant de celui qui serait son meurtrier: «*Qu'il nous soit donné de nous retrouver, larrons heureux, en paradis, s'il plaît à Dieu, notre Père à tous deux. Amen. Inch'Allah*».

La grâce du Seigneur est là qui fortifie au moment suprême.

- II -

LA FOI

En cette division,
nous trouvons des questions
sur la foi,
les commandements,
le credo,
les dogmes,
le catéchisme

QUE DONNE LA FOI?

* * *

Elle transforme notre vie!

Sans elle, il y a lieu de désespérer, et tout devient absurde: la souffrance, la maladie, les échecs, la vie même!

Sans la foi, l'handicapé devient un fardeau pour sa famille et la société, le malade en phase terminale n'a rien de mieux à espérer que l'euthanasie et le désespéré n'a qu'à se suicider.

Tandis que si j'ai la foi en un Dieu personnel révélé par Jésus, un Dieu qui m'aime et me sauve, je suis profondément heureux, même quand surviennent les souffrances physiques et morales. Unies aux souffrances de Jésus, elles ont valeur d'éternité.

Grâce à ma foi, je garde confiance en l'avenir, surtout au bonheur éternel que me procurera le Christ Jésus.

Ma foi, c'est cette lumière qui éclaire mon existence et lui donne un sens.

Ma foi, c'est ma vie!

POURQUOI AI-JE DES DOUTES SUR MA FOI?

Donnez-moi une recette.

Est-il normal de douter que Dieu agisse directement sur les événements simplement parce qu'on le prie?

* * *

Vous parlez de doutes sur la foi, vous parlez aussi de doutes sur l'intervention directe de Dieu sur les événements. Il s'agit de doutes d'importance fort différente.

Que vous doutiez de l'intervention directe de Dieu sur les événements alors qu'on le prie me semble moins grave. Évidemment, le Seigneur demeure le Maître de l'histoire et de tout ce qui s'y déroule. Aussi peut-il intervenir sur les événements, surtout lorsqu'on le prie. Je ne peux ni ne veux nier cette possibilité. Je puis douter qu'il le fasse toujours. Je le prie dans mes besoins, je lui demande de changer certains événements malheureux et souffrants; il peut m'exaucer, mais il demeure libre d'accéder ou non à ma demande. Il sait mieux que moi ce qui peut me secourir et m'être profitable. Il ne modifie pas selon mes caprices le cours des événements. En ce sens, vous avez raison de douter que la prière influe automatiquement sur la Providence qui, alors, modifierait le cours des choses.

Quant à vos doutes sur la foi, ils ne me scandalisent pas. La foi n'est pas la claire-vision de Dieu et des choses surnaturelles. Aussi, le doute peut-il s'infiltrer dans un esprit chrétien. Ne nourrissons pas de tels doutes par la lecture de livres anti-religieux, par le visionnement de programmes agnostiques, où Dieu est mis de côté et, parfois, ridiculisé; son Église aussi. Que votre foi soit pure et sans alliage, nourrie de prière, des sacrements, de la Parole de Dieu. Alors, elle sera forte, en bonne santé, et le doute volontaire sera exclu. Telle est la recette que vous me demandez.

Cette recette n'élimine pas la possibilité de temps de sécheresse, de nuits de la foi.

PEUT-ON RECEVOIR LA FOI SANS LE BAPTÊME?

Celui qui n'est pas baptisé, est-ce qu'il reçoit le don de la foi et si oui, à quel moment?

* * *

La foi peut être reçue du Seigneur au moment qu'il le juge opportun, avant même la réception du baptême. Jésus louait la foi, même celle de païens qu'il rencontrait, celle de la Cananéenne (Mt 15, 28), celle du centurion (Mt 8, 13). Aussi lisons-nous dans la Sainte Écriture: «*Beaucoup crurent en lui*» (Jn 7, 31); «*Tous ceux-là embrassèrent la foi*» (Ac 13, 48).

À Jérusalem, un jour, saint Pierre dut justifier sa conduite vis-à-vis les païens qui avaient cru au Seigneur et avaient été baptisés dans l'Esprit Saint: «*Si donc Dieu leur a accordé le même don qu'à nous, pour avoir cru au Seigneur Jésus Christ, qui étais-je, moi, pour faire obstacle à Dieu?*» (Ac 11, 17).

Ce qui n'enlève pas le besoin du baptême voulu par le Seigneur Jésus. Jésus déclare: «*Celui qui croira et sera baptisé, sera sauvé*» (Mc 16, 16). «*De toutes les nations faites des disciples, les baptisant au nom du Père et du Fils et du Saint Esprit*» (Mt 28, 19). «*À moins de naître d'eau et d'Esprit, nul ne peut entrer dans le Royaume de Dieu*» (Jn 3, 5).

Le baptême est germe de notre foi ou la fait croître.

SI J'AVAIS UNE PLUS GRANDE FOI, EST-CE QUE JE GUÉRIRAIS?

On m'a déjà dit que si j'avais une plus grande foi, je guérirais de ma maladie physique.

* * *

Je ne suis pas d'accord avec la personne qui a fait une telle affirmation. Si vous n'êtes pas guéri, n'allez pas conclure que c'est dû à un manque de foi. Autrement, beaucoup de gens qui prient pour obtenir une guérison pourraient se culpabiliser en demeurant malades.

Le Seigneur Jésus n'est pas venu pour supprimer toute souffrance de cette terre. S'il a guéri des malades, c'est comme signe de sa victoire sur le mal. Le salut qu'il nous a apporté ne se limite pas à une meilleure santé physique.

Nous pouvons toujours le prier pour obtenir une guérison. Mais il demeure libre, dans sa providence, de nous accorder cette faveur ou de nous procurer ce qui peut nous aider à progresser vers lui, ce qui favorise notre cheminement vers son ciel qui n'est pas sur cette terre.

Un jour, tous nous mourrons, la plupart d'entre nous par maladie. Sera-ce par manque de foi? Nullement.

Je vous encourage, toutefois, à grandir dans la foi. Le Seigneur peut certes nous octroyer les faveurs que nous lui demandons, même la guérison physique. Mais, laissons-lui sa liberté.

Prions, et demeurons dans la paix, en nous confiant à notre Père du ciel. Il sait mieux que nous ce dont nous avons besoin (Mt 6, 32). Faisons-lui confiance.

ON NE PRÊCHE PLUS LE CREDO ET LES COMMANDEMENTS

Les raisons de l'ignorance de la foi chrétienne, c'est que nous n'entendons pas l'enseignement systématique du credo et même des commandements. On nous dit qu'il n'y a pas de place pour cela dans les homélies.

Alors, comment le peuple de Dieu va-t-il aimer ce dont il n'entend jamais parler?

* * *

L'Église se rend de plus en plus compte de cette lacune. Les homélies gardent toute leur importance pour nous proposer les vérités de la foi et les règles de vie chrétienne (Can. 767); elles nous incitent à aimer le Seigneur. Mais les homélies ne suffisent pas pour nourrir notre foi de la doctrine révélée, de la connaissance systématique du credo et des commandements.

Les évêques, les prêtres, les agents et agentes de pastorale, le constataient avec évidence lors de l'enquête approfondie des dernières années, surtout au Québec. L'Église s'est résolue à «*risquer l'avenir*», surtout en insistant sur l'éducation de la foi des adultes. En divers diocèses, des cours sont organisés, des fraternités d'échange et de vie se créent, des engagements transparaissent.

Regardez autour de vous, dans votre paroisse, dans votre diocèse, dans les cercles bibliques, dans les communautés, dans les départements de science religieuse, dans les cours de théologie et de pastorale, dans les revues, dans les associations, dans les mouvements, dans les cours par correspondance... Regardez, écoutez, on y parle de foi, de credo, des commandements, de vie chrétienne... On y propose la Bonne Nouvelle, le message de salut apporté par le Christ.

L'évangélisme cesse d'être étriqué pour devenir catéchèse, évangélisation et engagement.

POURQUOI PARLER DES DIX COMMANDEMENTS?

Pourquoi parlons-nous toujours des dix commandements de Dieu donnés dans l'Ancien Testament? Il me semble que l'on devrait parler davantage des deux commandements que Jésus, qui est Dieu, nous a donnés. Car ces deux commandements: «Aimer Dieu et aimer son prochain», renferment tous les autres.

* * *

Ne le fait-on pas?

Jésus énonçait le plus grand commandement en disant: «*Tu aimeras le Seigneur ton Dieu de tout ton cœur, de toute ton âme et de tout ton esprit*». Il ajoutait: «*Le second lui est semblable: Tu aimeras ton prochain comme toi-même. À ces deux commandements se rattache toute la Loi, ainsi que les Prophètes*» (Mt 22, 37-40). Tout se renferme dans l'amour, mais tout ne disparaît pas pour autant. Demeure digne de mérite l'enseignement de la Loi et des Prophètes.

Le commandement de l'amour, en deux volets, dont parle Jésus, ne doit pas faire oublier le décalogue, les dix commandements qui valent toujours.

Ce même Jésus n'enseignait-il pas son estime de la Loi, donc des commandements, lorsqu'il déclarait: «*N'allez pas croire que je sois venu abolir la Loi ou les Prophètes: je ne suis pas venu abolir, mais accomplir... Celui donc qui violera l'un de ces moindres préceptes, et enseignera aux autres à faire de même, sera tenu pour le moindre dans le Royaume des Cieux; au contraire, celui qui les exécutera et les enseignera, celui-là sera tenu pour grand dans le Royaume des Cieux»* (Mt 5, 17. 19).

Pour les observer, il faut les connaître, il faut en parler.

Cependant, nous devrons toujours prendre garde à une observance extérieure et formaliste, toujours nous devrons les imbiber d'amour de Dieu et du prochain.

LES DOGMES SONT-ILS INFAILLIBLES?

Si nous refusons un dogme, ne faisons-nous pas notre propre religion? Ne prenons-nous pas tout simplement ce qui fait notre affaire?

* * *

Les dogmes sont des énoncés de notre foi, tels qu'exprimés officiellement par l'Église. Ils sont infaillibles en ce sens qu'ils sont l'expression de vérités inchangeables.

Le Catéchisme de l'Église catholique stipule: *«Le Magistère de l'Église engage pleinement l'autorité reçue du Christ quand il définit des dogmes, c'est-à-dire quand il propose, sous une forme obligeant le peuple chrétien à une adhésion irrévocable de foi, des vérités contenues dans la Révélation divine ou des vérités ayant avec celles-là un lien nécessaire»* (No 88). Ils sont *«des lumières sur le chemin de notre foi»* (No 89).

Aujourd'hui, si beaucoup sont troublés par les avancées de la libre expression, même dans les données de la foi chrétienne, nous pouvons trouver sécurité dans les dogmes proposés par l'Église. En 1990, la Commission théologique internationale publiait un document intitulé *«De l'interprétation des dogmes»*.

Les dogmes, comme l'exprime le Catéchisme, sont en lien avec l'Écriture Sainte, la Tradition et aussi avec le Magistère de l'Église dont l'autorité fut reçue du Seigneur. Ils touchent des vérités révélées fondamentales. Ils ne sont pas qu'une expression d'un courant transitoire de pensée.

Le retour au dogme et à la théologie marqua le Mouvement d'Oxford, en Angleterre, au 19ᵉ siècle, et influença la conversion d'Anglicans aussi prestigieux que le futur cardinal Newman.

L'enseignement de l'Église, évidemment, ne se limite pas aux dogmes, mais à d'autres déclarations d'importance qui réclament notre respect et notre obéissance, selon leur importance. Nous prenons connaissance de cet enseignement à travers la prédication, la catéchèse, les écrits.

NE SUFFIT-IL PAS D'ENSEIGNER LE CATÉCHISME?

Rassembler des questions pour tenter d'y répondre... Pourquoi ne pas plutôt enseigner le Catéchisme de l'Église? Le Saint-Père s'est donné beaucoup de peine pour nous en faire le don. Mère Teresa et père Macial en vivent et ne peuvent plus répondre à la demande des vocations que Dieu leur envoie.

* * *

Mère Teresa et père Macial en vivent et ne peuvent plus répondre à la demande des vocations... Déjà, avant la parution du Catéchisme, leurs communautés comptaient beaucoup de vocations.

Le Saint-Père nous a fait le don du Catéchisme. Ce qui ne l'empêche pas de livrer chaque jour de l'enseignement, de répondre lui-même à des questions qu'on lui pose sans cesse.

Le Catéchisme de l'Église catholique est un cadeau du ciel, un don que plusieurs n'ont pas encore déballé. Mais le Catéchisme de l'Église catholique ne dispense pas des autres efforts pour faire connaître le Christ et sa doctrine, y compris les réponses aux questions. Celles-ci, d'ailleurs, s'inspirent du Catéchisme de l'Église catholique et vulgarisent sa connaissance.

Mais vous faites bien de rappeler la valeur et l'importance du Catéchisme de l'Église catholique!

EST-IL PRÉFÉRABLE DE SE DÉBARRASSER DU PETIT CATÉCHISME D'AUTREFOIS?

Depuis quelques années, on a cessé d'enseigner le petit caté-chisme du Québec des années 40. Est-il préférable de se débar-rasser de ces anciens petits catéchismes qu'on possède pour ne pas être trop mêlé?

* * *

Certains utilisent toujours le catéchisme des années 40 dont vous parlez; je ne veux pas les juger, encore moins les condamner, car ils sont des chrétiens fervents.

Mais pourquoi ne pas utiliser plutôt le «*Catéchisme de l'Église catholique*», publié en 1992, et profiter de ses lumières? L'Esprit Saint parle sans cesse à l'Église. Il a parlé de façon solennelle lors du concile Vatican II dans les années 60. Le Catéchisme de l'Église catholique contient ces lumières nouvelles, cet esprit nouveau, ce nouvel accent sur le Christ, sur l'Église peuple de Dieu, sur Marie, sur l'œcuménisme...

Vouloir insister sur l'ancien catéchisme, qui avait toute sa va-leur et qui comporte toujours beaucoup de richesses, peut ancrer dans un certain conservatisme craintif. Le nouveau Catéchisme comprend l'ancien Catéchisme et le souffle actuel de l'Esprit dans l'Église.

Lors de son passage à Québec en mars 1996, le cardinal Paul Poupard soulignait l'évolution des hommes de science et aussi des hommes d'Église. Cette évolution nous rend dociles au souffle de l'Esprit vivant qui anime l'Église, Corps vivant du Christ vivant. L'Église n'est pas une momie. La Parole de Dieu, écrite dans la Bible, orale dans la Tradition, nous inspire toujours. À l'écoute de nos pasteurs, nous pouvons toujours mieux comprendre les don-nées de notre foi. Vatican II en fournit la preuve. L'aggiorna-mento n'est pas que théorique.

Jean-Paul II écrivait: «*Je demande aux pasteurs de l'Église et aux fidèles de recevoir ce Catéchisme dans un esprit de communion et de l'utiliser assidûment... Ce Catéchisme leur est donné afin de servir de texte de référence sûr et authentique pour l'enseignement de la doctrine catholique... Il est aussi offert à tous les fidèles qui désirent mieux connaître les richesses inépuisables du salut...*» (11 octobre 1992).

Sans porter de jugement négatif sur qui que ce soit, encore moins sur nos frères et sœurs qui utilisent le catéchisme d'autrefois, ouvrons-nous à l'Esprit vivant dans son Église.

LE LANGAGE INCLUSIF

*Même les prêtres disent «**les humains**» ou «**les hommes et les femmes**» quand ils disent la messe. Alors, pourquoi est-il toujours écrit: «**les hommes**».*

Cette question vient d'un homme

* * *

Il y a une longue tradition, une tradition qui progresse dans le respect de nouvelles sensibilités. Ainsi en est-il de l'expression «*les hommes*» que nous trouvons, non seulement dans les écrits religieux, mais ailleurs. Personne ne se formalisait de cette façon de parler et d'écrire alors que l'expression désignait les deux sexes.

Une évolution récente réclame une mention plus explicite du sexe féminin dans les entretiens et les écrits. C'est légitime, et il serait inopportun, même inutile, de s'y opposer. Le cardinal Danneels craint que l'ignorance d'une revendication légitime des femmes cause le plus grand danger d'hémorragie de toute l'histoire de l'Église. L'Église, les prêtres donc, respectent cette nouvelle orientation dans le langage.

S'il y a un féminisme agressif et excessif, un féminisme qui critique amèrement l'Église, il y a aussi un féminisme de bon aloi. Tant de textes, d'inégale valeur, traitent aujourd'hui de féminisme, des femmes, de leur présence et de leur rôle dans le monde civil et ecclésial. Surtout dans le monde occidental. L'Église – Paul VI,

Jean-Paul II – favorise la «*promotion*» de la femme et sa mission dans l'Église et la société. L'Église, tout comme la Parole de Dieu, insiste sur l'égalité fondamentale des sexes et la non-discrimination.

«*Il n'existe donc pas d'inégalité dans le Christ et dans l'Église en raison de la race ou de la nation, de la condition sociale ou du sexe*» (Lumen Gentium, 32).

Je n'aborde pas ici le problème toujours aigu de l'ordination des femmes au sacerdoce. J'en traite ailleurs dans ces pages.

Je m'en tiens au langage inclusif. Le langage inclusif qui changerait les expressions bibliques sur la Trinité peut facilement conduire à des erreurs sérieuses. Le langage inclusif dont il est ici question désigne l'emploi de termes affirmant l'égalité et la dignité de chaque personne. En d'autres mots, serait légitime un usage modéré d'un langage inclusif «*horizontal*», c'est-à-dire un langage qui se rapporte aux humains, un langage de genre neutre. Le langage «*vertical*», lui, se rapporte à Dieu.

Aux États-Unis il y a toujours controverse au sujet du Lectionnaire de la messe. En juin 1997, les évêques américains ne purent s'entendre sur une nouvelle traduction du Lectionnaire. Entre-temps les experts font la revision de l'Ancien Testament de la New American Bible. Nulle traduction de la Bible et des textes liturgiques semble pouvoir susciter l'unanimité.

Le langage inclusif s'applique à une forme d'expression qui permet aux femmes et aux hommes de se reconnaître comme tels dans un message directement ou généralement destiné aux personnes des deux sexes. Ainsi s'expriment les évêques membres de l'équipe pastorale de la C.E.C.C. (Conférence des Évêques Catholiques du Canada).

C'est, disent-ils, un langage nouveau pour la communauté chrétienne; la mise en œuvre de cette pratique comportera nécessairement des lenteurs. «*Il est capital d'écouter ce que les femmes ont à dire en regard de l'importance du langage inclusif*», en ces temps où s'effectue un changement du rôle des femmes dans la société.

L'utilisation du langage inclusif est un moyen d'action pour respecter la dignité des personnes.

- III -

L'ÉGLISE

Questions sur la religion,
l'Église,
les commandements de l'Église,
les synodes,
l'avenir de l'Église

LA RELIGION CATHOLIQUE EST-ELLE LA BONNE?

Les autres religions ne sont-elles pas bonnes? Qui nous dit que la religion catholique est la bonne religion?

Quelqu'un qui n'a pas de religion, né dans une famille sans religion, peut-il être sauvé?

* * *

Notre religion catholique remonte aux apôtres, leur est demeurée fidèle à travers les siècles. Le pape et les évêques ont succédé à saint Pierre et aux apôtres. Ils continuent de parler au nom du Christ dont ils sont mandatés.

Notre religion catholique nous fait adhérer aux vérités, à toutes les vérités de l'Écriture Sainte: la Trinité: Père, Fils et Esprit, la divinité de Jésus Christ, son Église, ses sacrements, le baptême et l'Eucharistie surtout, la Vierge Marie, etc. Nous croyons, au sein de notre Église catholique, à toutes ces vérités de la foi révélées par Jésus et auxquelles toutes les générations de catholiques ont ajouté foi à tous les siècles de l'histoire.

Quels sont donc les critères de la pleine appartenance à l'Église catholique? Nous les trouvons exprimés dans le Code de Droit canonique: «*Sont pleinement dans la communion de l'Église catholique sur cette terre les baptisés qui sont unis au Christ dans l'ensemble visible de cette Église, par les liens de la profession de foi, des sacrements et du gouvernement ecclésiastique*» (Can. 205).

Vatican II considère qu'il y a du bon dans les autres grandes religions, qu'elles possèdent leur signification et leur valeur, mais que la plénitude de la doctrine et des moyens de salut subsiste dans l'Église catholique (Vatican II, L'Oecuménisme, 3). À nous de les utiliser pour nous sanctifier, dans le respect de nos frères et sœurs, surtout de ceux et celles qui adorent le Seigneur Jésus.

L'œcuménisme nous fait œuvrer pour l'unité du peuple de Dieu, pour l'unité de l'Église créée par le Christ, pour l'unité entre chrétiens de différentes dénominations. Le 13 juin 1997, la CÉCC (Conférence des Évêques Catholiques du Canada) devenait partenaire actif et à part entière du CCÉ (Conseil Canadien des Églises);

Janet Somerville devenait la première femme et la première catholique à occuper le poste de secrétaire-général de la C.C.É. L'Église catholique se joignait ainsi à dix-huit autres Églises et une dizaine de groupes associés pour promouvoir l'unité des chrétiens et intervenir ensemble pour une société plus juste, pour la paix, pour la promotion des droits et de la dignité de la femme, pour une distribution plus équitable des ressources dans le monde, etc.

Il y a aussi le dialogue avec les grandes religions mondiales non chrétiennes, la religion juive, la religion musulmane, l'hindouisme, le bouddhisme, etc., dans le respect et la charité (Vatican II, L'Église et les religions non-chrétiennes). Des messages leur sont communiqués par le «*Conseil pontifical pour le dialogue interreligieux*» pour renforcer les liens d'amitié, v.g. à l'occasion du Ramadan pour les musulmans, à l'occasion de la fête Vesakh, fête de Bouddha, pour les bouddhistes. Le pape rencontre leurs leaders. L'Église garde contact respectueux avec ces grandes religions. Le pape invite aussi les catholiques à lutter contre l'antisémitisme; il estime que la tentation persiste de séparer complètement les textes de l'Ancien et du Nouveau Testament.

Tous les peuples forment une seule communauté, ont une même origine en Dieu et une seule fin dernière. Agissons fraternellement avec tous, au sein de la grande fraternité universelle.

Quelqu'un, né dans une famille sans religion, qui ne pratique aucune religion, peut être sauvé, s'il est de bonne foi, dans une ignorance involontaire. Le Seigneur jugera de sa vie selon son comportement face aux dictées de sa conscience. «*C'est par la médiation de sa conscience que l'homme perçoit les injonctions de la loi divine; c'est elle qu'il est tenu de suivre fidèlement en toutes ses activités pour parvenir à sa fin qui est Dieu*» (La liberté religieuse, 3).

Remercions le Seigneur du grand don de la foi et de notre appartenance à l'Église une, sainte, catholique et apostolique. C'est un bienfait immérité, une source de grâces, une invitation à la sainteté et au témoignage de foi. Nous y découvrons la volonté de Dieu et le chemin du salut. Nous y déballons tous les cadeaux du Seigneur.

Quant à la marche œcuménique, le pape déclarait dernière-ment que les chrétiens sont plus près que jamais de l'unité, de quoi déplaire à tous les pessimistes...

COMMENT CROIRE À L'ÉGLISE?

*Que répondre quand on nous dit: «**Tu crois encore à cette Église qui ne se comprend pas elle-même?**» Beaucoup de théo-logiens, de prêtres, d'évêques et de cardinaux sont opposés à certains enseignements du pape. Comment y croire encore? Où est la vérité?*

* * *

Ma foi ne me cause pas de problèmes. Je trouve la doctrine catholique dans des livres nombreux qui me la présentent: la Bible, les documents de Vatican II, le Catéchisme de l'Église catholique, les enseignements officiels de l'Église, qu'ils proviennent de Rome ou de nos évêques.

Je sais qu'en plus de la doctrine révélée, il peut y avoir des thèmes controversés, non définis, où se manifestent des opinions diverses.

Je sais qu'il y a des points de discipline qui ne sont pas de la doctrine; ils peuvent varier dans le temps, d'un endroit à l'autre, sans bouleverser ma foi chrétienne.

Je sais que certains individus, même prêtres, peuvent énoncer à l'occasion des opinions qui ne sont pas l'enseignement officiel de l'Église, opinions que les mass médias diffusent à cœur joie. Malgré tout, ma foi chrétienne demeure paisible.

Car, toujours, demeurera l'essentiel: la Parole de Dieu écrite dans la Bible ou orale dans la Tradition, le credo, l'enseignement officiel du magistère de l'Église. De quoi nourrir à satiété ma foi et ma vie chrétienne. Je ne m'inquiète pas de l'eau qui s'agite à la surface; la barque de l'Église a toujours connu le vent, et souvent les tempêtes. Le fond de l'océan reste calme, la barque avance toujours. Son Pilote, Jésus, ne se préoccupe pas; il lui arrive de dormir. Il déplore la crainte des marins que nous sommes... (Mt 8, 26).

COMMENT DÉFENDRE L'ÉGLISE?

*Quand l'Église est attaquée, comment la défendre? En priant?
En gardant le silence? En apportant la lumière par l'enseignement du Magistère?*

* * *

Oui, en faisant tout cela. Pas nécessairement en même temps.
Parfois, seule la prière sera de mise; le reste ne serait que déposer
l'huile sur le feu.

Mais aussi, à l'occasion, en parlant, en rectifiant des idées fausses et tordues. Il faudra d'abord se renseigner. Comment apporter
la lumière de l'enseignement du Magistère sans connaître cet
enseignement?

Je me réjouis de voir tant de laïcs qui se spécialisent en théologie, en sciences religieuses, en pastorale. Pourvu que la doctrine
acquise soit saine et fasse vivre. Pourvu que l'intelligence ait le
cœur comme compagnon de voyage à travers les livres. Pourvu
que la sagesse divine soit imprégnée d'amour de Dieu. Pourvu que
l'étude se fasse dans la prière. La connaissance de Dieu est une
terre aride sans la pluie de la prière.

Dieu a moins besoin de savants que de saints et de saintes. Le
monde aussi. Il a aussi besoin de savants qui soient humbles et
fervents.

Lisez la Bible et utilisez ce livre précieux qu'est le Catéchisme
de l'Église catholique. Il est «*un exposé de la foi de l'Église et de
la doctrine catholique, attestées ou éclairées par l'Écriture sainte, la
Tradition apostolique et le Magistère ecclésiastique*» (Jean-Paul II).

LES ENCYCLIQUES DU PAPE SONT MAL REÇUES

*Pourquoi les encycliques du pape sont-elles reçues avec tant
de tiédeur de la part des pasteurs?*

* * *

Je ne crois pas qu'il faille généraliser la tiédeur possible de
certains pasteurs. Il est facile de globaliser la réaction de certains

pasteurs et de la simplifier avec un brin de pessimisme. Je ne nie pas que le mal puisse trouver gîte partout, même dans les presbytères. Nous sommes de race humaine et pas tous «*des vaillants, des forts, des hasardeux*», à la suite du Christ et de son vicaire sur terre.

Les prêtres sont facilement débordés d'un travail ingrat, toujours à recommencer. Certains négligent de consacrer du temps à la lecture des encycliques. En passant, n'oublions pas que les encycliques du pape sont aussi écrites pour les laïcs.

Il y a aussi des prêtres dociles à la voix du pape, de ce premier pasteur que nous a laissé le Sauveur; ils sont des prêtres généreux malgré une tâche souvent pénible. Faut-il taire leur présence et leur action? Ces prêtres fidèles et nombreux, ainsi qu'une foule de laïcs exemplaires, s'inspirent des encycliques du pape, encycliques fort bien préparées; elles contiennent des antibiotiques spirituels et de riches vitamines de foi et de vie chrétiennes.

POUVONS-NOUS QUESTIONNER LES DÉCISIONS DE L'ÉGLISE?

Tout en croyant dans l'Église, devons-nous rester éveillés et nous questionner, ou tout simplement obéir en fermant les yeux?

L'Église, étant constituée d'humains, l'erreur demeure possible.

* * *

Le concile Vatican II déclarait: «*Les pasteurs doivent reconnaître et promouvoir la dignité et la responsabilité des laïcs dans l'Église, utiliser volontiers leurs avis prudents, leur assigner des postes de confiance au service de l'Église, leur accorder la liberté d'action et un champ où ils puissent l'exercer, et même les encourager à entreprendre des œuvres de leur propre initiative. Ils doivent aussi considérer avec attention et affection paternelle dans le Christ les projets, les demandes et les désirs proposés par les laïcs*» (L'Église, 37).

Les personnes qui exercent une mission au sein de l'Église, dans un conseil diocésain de pastorale, dans un conseil paroissial de pastorale, à l'occasion d'un synode, ou en d'autres circonstances, doivent exposer, en toute humilité et charité, leurs points de vue touchant la bonne marche de l'Église, surtout en ce qui concerne le renouvellement chrétien de l'ordre temporel, l'action caritative, la famille, etc. (L'apostolat des laïcs, 7ss), et même en ce qui regarde l'évangélisation du monde (L'Église, 35). Ce n'est pas là faire preuve d'insubordination, mais de saine collaboration qui doit être mutuelle.

L'Église est composée d'humains, c'est vrai, mais elle est habitée par l'Esprit Saint, tel que promis par Jésus. «*Je ne vous laisserai pas orphelins...*» (Jn 14, 18). «*Et je prierai le Père et il vous donnera un autre Paraclet, pour qu'il soit avec vous à jamais*» (Jn 14, 16). Aussi, ne croyons pas trop tôt aux erreurs possibles. Sachons, du moins, que l'Église unie au Saint-Père ne peut errer dans sa foi et sa doctrine.

Sans doute, les humains qui constituent l'Église, même ceux qui la dirigent, peuvent se tromper dans leurs décisions et dans l'orientation qu'ils impriment à l'Église. L'histoire témoigne de certaines directions maladroites, sinon fautives.

Cependant, ce qui nous semble un aiguillage malheureux, une décision fausse, n'est pas toujours une erreur. Souvent, nous avons à rectifier notre pensée et à voir plus loin que les apparences. La Parole de Dieu, rappelée par nos pasteurs, nous dérange dans nos habitudes, et c'est bien de secouer notre vie si facilement embourbée pour qu'elle sorte de l'ornière de la médiocrité.

Laissons aux responsables leur rôle de discerner ce qu'il faut croire et ce qu'il faut faire. Ne soyons pas des super-prêtres, des super-évêques, des super-papes. L'orgueil, même bien intentionné, en a fait glisser plusieurs dans le fossé, hors du bon chemin.

Si vous croyez qu'un prêtre se trompe, si vous croyez qu'un évêque ne dirige pas son diocèse de la bonne façon, laissons à leurs supérieurs de réagir. Rarement faudra-t-il leur signaler les erreurs de leurs subalternes.

Que la charité règne dans les cœurs. Trop de chrétiens divisent l'Église par leurs jugements téméraires et souvent superficiels. Ceux de droite accusent ceux de gauche, ceux de gauche blâment ceux de droite. Il y en a qui vont trop vite et accusent une Église trop lente; il y en a qui sont sclérosés spirituellement et qui se hérissent devant tout changement.

Il peut arriver que de tels chrétiens, saints par ailleurs, accusent d'erreur ceux et celles qui ne pensent pas comme eux, surtout s'ils sont des pasteurs. C'est pourquoi nous devons laisser aux responsables de juger.

LES COMMANDEMENTS DE L'ÉGLISE CHANGENT

*J'ai entendu un bon chrétien me dire: «**J'obéis aux commandements de Dieu, mais non à ceux de l'Église, car ils viennent des hommes et changent avec le temps**». Les jeunes ont même oublié les commandements de Dieu. J'aimerais qu'on nous en parle plus souvent.*

* * *

Les commandements de Dieu viennent de... Dieu et sont immuables. Nous les trouvons exprimés dans la Bible, alors que le Seigneur Yahvé s'adressait à son peuple par Moïse son prophète (Ex 20, 3-17; Dt 5, 7-21; Lv 19, 3ss). Ces commandements, Jésus les a résumés dans la grande loi de l'amour, amour de Dieu et amour du prochain (Mc 12, 29-31).

Existent aussi les commandements de l'Église. Traditionnellement, ce sont des préceptes précis, des obligations qui touchent la vie ordinaire de tout chrétien et de toute chrétienne: jeûne, abstinence, fêtes d'obligation, *«faire ses Pâques»*, etc.

Certains commandements de l'Église peuvent varier, comme la loi du jeûne et de l'abstinence. Il ne s'agit pas de caprice humain. L'Église est le Corps vivant du Christ et s'adapte aux différentes générations pour leur présenter la doctrine du Seigneur et leur faciliter l'observance des commandements de Dieu.

L'Église peut établir d'autres lois pour son fonctionnement, pour nous conduire sur le chemin du ciel.

Depuis les premiers siècles de l'Église, les chrétiens peuvent se référer à des recueils de lois ecclésiastiques. Au cours des années, ces recueils furent réunis en concordances. Le 25 janvier 1983, Jean-Paul II autorisait la publication pour l'Église latine d'une collection révisée, désignée comme le Code de Droit Canon. Un peu comme fait le droit civil pour la société profane, le droit de l'Église comprend des lois qui concernent la mission de salut que lui a confiée son divin Fondateur.

Si de nombreuses lois de l'Église, que nous trouvons dans le Code de Droit canonique, concernent la liturgie, les sacrements, le mariage, etc., d'autres législations, même hors du Code, portent sur la pénitence, le support de l'Église, etc.

Les commandements et les autres lois de l'Église ne viennent pas du caprice de simples humains. Les hommes qui les ont édictés sont mandatés par Jésus, avec une autorité qu'il leur délègue. Négliger sciemment les commandements et les lois de l'Église, c'est un peu mépriser l'œuvre du Christ Fondateur de l'Église.

MON PÈRE A ÉTÉ EXCOMMUNIÉ... EST-CE IRRÉVERSIBLE?

J'étais jeune garçon. Il ne fréquentait pas l'église. Le bon Dieu va-t-il le juger autrement, ou si c'est irréversible? C'était bien triste la religion d'autrefois.

* * *

Je ne sais pas pourquoi votre père a été excommunié. Une telle peine ecclésiale n'est pas fréquente. À titre d'exemple, il y aurait excommunication *latae sententiae*, automatiquement donc, pour qui profane les espèces consacrées (Can. 1367). À la suite de son excommunication, votre père ne pouvait recevoir les sacrements; vous me dites qu'il ne fréquentait pas l'église.

Le temps a passé... Quelle a été l'attitude profonde de votre père au cours des années qui ont suivi? A-t-il persisté dans un péché grave et manifeste (Can. 915)? Dieu juge selon le cœur, les dispositions intérieures, les orientations de la conscience.

Tournons-nous vers sa miséricorde. C'est à ce Dieu de bonté que vous devez adresser votre prière pour le repos de l'âme de votre père.

La décision est-elle irréversible? Peut-être. Du moins extérieurement. Tout dépend du grave délit qui a causé l'excommunication. Encore une fois, Dieu seul connaît ce qui s'est passé dans le cœur et la conscience de votre cher papa dans les années qui ont suivi l'excommunication, et surtout au moment du grand passage.

La religion d'autrefois n'était pas que triste. Pas plus que celle d'aujourd'hui. Peut-être la rigueur occupait-elle plus d'espace. Une certaine morosité l'a remplacée dans bien des esprits. Il y avait la charité dans les cœurs et la fierté d'être chrétien autant que de nos jours. Les disciples de Jésus s'efforçaient joyeusement d'aimer. Ils essaient toujours.

LA MORT DE MON FILS M'A ÉLOIGNÉE DE L'ÉGLISE

Notre fils unique est décédé des suites d'un accident... Depuis ce temps, je suis très révoltée. Il était pour moi ce que j'avais de plus cher au monde.

On dit que rien n'arrive sans la permission de Dieu. J'ai toujours été croyante, mais maintenant je ne pratique plus... Éclairez-moi, s.v.p.

* * *

À la suite d'une telle épreuve, pouvons-nous nous scandaliser d'une révolte de la nature? Vous venez de perdre brusquement votre fils bien-aimé, et vous criez votre douleur.

Dieu n'est pas la cause de l'accident, il ne faudrait pas l'en blâmer. Il nous laisse une liberté d'agir qu'il honore. Il respecte les lois de la nature.

Abandonner le Seigneur vous aide en quoi? Ne serait-il pas préférable de réveiller votre foi en son message d'amour? Regardez le crucifix. Voyez-le dans sa propre souffrance, voyez près de lui la désolation d'une autre mère... Regardez simplement, et pleurez. Ils vous comprendront; vous les comprendrez...

Que votre foi apaise votre peine. Votre tribulation bien acceptée fortifiera votre vie chrétienne et se changera en espérance, une espérance qui ne déçoit pas, car elle aboutit au bonheur (Rm 5, 3-5).

Un jour, ce sera la fin des pleurs, le bonheur des retrouvailles avec votre fils, l'enchantement et la félicité sans fin. C'est là notre conviction, la vôtre, la mienne.

En attendant, sachez que Dieu vous comprend, vous aime, ne vous déserte pas. Déversez dans son cœur toutes vos larmes, jetez en lui tous vos chagrins, déchargez sur lui votre fardeau (Ps 55, 23).

L'ÉGLISE EST PEUREUSE

L'Église est faible, peureuse. Il n'est pas surprenant de voir autant de lâcheux et tant de confusion. Pas assez de ferveur, de témoignage dans le vécu, de la part des laïcs, des prêtres et des religieux...

* * *

Bravo! C'est vrai. Alors, dès aujourd'hui, vous et moi nous demanderons au Seigneur de transformer les peureux que nous sommes en apôtres prêts à témoigner du Christ, comme l'ont fait tant de chrétiens et de chrétiennes du passé, comme l'ont attesté une multitude de martyrs qui ont vaillamment sacrifié leur vie pour leur foi.

Car nous sommes l'Église.

Vous et moi!

Moi!

Vous!

Comme l'écrivaient en 1996 les évêques de France aux catholiques de leur pays: «*Nous ne pouvons pas nous résigner à cette privatisation de la foi. L'Église n'est pas un ghetto. L'Évangile est sur la place publique et doit s'y manifester... Nous voulons que l'Évangile du Christ soit à la disposition de tous comme une force pour vivre et affronter les défis de l'existence*».

Gardons confiance. Il y a nos efforts d'évangélisation. Il y a aussi toujours place pour les imprévus de Dieu au cœur de l'histoire.

***

L'APOCALYPSE NE CONDAMNE-T-ELLE PAS L'ÉGLISE?

Sur quel passage de l'Apocalypse les pentecôtistes se basent-ils pour prétendre que les catholiques doivent sortir de l'Église catholique?

* * *

Probablement sur les premiers versets du chapitre 18.

L'Apocalypse, le dernier livre de la Bible, communique un message d'espérance. Saint Jean l'a écrit pour réconforter les chrétiens persécutés par l'empire romain. Il leur dit d'espérer, que le Seigneur triomphera, qu'il reviendra à la fin des temps. Le livre se termine par cette prière ardente: «*Amen, viens, Seigneur Jésus!*» (Ap 22, 20).

Dans le passage dont il est question, au chapitre 18, Jean attribue l'origine des maux dont souffrent les chrétiens à la cité de Rome. Rome, la persécutrice et l'idolâtre, était cette Bête aux sept têtes, car elle était bâtie sur sept collines (Ap 17, 9).

Rome était dénommée la Babylone, car elle ressemblait à la Babylone ancienne et païenne. Le roi de cette Babylone ancienne, capitale de la Mésopotamie puis de l'Asie, s'empara de Jérusalem en l'an 587 avant Jésus Christ et réduisit ses habitants en esclavage. Rome agissait avec la même cruauté envers les chrétiens.

Il est facile pour certaines sectes d'interpréter ce texte de l'Apocalypse de façon fantaisiste et arbitraire pour affirmer que l'Église catholique est la Babylone dont parle la Bible. Rien n'autorise une telle version des textes. C'est trahir l'histoire. C'est fausser la Parole de Dieu, l'Écriture Sainte, la Bible, pour mieux attaquer cette Église que le Seigneur Jésus a instaurée: «*Tu es Pierre, et sur cette pierre je bâtirai mon Église, et les Portes de l'Hadès ne tiendront pas contre elle*» (Mt 16, 18).

LES RÉFÉRENDUMS DANS L'ÉGLISE

Si un diocèse n'accepte pas les directives du pape et fait signer des pétitions en faveur du mariage des prêtres et du sacerdoce des femmes, va-t-il vers un schisme?

Que penser du référendum qu'on nous invite à signer?

* * *

Je ne connais aucun diocèse qui se lance dans de telles initiatives. Je ne saurais citer à la barre un diocèse qui refuse les directives du Pape et fait signer des pétitions.

Je sais qu'il existe des groupes de fidèles qui font signer des pétitions comme celle qui se désigne sous le nom de«*Nous sommes l'Église*», en anglais: «*We are Church*»,«*Call to action*», «*Catholics of vision*», «*Coalition of concerned Catholics for reform*». Ce genre de référendum s'est tenu en plusieurs pays d'Europe et d'Amérique. Lors de ce référendum, des chrétiens et chrétiennes pouvaient déclarer qu'ils souhaitaient le mariage des prêtres, le sacerdoce des femmes, un assouplissement des lois en matière sexuelle, etc.

En février 1997, le cardinal Joseph Ratzinger jugeait bon d'intervenir auprès de la Conférence épiscopale du Canada pour dire que ces référendums présentaient des «*revendications quelquefois contraires à la doctrine et à la morale catholiques, voire même en opposition patente avec les institutions apostoliques*». Le cardinal mettait en garde contre le danger de tels mouvements qui pouvaient présenter une ligne de fracture entre le peuple de Dieu et les instances ecclésiales, diffuser une *«mentalité démocratique»* et une éthique parfois contraire à la doctrine du Magistère.

Il faut vérifier ce à quoi on souscrit. Certaines requêtes peuvent concerner des points de doctrine que l'Église ne peut changer et qu'il est illusoire de vouloir transformer par un référendum. Ainsi en est-il, selon la pensée du pape, de l'ordination des femmes.

Certaines demandes se rapportent à des points de discipline dont plusieurs espèrent la modification. Ainsi, beaucoup de laïcs, de religieux, de prêtres et même d'évêques, souhaitent l'ordination au sacerdoce d'hommes mariés exemplaires.

Dans de telles pétitions, les points de discipline peuvent se juxtaposer aux points de doctrine déjà définis. Il ne serait alors pas acceptable de signer de telles pétitions.

Le Code de Droit canonique autorise des interventions de fidèles pourvu qu'elles ne contredisent pas l'Écriture Sainte et la Tradition catholique et soient respectueuses de la décision finale du Saint-Siège. Tout n'est pas noir chez les chrétiens qui signent de telles pétitions. Nous pouvons ne pas être d'accord avec eux, mais ils s'affirment membres de l'Église, et non anti-Église ou hors-Église. Il est possible, toutefois, que des groupes anti-Église se glissent parmi les signataires.

En lien avec la question, lisons ce passage du Droit canon: *«Les fidèles ont la liberté de faire connaître aux pasteurs de l'Église leurs besoins surtout spirituels, ainsi que leurs souhaits. Selon le devoir, la compétence et le prestige dont ils jouissent, ils ont le droit et même parfois le devoir de donner aux pasteurs sacrés leur opinion sur ce qui touche le bien de l'Église et de la faire connaître aux autres fidèles, restant sauves l'intégrité de la foi et des mœurs et la révérence due aux pasteurs, et en tenant compte de l'utilité commune et de la dignité des personnes»* (Can. 212, 2 et 3).

Peut-être est-il à propos d'ajouter ce passage: *«En considération du bien commun, il revient à l'autorité ecclésiastique de régler l'exercice des droits propres aux fidèles»* (Can. 223, 2).

Les signataires ont-ils toujours la compétence voulue par le Droit Canon?

Ce n'est pas le nombre des signataires qui apposent leur signature au bas d'une pétition qui décide au nom de l'Église.

La pression sur l'autorité est-elle acceptable? L'Église n'est pas une démocratie; elle n'est pas congrégationaliste. Au pape et aux évêques qui lui sont unis d'interpréter officiellement la Parole de Dieu et les directives pratiques qui conviennent. L'Église doit demeurer fidèle au Seigneur qui l'a instituée, et dans son enseignement et dans sa structure.

En de nombreux diocèses, particulièrement au Canada, l'évêque a cru bon d'interdire l'usage des églises pour que soit signées de telles pétitions et même des pétitions en sens contraire (comme «Real Catholics»). Ce genre de controverses ne favorise pas l'unité de l'Église. D'autant plus que le battage publicitaire qui entoure de telles pétitions, et auquel font écho les médias anti-catholiques, rend nuisibles de telles pétitions.

QU'EST-CE QU'UN SYNODE?

Quelle est son importance?

* * *

Un synode, c'est une assemblée, convoquée par le pape ou un évêque, pour réfléchir sur la situation et les problèmes de l'Église catholique universelle ou ceux d'un diocèse. Le synode, c'est un peu le conseil du pape ou d'un évêque. C'est une institution qui, comme elle existe présentement dans l'Église, a vu le jour à la suite du concile Vatican II. C'est un acte de responsabilité partagée. C'est une marche ensemble... (syn-odos).

Plusieurs connaissent bien la définition d'un synode pour l'avoir vécu de façon intensive.

Les synodes font désormais partie de la vie de l'Église. Il est difficile maintenant de s'en passer. Ces assemblées orientent mieux l'Église et stimulent l'action et le zèle de chaque baptisé-e, dans un climat de prière et une réflexion sage et audacieuse. Les synodes agissent en prophètes; ils sont «*la voix permanente du concile Vatican II*», selon l'expression du cardinal Jan P. Schotte.

Lorsque le pape et les évêques se réunissent en synode, ils font acte de collégialité.

Depuis le concile Vatican II, tenu au Vatican de 1962 à 1965, des évêques de l'Église catholique, sur convocation du pape, se réunissent au Vatican en synodes, en diverses assemblées, soit ordinaires, soit extraordinaires ou spéciales. Ces centaines d'évêques invités représentent les évêques du monde entier qui sont plus de 4000. Ils se groupent près du pape pour réfléchir avec lui et émettre leurs conseils. Dans l'Église latine, le synode est consultatif.

Ainsi en fut-il lors des synodes généraux suivants:
En 1967, sur le Code de Droit canonique et des problèmes doctrinaux
En 1971, sur le sacerdoce et la justice dans le monde
En 1974, sur l'évangélisation
En 1977, sur la catéchèse
En 1980, sur les tâches de la famille chrétienne
En 1983, sur la réconciliation et la pénitence
En 1987, sur la vocation et la mission des laïcs
En 1990, sur la formation des prêtres
En 1994, sur la vie consacrée

Puis, le synode consacré au ministère épiscopal, etc.

D'autres synodes furent aussi convoqués:
En 1969, pour mieux comprendre la collégialité épiscopale
En 1980, sur les Pays-Bas
En 1985, pour le 20e anniversaire du 2e concile du Vatican
En 1990, sur l'Église ukrainienne
En 1991, sur l'Europe
En 1994, sur l'Afrique
Sur le Liban, etc.

Il y a aussi les synodes diocésains... En 1997, la Congrégation pour les évêques et la Congrégation pour l'Évangélisation des peuples publiaient une Instruction sur les Synodes diocésains. Désormais, les diocèses pourront s'en inspirer, comme ils doivent aussi se référer aux canons 460-468.

Une foule de chrétiens et de chrétiennes participent activement à de tels synodes. La vie ecclésiale en est heureusement dérangée, bousculée, interpellée. C'est une marche courageuse en avant, sous le souffle de l'Esprit qui meut l'Église. Elle provoque des virages nécessaires aujourd'hui, dans une société en mutation. Elle présente mieux l'Évangile à de nouvelles générations. Les fidèles, eux aussi sous la mouvance de l'Esprit, s'y impliquent. L'Église ne devient pas pour autant une démocratie à l'instar de nos démocraties politiques, mais il s'y exerce un discernement communautaire, dans la consultation et la communion, sous la conduite de l'évêque qui demeure libre à l'issue des votes. À l'évêque diocésain revient tout le pouvoir ordinaire, propre et immédiat pour l'exercice de sa charge pastorale (Can. 381). À la suite du synode, il orientera la pastorale, émettra des décisions ou indiquera des pistes d'action pour une meilleure mission d'Église.

Un synode n'est pas la panacée de tous les maux, il ne guérit pas toutes les souffrances de l'Église, du peuple de Dieu en marche. Mais il aide la croissance, il redonne souffle, il oriente vers l'avenir. Le synode terminé, «*la synodalité demeure*», comme l'écrivait Mgr Maurice Couture, archevêque de Québec. «*Je ne peux remplir ma mission d'évêque sans vous*», déclarait-il à ses diocésains.

Le Saint-Père, le pape Jean-Paul II, a mis en branle tous les chrétiens et chrétiennes de l'Amérique du Nord, de l'Amérique Centrale et de l'Amérique du Sud, pour le grand synode des Amériques du 16 novembre au 12 décembre 1997. Il en est de même pour les synodes de l'Asie au printemps 1998, de l'Océanie à l'automne 1998, et de l'Europe au printemps 1999, suivi par le synode mondial à l'automne qui suit. Il voulait que nous nous disposions ainsi, de façon intensive, au grand Jubilé de l'An 2000. Impossible de demeurer indifférents.

QU'EST LE MONASTÈRE D'AYLMER?

Nous aimerions des renseignements au sujet du monastère d'Aylmer, centre de renouveau chrétien.

* * *

«*Le Monastère*», telle est l'appellation du Centre de renouveau chrétien situé à Aylmer, Québec, près de la ville de Hull (Le Monastère, 161 rue Principale, Aylmer, QC, Canada, J9H 3M9; téléphone: (819) 684-1379; télécopieur: (819) 684-9924).

Des Rédemptoristes s'y dévouent pour accomplir leur mission au sein de l'Église canadienne, et pour faire du «*Monastère*» un centre de ressourcement et de rayonnement auprès des francophones et des anglophones. Les Mouvements et les groupes de croissance humaine et spirituelle, conformes à l'enseignement de l'Église, y sont accueillis, ainsi que les personnes qui s'y rendent pour des retraites, de l'enseignement, des célébrations liturgiques, etc. Prêtres, personnes consacrées, laïcs, s'y succèdent; plusieurs appartiennent au Cursillo, à l'Aggiornamento, au Renouveau charismatique, au Néo-catéchuménat, à la famille Encounter, à Serena, aux AA, au scoutisme, etc. Ils y participent à des temps de formation en soirées ou en fins de semaine; ils approfondissent la Parole de Dieu, le catéchisme, la vie intérieure, les relations humaines, les voies spirituelles. La catéchèse et l'éducation de la foi deviennent des priorités.

Les jeunes sont particulièrement bienvenus. Existe pour eux le «*Café chrétien - le Refuge*». Une percée se fait dans le monde des affaires et de la politique pour lui offrir un lieu de réflexion spirituelle.

L'évangélisation du «*Monastère*» s'étend au loin par le service du livre et de l'internet.

De nouvelles collaborations se dessinent avec les gens qui œuvrent au «*Monastère*» et désirent vivre de la spiritualité rédemptoriste.

L'œuvre du «*Monastère*» repose sur la prière: Eucharisties, Office divin, adoration, prière mariale, neuvaines...

Il existe une «*Association de Centres de Renouveau Chrétien*» (ACRC). Il se réunit en congrès chaque été. L'Association est un organisme de lien et de communication au service des centres de renouveau chrétien: maisons ouvertes pour des séjours de ressourcement spirituel chrétien et munies de l'approbation de l'Ordinaire du lieu. L'Association est permanente par décision des évêques et pourvue d'un aviseur spirituel.

COMMENT CHANGER CEUX QUI REGARDENT L'ÉGLISE AVEC PESSIMISME?

Comment convaincre quelqu'un qui regrette le passé de l'Église et ne voit que du mal dans la situation présente?

* * *

C'est toujours et ce sera toujours la vision du pessimiste. D'autres, plus sereins, sinon plus optimistes, verront les œuvres saintes accomplies dans le passé et admireront les merveilles d'aujourd'hui.

Les uns et les autres ont raison.

Car il y a eu des fautes dans le passé et il y en a encore aujourd'hui. Faiblesse humaine. Péchés de tous les pécheurs que nous sommes.

Car il y a eu des bonnes actions dans le passé et il y en a encore aujourd'hui. Bons fruits de la nature et de la grâce.

Nous devons être réalistes et faire la part des choses. Comme chrétiens et chrétiennes, gardons l'optimisme de notre foi. Le Seigneur a vaincu le monde (Jn 16, 33). Il est présent et agissant. Il ne nous laisse pas orphelins (Jn 14, 18). Son amour est fidèle, même si le nôtre ne l'est pas.

N'y a-t-il pas lieu de souligner les gestes de charité et de solidarité d'une multitude de gens, les téléthons pour les enfants et les handicapés, les associations qui luttent pour la vie, la justice sociale, l'aide aux violentés d'ici et d'ailleurs? Au sein de l'Église, ne fléchit pas le nombre de laïcs qui s'impliquent, augmentent les témoins de l'Évangile, les martyrs de la foi, les jeunes qui vont à contre-courant du paganisme ambiant. Regardez attentivement dans la masse anonyme qui s'agite: il y a tant de papas et de mamans consciencieux, qui se comportent généreusement malgré les inquiétudes du lendemain, il y a des prêtres et des âmes consacrées qui ne lâchent pas en dépit d'une tâche qui s'alourdit et d'une vie facile qui fascine.

QUE SERA L'ÉGLISE DE DEMAIN?

Il y a quelques années les croyants étaient une grande famille. Aujourd'hui, la famille diminue. Sommes-nous un peu trop en perte de vitesse? Nous sommes maintenant, nous, pratiquants, en minorité. Notre religion est-elle une affaire individuelle? On dirait que la communication ne se fait plus.

Que sera l'Église de demain? Comment mettre notre foi dans les conversations d'aujourd'hui? Ça semble une goutte d'eau dans l'océan.

Nous avons la plus belle religion du monde. Mais elle devrait avoir une seule ligne de conduite, ne pas manquer de discipline.

Que faire pour aimer vraiment l'Église et les prêtres?

* * *

L'océan est fait de gouttes d'eau...

L'Église est humaine, sujette aux faiblesses. Aujourd'hui, c'est la déchristianisation massive, apparemment une perte de vitesse. Les «pratiquants» deviennent moins nombreux. L'Église exerce moins d'impact social. Tel est l'aperçu superficiel de l'Église offert à nos yeux myopes.

L'Église n'en demeure pas moins divine, forte et sainte, en dépit de toutes les apparences. Elle est divine par la présence en elle de Jésus qui semble dormir comme autrefois dans la barque; elle est forte de la présence en elle de l'Esprit Saint; elle est sainte de sa doctrine, de ses sacrements, de l'Eucharistie surtout. À nous de boire à la source de notre foi, à nous d'y puiser notre espérance. Même sans argent pour payer (Is 55, 1), pauvres de vertus.

Voyons les nombreux aspects positifs de l'Église contemporaine, même s'ils ne font pas les manchettes. Dans l'Église universelle, alors que le nombre d'évêques dépasse 4200, le nombre de prêtres diocésains et de séminaristes est en légère augmentation. Plus nombreux que jamais sont les laïcs engagés. Les renouveaux suscités par l'Esprit gagnent du terrain. Plusieurs sont mentionnés dans ces pages. Je souligne aussi l'œuvre dynamique des Chevaliers de Colomb, ainsi que des Filles d'Isabelle. Les Chevaliers de Colomb sont au Canada depuis plus de 100 ans, s'étant établis à Montréal en 1897. «*Ils tiennent une place importante dans la vie de l'Église*» (Mgr Francis J. Spence).

Nous avons une succession de papes extraordinaires de sainteté et de sagesse. Ils tiennent fermement le gouvernail de l'Église malgré les vents contraires. Jean-Paul II, dont le pontificat est l'un des plus longs de l'histoire, en plus de visiter des centaines d'églises romaines, s'est rendu en plus de 120 pays dans des voyages autour du monde. Il a multiplié les messages évangéliques en toutes les langues. Il a présidé de nombreux synodes d'évêques. Il est celui qui a béatifié et canonisé le plus grand nombre de serviteurs et de servantes de Dieu. Il a exercé une influence de premier plan en tous les pays, même ceux d'allégeance communiste. Le Saint-Siège entretient des relations diplomatiques avec environ 170 États.

Que sera l'Église de demain? Dieu seul le sait. L'Église demeure à jamais le Corps du Christ; il en est la Tête (Col 1, 18). Elle subsistera toujours. Il y a de la vie en elle, des renouveaux en profondeur, des germes de sainteté aux fruits prometteurs, *un avent d'évangélisation*, selon l'expression du pape.

L'Église d'aujourd'hui, comme celle du passé, comme sera celle de demain, demeure frêle et souffrante, mais porteuse de riches bourgeons de vie nouvelle.

Nos paroles, notre exemple, nos prières, ne sont qu'une goutte d'eau dans l'océan... Peut-être. Mais le grain planté en terre, tout petit et méprisable, peut donner du cent pour un. Semons et confions la croissance au divin Jardinier (I Co 3, 6).

Le visage de l'Église au Canada est changeant. Il y a le vieillissement, il y a l'immigration, etc. Évitons de succomber au danger actuel, celui d'une polarisation dans l'Église en groupes conservateurs ou en éléments libéraux qui s'affrontent sans discernement et sans nuances.

Votre regard de foi vous fera aimer, passionnément même, l'Église et les prêtres.

Gardez l'espérance. Dès le début de son pontificat, le 22 octobre 1978, Jean-Paul II lançait: «*N'ayez pas peur!*». Le pape ajoute: «*La puissance de la Croix du Christ et de sa Résurrection est toujours plus grande que tout le mal dont l'homme pourrait et devrait avoir peur... Il faut que, dans la conscience de chaque être humain, se fortifie la certitude qu'il existe Quelqu'un qui tient dans ses mains le sort de ce monde qui passe... et surtout la certitude que ce Quelqu'un est Amour*» (Entrez dans l'Espérance, p. 317-321).

NE FAUDRAIT-IL PAS NOUS ÉMERVEILLER?

Pourquoi y a-t-il si peu d'émerveillement dans notre Église?

* * *

Parce que notre foi languit. Si nous comprenions la grandeur de l'amour de Dieu! Si nous avions conscience de la richesse de ses dons! Durant l'éternité, face à Dieu, guéris de notre myopisme spirituel, nous chanterons l'alleluia éternel de notre joie, de notre reconnaissance, de notre émerveillement.

Un émerveillement qui ne sera pas que sentimentalisme superficiel, un émerveillement qui sera éblouissement spontané devant la Beauté et la Bonté qu'est Dieu.

«*Que toutes ses œuvres sont aimables,*
comme une étincelle que l'on pourrait contempler...
Une chose souligne l'excellence de l'autre,
qui pourrait se lasser de contempler sa gloire?» (Si 42, 22.25).

C'est peut-être ce à quoi songeait le pape Paul VI lorsqu'il nous incitait à célébrer des Eucharisties festives. Ce à quoi il nous sollicitait en publiant l'exhortation apostolique«*Gaudete in Domino*», sur la joie chrétienne, à l'occasion de la Pentecôte 1975.

Ce à quoi nous convoque Jean-Paul II quand il parle du grand Jubilé de l'an 2000, pour que nous puissions nous émerveiller et... jubiler.«*Parcourez avec courage et amour*», nous dit-il, «*la route vers le bonheur*». C'est l'allégresse de l'émerveillement sans fin.

Un jour sera le coup de foudre de l'émerveillement éternel.

En attendant, émerveillons-nous à la façon de François d'Assise:

«*Loué sois-tu, Seigneur, avec toutes tes créatures, et tout particulièrement notre frère le soleil, qui nous donne le jour et par qui tu nous éclaires; il est beau et rayonnant, et avec sa grande splendeur il te symbolise, toi, le Très-Haut...*

Loué sois-tu, Seigneur, pour nos sœurs la lune et les étoiles, que tu as créées au ciel, claires, précieuses et belles!

Loué sois-tu, Seigneur, pour notre frère le vent, et pour l'air et les nuages...

Loué sois-tu, mon Seigneur, pour notre sœur l'eau, qui est très utile et très humble, précieuse et chaste...

Loué sois-tu, mon Seigneur, pour notre frère le feu au moyen duquel tu éclaires la nuit, et qui est beau et joyeux, robuste et fort!

Loué sois-tu, mon Seigneur, pour notre mère la Terre qui nous porte et nous nourrit, qui produit la diversité des fruits avec les fleurs colorées et les herbes...

Louez et bénissez mon Seigneur, rendez-lui grâce et servez-le en toute humilité!»

- IV -

LA VIE SACRAMENTELLE,
LE BAPTÊME ET LA CONFIRMATION

Questions sur la sacramentalisation,
l'initiation sacramentelle,
le baptême
et la confirmation

EST-CE QU'ON SACRAMENTALISE TROP?

Est-ce que vous trouvez que l'on sacramentalise trop dans les communautés, plutôt que d'évangéliser?

* * *

Au cours des dernières années, la plainte s'est élevée dans certains milieux chrétiens contre une sacramentalisation qui se faisait aux dépens d'une évangélisation profonde. Les sacrements, disait-on, sont distribués dans l'Église, alors que la foi n'est pas vraiment comprise et qu'il n'y a pas d'évangélisation en profondeur. Aussi beaucoup de chrétiens et de chrétiennes reçoivent les sacrements régulièrement qui ne savent pas comment exprimer leur foi, qui désertent parfois l'Église faute de comprendre son enseignement.

N'est-il pas préférable, disait-on, de moins sacramentaliser pour mieux évangéliser?

Aujourd'hui, même si la complainte se fait encore entendre, la réponse qui semble prévaloir est de ne pas sacrifier l'une pour l'autre, la sacramentalisation pour l'évangélisation, ou vice-versa. L'une et l'autre sont nécessaires. Une évangélisation qui néglige les sacrements ne risque-t-elle pas de se fier d'abord et surtout sur les moyens humains de transmettre la foi?

Aussi, prêtres et agent-e-s de pastorale insistent-ils sur l'éducation de la foi, celle des adultes comme celle des enfants, sans pour autant négliger les sacrements et l'initiation chrétienne aux sacrements.

COMMENT RENAÎTRE?

Jésus nous a dit qu'il faut renaître pour entrer dans le Royaume de Dieu. Comment savoir que nous sommes renés? Pour moi, cette question est très importante. Me faut-il demander à des protestants pour savoir la réponse? Ils semblent la connaître.

* * *

Il est évident que votre question est de première importance, car il s'agit de notre salut. L'Église, fondée par le Christ, s'en préoccupe. Aussi, insiste-t-elle, comme le veut le Seigneur, sur le baptême, cette deuxième naissance, cette re-naissance qui nous fait vivre en enfants de Dieu.

Jésus disait à Nicodème: «*En vérité, en vérité, je te le dis, à moins de naître d'eau et d'Esprit, nul ne peut entrer dans le Royaume de Dieu*» (Jn 3, 5).

Nous naissons de nouveau par le baptême d'eau et d'Esprit que nous recevons au moment de notre naissance. Le baptême est voulu par Jésus; il donna cette mission aux apôtres: «*Allez donc, de toutes les nations faites des disciples, les baptisant au nom du Père et du Fils et du Saint-Esprit...*» (Mt 28, 19-20).

Le baptême est la porte des autres sacrements et il est nécessaire pour nous délivrer des péchés, nous configurer au Christ et nous incorporer à l'Église (Can. 849). Il est le fondement de toute la vie chrétienne et nous rend participants de la mission de l'Église (Catéchisme de l'Église catholique, 1213). Nous devenons, grâce à lui, de *nouvelles* créatures (2 Co 5, 17)

Par le baptême, que nous recevons toujours dans l'eau et l'Esprit Saint, nous sommes des «*renés*» (en anglais: des «*reborn*»), tel que le Seigneur l'a voulu. Inutile de nous tourner vers les sectes religieuses pour entendre des explications fausses sur le salut et la re-naissance. Nous avons, dans l'Église fondée par le Seigneur et qui remonte aux Apôtres, la porte du salut et les moyens d'avancer ensuite sur le chemin du Seigneur. L'Église attache beaucoup d'importance au sacrement du baptême; aussi prépare-t-elle avec soin ce sacrement de salut et de vie.

Par le baptême qui nous unit à la mort et à la résurrection de Jésus, nous revêtons le Christ, comme il est écrit: «*Vous tous en effet, baptisés dans le Christ, vous avez revêtu le Christ*» (Ga 3, 27). C'est vraiment une deuxième naissance; nous renaissons, cette fois à la vie divine.

Le sacrement du baptême est intimement lié aux sacrements de confirmation et d'Eucharistie pour qu'il y ait totalité de l'initiation chrétienne (Can. 842), pour qu'il y ait une véritable re-naissance.

Certains goûtent la joie de cette renaissance dans une expérience sensible, comme un don de l'Esprit. Cette émotion sensible peut être un cadeau divin, mais elle n'est pas un critère sûr. Elle n'est pas nécessaire. La foi suffit pour nous convaincre de notre renaissance, car, telle est notre foi: le baptême nous fait vraiment renaître.

FAUT-IL RÉSERVER L'INITIATION SACRAMENTELLE AUX ENFANTS DES PRATIQUANTS?

*Des parents confient toute la responsabilité de la préparation sacramentelle de leurs enfants à la communauté chrétienne. Ils ne soutiennent pas ou peu leurs enfants. Ils n'assurent pas le suivi de la démarche d'initiation chrétienne. Ne devrions-nous accepter que les enfants des familles qui sont «**pratiquantes**»?*

* * *

Il ne faut pas généraliser. Il est vrai que plusieurs parents ne s'impliquent pas ou ne donnent pas suite à l'initiation sacramentelle de leurs enfants, à la réception du sacrement du pardon, de l'Eucharistie et de la confirmation. Pourtant, la loi de l'Église souligne les responsabilités des parents: «*Les parents en premier, et ceux qui tiennent leur place, de même que le curé, ont le devoir de veiller à ce que les enfants qui sont parvenus à l'âge de raison soient préparés comme il faut et soient nourris le plus tôt possible de cet aliment divin, après avoir fait une confession sacramentelle...*» (Can. 914).

D'autres assument leur responsabilité, et c'est à leur louange. Rendons aussi hommage aux pasteurs, catéchètes, équipes liturgiques et pastorales, qui se sacrifient pour une meilleure préparation aux sacrements.

Quant à la suggestion de n'accepter que les enfants des parents *«pratiquants»*, elle ne me paraît pas la réponse idéale au problème, même si elle le simplifie. En fait, elle le simplifie trop, ne fait pas assez confiance à la grâce de Dieu, ni à celle des sacrements. Elle serait peut-être la loi du moindre effort. Elle risquerait d'aboutir à un jansénisme pastoral.

L'Église ne peut devenir tout bonnement l'Église d'une élite, une Église de purs et de militants. Il y aura toujours la masse pour laquelle Jésus éprouvait tant de sympathie. *«J'ai pitié de la foule...»*, disait-il (Mt 15, 32).

Il ne s'agit pas de distribuer les sacrements à l'aveuglette, à qui en fait la demande, comme une machine distributrice laisse tomber une cannette ou une tablette de chocolat pour qui dépose de la monnaie. L'Église a la responsabilité des sacrements pour qu'ils soient reçus avec fruit spirituel, avec profit spirituel. Elle s'assure qu'enfants et parents comprennent bien le geste religieux qu'ils vont poser, la valeur du sacrement à recevoir.

Pour les responsables, il y aura toujours tiraillement entre une situation idéale et des dispositions minimales requises. Le discernement n'est pas toujours facile.

Qu'ils se consolent à la pensée de la bonne semence jetée en terre, destinée à germer et à porter du fruit un jour. Qu'ils espèrent que parents et enfants s'ouvrent à la Parole de Dieu et à une meilleure compréhension des sacrements, signes efficaces de son amour.

PEUT-ON REFUSER LES SACREMENTS AUX ENFANTS?

Une nouvelle vague est sortie dans l'Église. On n'accepte aux sacrements que les enfants dont les parents consentent à venir suivre des cours. Peut-on refuser les sacrements du Pardon, de l'Eucharistie et de la Confirmation aux enfants?

* * *

Vous connaissez les faits; il faut aussi connaître les raisons, la motivation de telle attitude pastorale.

Est-ce vraiment une nouvelle vague? Déjà, il y a plusieurs années, les évêques du Québec avaient voulu que l'initiation sacramentelle soit sous la responsabilité des parents plutôt que laissée à celle des écoles. Ils désiraient ainsi que les parents soient vraiment responsables de l'éducation religieuse de leurs jeunes, et que leur exemple chrétien soit l'appui dont les jeunes ont besoin. Il faut que les parents s'impliquent.

Les parents en premier, et ceux qui tiennent leur place, ainsi que le curé, ont le devoir de veiller à la préparation des enfants aux sacrements (Can. 914).

Ce que vous désignez comme nouvelle vague, celle d'une préparation aux sacrements, est non seulement utile, mais nécessaire dans notre société déchristianisée, où la vie chrétienne ne va pas de soi. Les enfants doivent se préparer à la réception des sacrements du Pardon, de l'Eucharistie et de la Confirmation. Pour qu'ils donnent suite à la réception de ces sacrements, pour qu'ils vivent de vie chrétienne, ils auront nécessairement besoin de leurs parents, de leur enseignement, de leur exemple. C'est pour qu'il en soit ainsi que les parents sont conviés à s'unir à la préparation sacramentelle de leurs enfants.

C'est une nécessité aujourd'hui, croient nos pasteurs. L'expérience prouve à l'évidence que, sans cette présence des parents à la préparation sacramentelle de leurs enfants, la réception des sacrements n'a ordinairement pas de lendemain.

Réjouissons-nous sincèrement, en tant que chrétiens et chrétiennes, de noter que l'Église, mue par l'Esprit, s'adapte ainsi aux besoins pastoraux de notre temps. Souvent, les parents s'enrichissent autant, sinon plus que leurs enfants, en suivant de tels cours avec leurs jeunes. Leur présence à ces rencontres comble une lacune importante de leur vie chrétienne passée; ils n'eurent peut-être pas l'avantage de bien comprendre la nature et la richesse des sacrements de l'initiation chrétienne. Leur présence manifeste le sérieux de la démarche et encourage leurs enfants dans leur croissance spirituelle.

LE BAPTÊME PROTESTANT ET LE BAPTÊME CATHOLIQUE SONT-ILS LE MÊME BAPTÊME?

* * *

Depuis 1927, la Commission Foi et Constitution du Conseil œcuménique des Églises s'est penchée sur le baptême, l'eucharistie et le ministère. Après 1967, le travail s'intensifia. Les catholiques font partie de Foi et Constitution depuis 1968. Au début des années 80, vit le jour une publication de la Commission, le BEM (Baptême, Eucharistie, Ministère). D'un commun accord, presque toutes les Églises chrétiennes, par des représentants qualifiés, réformés, orthodoxes, luthériens, anglicans, méthodistes, catholiques, baptistes, etc., alors environ 130 membres et permanents, ont reconnu des éléments communs et la version du BEM.

Lorsqu'il traite du baptême, le document parle de l'institution par le Christ, puis de sa signification: participation à la mort et à la résurrection du Christ, conversion, pardon, purification, don de l'Esprit, incorporation dans le Corps du Christ, signe du Royaume. Deux paragraphes furent intercalés en raison de controverses particulières: baptême et foi, pratique du baptême, v.g. baptême des enfants...

À la suite d'une telle convergence, il fut demandé aux Églises si elles reconnaissaient dans le BEM l'essentiel de la foi apostolique, et, en conséquence, quelles conclusions elles en tiraient dans leurs rapports avec les autres Églises.

Le BEM est un événement neuf dans l'histoire chrétienne, une approche commune des Églises sur des points fondamentaux de leur doctrine et de leur vie. L'approche œcuménique, sous le souffle de l'Esprit, ne peut qu'en bénéficier.

Ce texte du BEM fut donc soumis aux Églises respectives des membres de la Commission.

L'Église catholique a reconnu la validité du baptême que les grandes dénominations confèrent. Cette reconnaissance réciproque de la validité du baptême marque un pas important dans la voie de l'œcuménisme.

Rappelons l'accord de 1975 entre les diverses Églises: selon cet accord, sont présumés valides les baptêmes conférés dans les Églises Presbytériennes, Luthériennes, Unies, Romaines, Anglicanes et Baptistes (PLURA), bien que les Baptistes n'aient pas signé l'entente, car ils ne reconnaissent pas le baptême des enfants. Les membres de ces Églises, en déclarant valide le baptême conféré par les autres Églises mentionnées, croient qu'il ne faut pas répéter ce baptême et baptiser de nouveau un membre d'une de ces Églises qui voudrait se convertir. Son baptême est vraiment conféré selon les désirs du Seigneur. Il est évident que nous reconnaissons aussi comme valide le baptême administré par les Orthodoxes.

Voici la législation de l'Église catholique:

«Les personnes baptisées dans une communauté ecclésiale non catholique ne doivent pas être baptisées sous condition, à moins qu'il n'y ait un motif sérieux de douter de la validité du baptême, eu égard aussi bien à la manière et à la formule utilisées pour son administration, qu'à l'intention du baptisé adulte et du ministre qui a baptisé» (Can. 869).

«S'il y a doute qu'une personne ait été baptisée ou que le baptême lui ait été administrée validement, et que le doute subsiste après une enquête sérieuse, le baptême lui sera administré sous condition».

Pour un catholique, le ministre ordinaire du baptême est l'évêque, le prêtre ou le diacre... En cas de nécessité, toute personne agissant avec l'intention requise peut baptiser ... Un laïque peut être délégué comme ministre extraordinaire du baptême en l'absence d'un prêtre ou d'un diacre. Le manque de prêtres rend le recours au ministre extraordinaire de plus en plus fréquent (Can. 861).

QUE POUVONS-NOUS FAIRE COMME PARRAINS?

Mon mari et moi sommes parrains de notre neveu. Les parents ne pratiquent pas. Nous savons notre rôle auprès de cet enfant, mais nous ne sommes pas certains comment nous y prendre. L'enfant a maintenant deux ans. Les relations familiales sont délicates et nous ne voulons pas dire ou faire ce qui serait mal compris. Devons-nous continuer à prier seulement?

* * *

Vous connaissez mieux que moi les circonstances complexes et vos relations avec les parents de l'enfant. Vous êtes conscients de la responsabilité humaine et spirituelle qui est vôtre comme parrains. Jouez votre vocation de parrains par instinct spirituel, un instinct affiné par la prière. La situation peut évoluer; soyez-y attentifs.

Vous n'êtes pas les parents de l'enfant; il faut les respecter. Continuez à invoquer le Seigneur pour l'enfant dont vous êtes parrains, en espérant qu'à l'occasion vous pourrez lui glisser un bon mot, l'inviter à la prière, surtout lui fournir l'exemple d'une vraie vie chrétienne. À l'occasion, peut-être pourra-t-il vous accompagner à l'église, et même à la messe que vous pourrez lui expliquer.

Est-il impossible de croire que les parents, sachant votre amour pour leur enfant, vous laisseront la liberté de le guider dans la connaissance et l'amour de Dieu, ce dont ils se croient sans doute incapables.

EST-IL POSSIBLE D'AVOIR DEUX MARRAINES LORS D'UN BAPTÊME?

* * *

Voici des renseignements que nous fournit le Code de Droit canonique quant au choix d'un parrain et à son rôle:

«Dans la mesure du possible, à la personne qui va recevoir le baptême sera donné un parrain auquel il revient d'assister dans son initiation chrétienne l'adulte qui se fait baptiser et, s'il s'agit d'un enfant, de la lui présenter de concert avec ses parents, et de faire en sorte que le baptisé mène plus tard une vie chrétienne en accord avec son baptême et accomplisse fidèlement les obligations qui lui sont inhérentes» (Can. 872).

Le canon suivant fournit la réponse désirée à la question qui m'est posée:

«Un seul parrain ou une seule marraine, ou bien aussi un parrain et une marraine seront admis» (Can. 873).

Une personne suffit, qu'elle soit homme ou femme. S'il y en a deux, l'une doit être homme, l'autre femme. Les personnes qui s'ajouteraient seraient des témoins, non des parrains ou marraines.

Le choix du parrain et de la marraine doit se faire selon certains critères: que le parrain ou la marraine aient les aptitudes et l'intention de remplir cette fonction, qu'ils aient seize ans accomplis à moins d'exception, qu'ils soient catholiques, confirmés et aient une vie cohérente avec la foi, etc. Un baptisé non catholique ne sera admis que comme témoin (Can. 874).

Lorsqu'il s'agit du sacrement de confirmation, les mêmes critères existent quant au choix du parrain ou de la marraine. Le Code ajoute: *«Il convient de choisir pour parrain celui qui a assumé cette fonction lors du baptême»* (Can. 893, 2).

Et voici le commentaire que nous pouvons livrer pour bien comprendre cette législation et nous rappeler en même temps l'importance de la fonction qu'acceptent parrains et marraines. Il ne s'agit pas de choisir le parrain ou la marraine par simple convention sociale, mais selon un sens religieux véritable.

Car il est possible que ce soit par convention sociale ou par simple amitié qu'une deuxième marraine soit invitée.

«Les parents de l'enfant à baptiser, ainsi que les personnes qui vont assumer la charge de parrains, seront dûment instruits de la signification de ce sacrement et des obligations qu'il comporte...» (Can. 851, 2). *«Les parents en tout premier lieu sont tenus par l'obligation de former, par la parole et par l'exemple, leurs enfants dans la foi et la pratique de la vie chrétienne; sont astreints à la même obligation ceux qui tiennent lieu de parents ainsi que les parrains»* (Can. 774, 2).

J'ajoute un détail opportun: le Droit canonique suggère que ne soit pas donné de prénom étranger au sens chrétien... (Can. 855). C'est une invitation à fournir à l'enfant le nom d'un saint ou d'une sainte qui le protège.

- V -

LE SACREMENT DU PARDON

Questions qui se rapportent
au péché,
à la confession,
à l'intégrité de l'aveu,
aux indulgences

JE NE PEUX DISCERNER ENTRE PÉCHÉ MORTEL ET PÉCHÉ VÉNIEL

Je ne sais ce qui est péché mortel ou non. Un prêtre m'expliqua que, pour être mortel, un péché doit être grave, il faut le vouloir avec plein consentement. Mais j'ai toujours peur que ce soit grave. J'analyse constamment dans ma tête. Je vais communier dans le doute.

J'ai toujours des mauvaises pensées qui me tournent dans la tête. Je suis bouleversée et sans la paix. J'ai peur. J'aimerais être libérée. Avez-vous une prière spéciale pour une telle libération? Quoi faire? Une partie de moi dit que je n'ai pas péché mortellement et l'autre dit le contraire. Je vis dans l'inquiétude.

Au secours!

* * *

Vous définissez bien le péché mortel... Mais comme je voudrais vous libérer de votre peur et de votre angoisse, peur et angoisse partagées par trop de chrétiens et de chrétiennes délicats et à l'esprit timoré!

Sans qu'ils s'en rendent compte, ils conçoivent Dieu comme un Dieu-Juge, et non comme le Dieu de Jésus Christ, celui que nous révèle la Bible bien comprise, un Dieu-Amour.

Vous expérimentez la scrupulosité. Quoi faire pour changer votre mentalité et une telle conception? Il vous faut méditer l'amour de Dieu, lire *Histoire d'une âme* de Thérèse de Lisieux, un bouquin qui parle de confiance, d'abandon et de miséricorde.

Je doute que des personnes comme vous, qui ne veulent pas offenser Dieu, puissent commettre un péché mortel de façon délibérée. En tout cas, dites-vous bien: *J'irai communier toujours, à moins d'être vraiment convaincue d'avoir commis un péché mortel.* Dans le doute, allez communier. Au besoin, faites paisiblement un acte de contrition.

Rappelez-vous sans cesse la bonté du Seigneur, ce qu'il a accompli pour nous, pour vous.

POURQUOI LA CONFESSION
ET COMMENT LA FAIRE?

* * *

Ce sacrement a été institué par le Christ pour offrir au pécheur la plénitude de l'amour de Dieu: «*Laissez-vous réconcilier avec Dieu*» (2 Co 5, 20). Ce qui importe avant tout chez le pénitent, c'est la contrition, la détestation du péché avec la résolution de ne plus le commettre.

Le sacrement de réconciliation implique la confession, l'aveu de ses fautes comme élément essentiel (Can. 1424). Jean-Paul II déclarait, le 22 mars 1996: «*La confession doit être complète, dans le sens où elle doit énoncer ‹omnia peccata mortalia› (tous les péchés mortels)... Cette nécessité ne se situe pas dans le cadre d'une simple prescription disciplinaire de l'Église, mais elle constitue une exigence de droit divin*».

La confession des fautes vénielles est vivement recommandée.

La confession s'accompagne aussi de la satisfaction, de la «*pénitence*», remède à nos faiblesses et expiation des péchés. Tout cela par la puissance de Jésus Christ, notre Pasteur miséricordieux.

Ce sacrement nous réconcilie avec le Seigneur, avec l'Église aussi que nos fautes affaiblissent.

À l'intérieur de la discipline de l'Église universelle, chaque diocèse, par son évêque, peut légiférer sur certaines modalités qui entourent l'action ligurgique qu'est le sacrement de la réconciliation. Si l'évêque le juge à propos, si les circonstances semblent l'exiger, il peut autoriser les cérémonies pénitentielles avec confession générale et absolution collective.

«*La nécessité grave peut exister aussi lorsque, compte tenu du nombre des pénitents, il n'y a pas assez de confesseurs pour entendre dûment les confessions individuelles dans un temps raisonnable...C'est à l'évêque diocésain de juger si les conditions requises pour l'absolution générale existent*» (Catéchisme de l'Église catholique, 1483).

«Pour qu'un fidèle bénéficie validement d'une absolution sacramentelle donnée à plusieurs ensemble, il est requis non seulement qu'il y soit bien disposé, mais qu'il ait en même temps le propos de confesser individuellement, en temps voulu, les péchés graves qu'il ne peut pas confesser ainsi actuellement» (Can. 962, 1).

Selon le concile de Trente, il peut y avoir un laps de temps entre l'aveu et l'absolution, mais les deux sont liés de droit divin quand il y a péché grave. La confession intégrale est donc de droit divin.

Lors de la présentation du livre *«Le sacrement de la pénitence»*, le 14 janvier 1997, le pape a déclaré qu'aujourd'hui plus qu'hier existe le *«besoin de confesseurs»* convaincus d'agir au nom de la personne du Christ lorsqu'ils administrent ce sacrement. *«Une préoccupation pastorale»*, a-t-il poursuivi, *«transparaît... dans la tendance de l'absolution collective qui annule le droit de chacun à un entretien personnel avec Dieu et son ministre».*

«L'excellence de ce ministère se place au-dessus de toute autre mission sacerdotale, la célébration eucharistique mise à part» (Jean-Paul II).

FAUT-IL CONFESSER NOS FAUTES VÉNIELLES?

Un prêtre a tellement dit aux gens qu'ils étaient libres de se confesser, car les péchés véniels ne sont pas matière à confession, qu'il a semé le doute dans l'esprit des personnes bien convaincues de l'importance de ce sacrement. La confession est-elle juste un bien-être personnel? Où est la valeur de ce sacrement?

* * *

Je ne crois pas que le prêtre ait dit que les péchés véniels ne sont pas matière à confession; je crois qu'il a plutôt mentionné qu'ils ne sont pas matière obligatoire à confession. Il est toutefois profitable de confesser même les péchés véniels, comme l'enseigne l'Église.

Que lisons-nous dans le Catéchisme de l'Église catholique? *«Sans être strictement nécessaire, la confession des fautes quotidiennes (péchés véniels) est néammoins vivement recommandée par l'Église. En effet, la confession régulière de nos péchés véniels nous aide à former notre conscience, à lutter contre nos penchants mauvais, à nous laisser guérir par le Christ, à progresser dans la vie de l'Esprit»* (1458).

SI LES GENS SE CONFESSAIENT PLUS, IL Y AURAIT MOINS BESOIN DE PSYCHIATRES

On oublie les péchés capitaux. C'est déchirant de voir qu'il y a des personnes qui ne vont jamais à la confesse, et communient quand même, malgré les péchés évidents.

Comment réagir lorsqu'on nous dit qu'il n'y a plus de péché! Même des gens âgés le répètent.

La Sainte-Vierge dit que, si plus de gens se confessaient individuellement, il y aurait moins besoin de psychiatres, et elle dit que beaucoup de guérisons se font par le sacrement de la confession, de la réconciliation.

* * *

En négligeant Dieu, beaucoup ne comprennent plus le péché, ne voient plus son importance, n'en éprouvent aucun remords. Plus on s'éloigne de Dieu, moins on réalise l'ampleur de nos fautes. La communion perd son fruit d'union profonde à Dieu et à nos frères et sœurs.

«Le Christ a institué le sacrement de Pénitence pour tous les membres pécheurs de son Église, avant tout pour ceux qui, après le baptême, sont tombés dans le péché grave» (l.c., 1446).

Tant de textes bibliques invitent au repentir, à la conversion. Le Seigneur Jésus a voulu continuer son œuvre de miséricorde, il a voulu que ses apôtres, ses prêtres, poursuivent son ministère de pardon: *«Recevez l'Esprit Saint. Ceux à qui vous remettrez les péchés, ils leur seront remis; ceux à qui vous les retiendrez, ils leur sont retenus»* (Jn 20, 22-23).

La confession nous guérit de la blessure du péché; elle rend la santé de l'âme ou l'améliore.

Vous avez raison d'ajouter qu'en l'absence du sacrement du pardon, nombreux ceux qui font anti-chambre dans les bureaux de psychiatres. Il ne faut pas nier, cependant, le rôle thérapeutique que ceux-ci peuvent exercer, surtout si, à leur compétence, ils joignent la foi et le sens du spirituel.

La confession, un cadeau du Seigneur miséricordieux... Ne boudons pas ce bienfait consolant et vital.

FAUT-IL UTILISER L'ANCIENNE MÉTHODE DE CONFESSION?

*De quelle façon doit-on se confesser aujourd'hui? Est-ce qu'on doit utiliser l'ancienne formule d'il y a 50 ans: «**Mon père, je m'accuse d'avoir péché...**,» dire le nombre de fois, stipuler le temps de notre dernière confession, réciter l'acte de contrition, etc.?*

* * *

Rien ne le défend. Vous pouvez utiliser avec profit la formule traditionnelle qui empêche parfois de bafouiller des phrases d'introduction.

Il est utile de mentionner la date approximative de votre dernière confession. Le confesseur pourra mieux vous connaître et se faire l'idée de l'état de votre conscience; ce qui fait partie de son rôle et de sa responsabilité. Aussi sent-il le besoin, parfois, de questionner à ce sujet.

Tout péché grave doit être accusé. L'Église, comme autrefois, demande que le nombre de fautes sérieuses soit mentionné, en autant que possible. Ainsi, une faute d'adultère est grave; mais si ce péché a été commis plus d'une fois, il importe de le signaler. Si le pénitent ignore le nombre exact de fois, qu'il dise le nombre approximatif.

Quant à l'acte de contrition, il n'est pas obligatoire de le réciter pendant la confession; il peut être bon de le faire. Ce qui importe, c'est de regretter ses péchés et d'avoir le ferme propos, la résolution de ne plus les commettre. Comment être bien disposé autrement? Comment progresser sans repentir?

L'Église nous invite à nous confesser en nous inspirant de la Parole de Dieu. En effet, l'Écriture Sainte fait appel à la pénitence et proclame le pardon divin. Pour une meilleure préparation à la confession, ne pourrions-nous relire un passage d'un psaume, une parole de Jésus ou un texte de saint Paul nous invitant à la révision de vie? Nous pouvons participer à des célébrations pénitentielles inspirées de la Parole de Dieu.

La confession demeure un geste d'amour, d'abord de Dieu qui pardonne; aussi de la part du pénitent qui se confesse pour mieux aimer.

JE SUIS TERRIFIÉE D'ALLER À LA CONFESSE

Une personne qui aime Dieu, pratique sa religion de son mieux..., comment expliquer qu'elle soit terrifiée d'aller à la confesse? Le cœur lui fait tellement mal, elle en pleure. Serait-ce de l'orgueil? Tel est mon cas.

* * *

Beaucoup trouvent pénible de se confesser. Qui s'approche du sacrement du pardon sans qu'il y ait une certaine hésitation à dévoiler les secrets intimes de sa conscience? Il est donc normal d'avoir un peu de répugnance à le faire. Nul ne se confesse pour faire état de ses vertus et de ses qualités; on se confesse pour se reconnaître pécheur.

Si nous nous confessons, c'est dans l'humilité et la foi, c'est par amour pour le Seigneur, pour grandir dans son amitié.

Qu'une personne soit terrifiée à la pensée de se confesser, qu'elle en pleure, voilà qui révèle un cas plutôt extrême, peut-être pathologique. Cette personne est-elle émotive à l'excès?

Si son émotivité se limite aux moments où elle se confesse, peut-être pourrait-elle en parler à un prêtre qu'il lui est plus facile d'aborder. Puis, qu'elle suive ses conseils. Il y a diverses possibilités pour la confession. L'usage du confessionnal n'est plus obligatoire. Une conversation amicale peut servir de contexte pour une bonne confession.

Le sacrement, s'il n'est nécessaire que pour les péchés graves, contient des richesses d'amour, de pardon et de croissance spirituelle qu'il est important d'utiliser, mais dans la joie surnaturelle de déballer un grand cadeau du Seigneur.

PEUT-ON SE CONFESSER PAR CORRESPONDANCE?

* * *

Cette question m'est posée assez souvent depuis quelque temps. Il arrive même que certaines personnes m'écrivent leur confession sous forme de lettre.

La situation est nouvelle. Le nombre de prêtres diminue; il y a des paroisses sans prêtre résidant, sans confesseur. La conscience s'inquiète...

Le sacrement de réconciliation ne peut malheureusement se donner par correspondance. La confession est une action liturgique, elle n'est pas un geste privé (Can. 837). La rencontre du prêtre avec le pénitent est un minimum que l'Église exige pour que soit sauvegardé l'aspect communautaire de la démarche. De plus, l'accueil du pénitent par le prêtre symbolise l'accueil fait par le Père du ciel au pécheur. Il faut donc la présence physique du prêtre et du pénitent pour que le symbole soit visible. En plus d'être un symbole, la rencontre confesseur-pénitent est signe efficace (sacrement), en ce sens que le confesseur accorde véritablement le pardon du Père au fidèle qui se repent.

Que faire quand il est difficile ou même impossible de se confesser?

Je suggère l'esssentiel: le regret des péchés. N'est-il pas profitable de réciter le soir avant le sommeil, ou après une faute, l'acte de contrition?

Rappelons-nous la formule de cet acte de contrition:

«Mon Dieu, j'ai un extrême regret de vous avoir offensé parce que vous êtes infiniment bon, infiniment aimable, et parce que le péché vous déplaît. Pardonnez-moi par les mérites de Jésus Christ mon Sauveur. Je me propose, moyennant votre sainte grâce, de ne plus vous offenser et de faire pénitence». Si vous oubliez la formule, peu importe! Ce qui compte, c'est de dire au Seigneur que vous regrettez vos fautes, que vous l'aimez et désirez lui être fidèle.

Cette contrition sincère et parfaite vous rétablira dans l'amitié de Dieu si cette amitié fut perdue par le péché. Vous saisirez l'occasion de recevoir le sacrement du pardon.

Gardez le désir de vous confesser. Le sacrement du pardon est trop important pour le négliger. Demandez à Dieu la grâce de le recevoir, surtout avant de mourir. Cette faveur vous sera accordée.

UN ENFANT PEUT-IL PÉCHER?

Un enfant peut-il pécher à l'âge de 4, 5 ou même 6 ans, savoir ce qu'il fait (attouchement sexuel, seul ou avec d'autres)? Pour moi, je dis non.

Cet enfant, aujourd'hui rendu à un âge avancé, a la conscience pleine de remords. Il se confesse, gardant ce mal et ne sachant comment le dire. Il craint la mort et a des reproches plein la tête.

Moi, je dis: je m'accuse de tous mes péchés passés, comme Dieu me reconnaît coupable. Ainsi, je garde la paix.

* * *

Vous me permettrez de dire: je crois que cet enfant, c'est vous. Si oui, déjà, vous vous répondez à vous-même. Vous croyez qu'à cet âge, vous n'avez pas pu pécher, du moins gravement, même si, aujourd'hui, vous êtes envahi de remords et avez la tête pleine de reproches. Gardez alors la paix en raisonnant vos peurs.

L'Église croit qu'un enfant, qui jouit de l'usage de la raison, peut distinguer entre le bien et le mal, et donc qu'il peut pécher. Je ne conclus pas qu'il puisse aisément être responsable d'une faute grave... Aussi demande-t-elle aux enfants, qui ont atteint l'âge de raison, de s'approcher du sacrement du pardon, après une préparation adéquate (Can. 914). Ils pourront se nourrir de l'Eucharistie.

Il arrive souvent qu'une personne adulte se souvienne des fautes de sa prime jeunesse, surtout en matière sexuelle, et qu'elle s'inquiète, comprenant mieux la gravité objective de telles fautes. Qu'elle se rappelle que ces fautes de son enfance n'ont pas été commises avec ses connaissances actuelles d'adulte. Son intelligence s'est développée; sa volonté s'est sans doute fortifiée. Les fautes de l'enfance n'avaient pas la gravité qu'elles auraient aujourd'hui, à l'âge adulte.

Qu'elle demeure en paix. Au cours des années, cette personne s'est confessée, regrettant tous ses péchés. Le prêtre lui a pardonné toutes ses fautes, selon son degré de culpabilité.

Si, aujourd'hui, de telles fautes lui reviennent à l'esprit et la préoccupent, elle peut, pour la paix de sa conscience, et sans qu'il y ait obligation de le faire, étant donné qu'elle s'est déjà confessée, s'en accuser de nouveau, sans entrer dans les détails circonstanciés.

FAUT-IL AVOUER EN CONFESSION LE PÉCHÉ DE SODOMIE?

Il y a de nombreuses années, j'ai eu une aventure. J'ai été sodomisée. Je désire savoir si, en confession, il nous faut nous accuser de sodomie ou suffit-il de dire qu'il y eut une action impure avec quelqu'un? J'ai consulté des livres et je n'ai rien trouvé à ce sujet.

J'assiste à la messe. Je désire communier, mais je ne peux pas tant que je n'aurai pas passé par le sacrement du pardon.

Je ne sais comment aborder ce sujet avec le prêtre. Je me sens très gênée et le courage me manque. S.O.S.

* * *

«*Les pénitents doivent, dans la confession, énumérer tous les péchés mortels dont ils ont conscience après s'être examinés sérieusement, même si ces péchés sont très secrets...*» (Catéchisme de l'Église catholique, 1456). «*Le fidèle est tenu par l'obligation de confesser, selon leur espèce et leur nombre, tous les péchés graves commis...*» (Can. 988).

Jean-Paul II déclare que, si la confession doit ainsi être complète, ce n'est pas par simple prescription disciplinaire de l'Église, «*mais qu'elle constitue une exigence de droit divin*». Il ajoute que certains «*s'opposent au prêtre confesseur, qui, conformément à son devoir, les interroge pour parvenir à une description exhaustive et nécessaire des péchés, comme s'il se permettait une intrusion injustifiée dans le sanctuaire de la conscience*». C'est pourtant un moyen de libération et de sérénité (22 mars 1996).

Il faut avouer ses péchés graves et dire leur nombre réel ou approximatif. Pour une confession intégrale, il importe d'inclure la nature, *l'espèce*, de ces péchés. Ainsi, s'il est question de fautes d'impureté, l'Église requiert de préciser si elles furent commises seul-e ou avec quelqu'un d'autre. Avoir eu des relations sexuelles hors du mariage est une faute sérieuse, mais, pour des personnes mariées, il y a de plus péché d'adultère; c'est pourquoi, alors qu'il fait l'aveu de telles faiblesses, le pénitent doit mentionner son état matrimonial.

Pour ce qui est des fautes sexuelles, l'Église demande de confesser ce qui change la nature du péché: fornication, adultère, bestialité, actes d'homosexualité, sodomie... Sans qu'il soit nécessaire de décrire tout ce qui s'est passé, au contraire!

Je comprends votre hésitation. Il me semble exister en votre cas, comme une impossibilité psychologique de parler de sodomie. Cette difficulté très grande peut être due au traumatisme reçu, car vous me semblez avoir été victime plus que coupable. Jusqu'à quel point y eut-il faute?

Trouverez-vous la paix sans une confession claire de cette faute? Priez chaque jour pour en obtenir le courage. N'ayez pas crainte de la réaction du confesseur, car, dans son ministère, il a entendu l'aveu de toutes sortes de péchés. Pourquoi ne pas l'aborder en lui disant que vous désirez confesser un péché difficile à avouer et que vous avez du mal à vous y résoudre? Sa compréhension facilitera l'aveu, vous libérera et vous pacifiera.

S'il y a vraiment impossibilité de mentionner le mot «*sodomie*», accusez-vous d'une faute sexuelle commise avec une autre personne dans une union sexuelle contre nature.

Je trouverais fort malheureux que la situation actuelle s'éternise. Vous avez besoin de la communion et, sans doute, du sacrement du pardon.

Confessez vos péchés, confessez surtout et célébrez la miséricorde de Dieu, louez-le et remerciez-le pour sa bonté. Paix et joie!

FAUT-IL DÉFAIRE MES CALOMNIES?

Je demeure dans une maison de personnes âgées près de l'église; il se fait beaucoup de calomnies.

Moi-même il m'est arrivé de transmettre des calomnies au sujet des prêtres, pour montrer qu'ils n'étaient pas des saints. Faut-il défaire mes paroles auprès de ceux à qui j'ai parlé?

* * *

Des calomnies ou des médisances... Quoi qu'il en soit, beaucoup de paroles blessent la charité, qu'elles soient fausses ou vraies.

Dans des endroits fermés, où règne une certaine inactivité, il est plus facile de tuer le temps en critiquant les autres, en multipliant les commérages, en échangeant des propos sur tout ce qui bouge, des discours parfois malveillants. Multiplions plutôt les paroles de bonté, les jugements favorables et indulgents.

Que nous dit saint Jacques dans la Bible: «*Si quelqu'un ne commet pas d'écart de paroles, c'est un homme parfait...*» Il est facile de pécher par la langue, de manquer à la charité dans nos paroles. Saint Jacques affirme que la langue est un feu, un fléau, qu'elle est pleine de venin mortel: «*Par elle nous bénissons le Seigneur et Père, et par elle nous maudissons les hommes faits à l'image de Dieu... Il ne faut pas, mes frères, qu'il en soit ainsi*» (Jc 3, 2. 9-10).

Vous avez calomnié des prêtres. Calomnier, et même médire, c'est voler et avarier la réputation de quelqu'un. Il faut remettre ce que nous avons volé; il faut réparer ce que nous avons détérioré. Essayez de compenser le mal commis en rectifiant ce que vous avez dit ou en signalant des actions constructives. Parlez en bien des prêtres qui, sans cesse, se dévouent pour le peuple de Dieu; ils représentent le Christ, Pasteur de l'Église, malgré leur indignité d'êtres humains.

QUE SONT DEVENUES LES INDULGENCES PARTIELLES ET PLÉNIÈRES?

Parlez-nous des indulgences? Que sont devenues les indulgences partielles et plénières? Où, quand et comment peut-on encore en obtenir? Une indulgence plénière équivaut-elle à une confession?

Comment les recevoir et à quelles conditions?

***

Il existe un livre qui traite des indulgences. C'est *«l'Enchiridion indulgentiarum»*, le manuel des indulgences.

Les indulgences furent populaires au temps des croisades. S'il y eut des abus au Moyen-Âge dans l'usage des indulgences, il y eut dramatisation excessive de ces abus. Les indulgences ne peuvent se trafiquer. Ce serait de la simonie.

L'Église a reçu du Seigneur le pouvoir de pardonner les péchés; elle a reçu également de lui le pouvoir de remettre les peines dues aux péchés par l'octroi d'indulgences. Le concile de Trente l'atteste. Nous en profitons selon nos dispositions intérieures.

Ce pouvoir de l'Église, du pape et des évêques, ressemble à celui de la loi civile qui peut adoucir certaines peines. Depuis le début de l'Église, l'Église a commué certaines peines canoniques, un peu à la façon de saint Paul (2 Co 2, 5-10); c'était une sorte d'indulgence. L'Église, par son intercession auprès de Jésus, peut remettre les peines ou les changer en prières ou actions charitables.

Il n'est pas question de la peine éternelle due aux péchés graves non regrettés. Il s'agit de peines temporelles dues aux péchés pardonnés. Ces péchés encourent une peine temporelle en cette vie ou dans le purgatoire; l'Église peut atténuer cette peine temporelle par des indulgences.

Les indulgences ne remplacent pas la confession. Elles sont partielles ou plénières, selon qu'elles enlèvent partiellement ou totalement la peine temporelle due pour les péchés pardonnés (Can. 993); elles sont aussi destinées à un accroissement de ferveur et de charité.

L'indulgence plénière ne peut se gagner qu'une fois par jour, excepté au moment de la mort. Pour l'acquérir, il faut la confession sacramentelle, la communion et une prière pour le Souverain Pontife, pas nécessairement le jour où se gagne l'indulgence plénière, mais dans les quinze jours qui précèdent ou suivent l'octroi de l'indulgence. En effet, l'Église pose certaines conditions pour l'octroi de ces indulgences. Elle exige surtout l'état de grâce et le regret des péchés. Rien n'est magique.

Le pape Paul VI avait apporté des modifications aux indulgences en publiant l'Enchiridion le 29 juin 1968. Le 18 mai 1986, après la publication du nouveau Code de Droit canonique et celle de nouvelles lois liturgiques, l'Église a amélioré et simplifié cette discipline des indulgences.

Les indulgences partielles ne spécifient plus leur durée en années ou journées ou «*quarantaines*». À Dieu d'y voir; lui seul sait comment le temps se calcule après la mort.

Comme la messe et les sacrements possèdent un pouvoir exceptionnel de sanctification et de purification, nulle indulgence ne leur est attachée. Mais, en trois concessions générales, et pour stimuler notre vie chrétienne, l'Église accorde des indulgences partielles: premièrement, quand nous élevons notre cœur vers Dieu, même si aucune prière n'est formulée; deuxièmement, quand, par esprit chrétien, nous accomplissons de bonnes actions; troisièmement, quand nous faisons pénitence.

Pour favoriser notre ferveur, l'Église attache aussi des indulgences à certaines prières d'inspiration divine ou de valeur universelle, comme le credo, le magnificat, les litanies...; à certaines actions comme l'adoration du Saint-Sacrement, la lecture de la Bible, la récitation du chapelet à l'église ou en famille, l'écoute de la prédication...; à l'usage d'objets bénits comme une croix, une médaille, un scapulaire, un chapelet... L'Église encourage ainsi la ferveur religieuse.

Nous ne pouvons gagner des indulgences pour d'autres personnes vivantes, mais nous pouvons le faire pour les défunts, comme pour nous-même (Can. 994).

Formulons dans notre cœur l'intention de gagner toutes les indulgences possibles.

Y A-T-IL DES INDULGENCES ATTACHÉES AUX VISITES DES MALADES?

Dans le petit catéchisme d'autrefois, il était dit que nous serons jugés selon notre charité envers le prochain, que visiter les malades était une œuvre de miséricorde... «J'étais malade et vous m'avez visité...»

Y a-t-il des indulgences attachées aux visites des malades?

* * *

Les détresses sont grandes de nos jours, l'angoisse étreint bien des esprits. Dans de magnifiques maisons d'hébergement, des vieillards s'ennuient à en mourir, parfois négligés par leurs propres enfants et petits-enfants qu'ils aiment tant. Visiter les malades ou les personnes âgées et solitaires est un acte de charité qui plaît grandement au Seigneur; il s'identifie à elles (Mt 25, 35. 42).

S'adressant aux malades, à l'occasion de la Journée mondiale des malades qui se célèbre chaque année, le 11 février, le pape disait: «*Chers sœurs et frères qui souffrez dans votre esprit et votre corps, ne cédez pas à la tentation de considérer la douleur comme une expérience purement négative, au point de douter de la bonté de Dieu! Dans le Christ souffrant, toute personne malade trouvera un sens à ses peines*». Le pape lance un appel pour que, «*selon l'enseignement du Christ*», tous s'engagent «*à annoncer l'Évangile par leur service et leur témoignage auprès de ceux qui souffrent*» (1997).

Il y a beaucoup de mérite à les visiter, à les réconforter, à leur tenir compagnie. Cette charité est en elle-même comme une indulgence pour les péchés. «*La charité couvre une multitude de péchés*», dit la Bible (I P 4, 8). Nous savons aussi que des indulgences partielles sont accordées à de tels gestes de charité. L'Église les distribue en puisant dans le trésor des satisfactions du Christ et des saints (Can. 992).

- VI -

LE SACREMENT DE L'EUCHARISTIE

Questions relatives
à la messe dominicale,
aux rites de la messe,
à la communion,
à la Présence Réelle

LE DIMANCHE PERD SA SAVEUR
DANS MA PRATIQUE RELIGIEUSE

Je n'ai plus la conviction que la messe dominicale soit un impératif de l'Église catholique romaine, et je trouve que j'ai bien changé et que je suis dans le désarroi.

* * *

Il faudrait alors refaire vos convictions sur l'importance du dimanche, le Jour du Seigneur, et la richesse inouïe de l'Eucharistie. Les premiers chrétiens risquaient leur vie pour participer à la messe, à la Fraction du Pain comme ils disaient, même dans les catacombes.

N'est-il pas normal de rendre hommage à notre Créateur? Déjà, dans l'Ancien Testament, le peuple choisi respectait le sabbat: «*Observe le jour du sabbat pour le sanctifier, comme te l'a commandé Yahvé, ton Dieu*» (Dt 5, 12). Les Apôtres, pour mieux célébrer le Seigneur ressuscité, ont transféré le sabbat au dimanche. Le dimanche est le jour de la résurrection du Seigneur.

Le dimanche, nous délaissons le travail laborieux, en autant que nous le pouvons, pour nous consacrer à la prière et au repos. Pour mieux sanctifier ce jour, nous célébrons l'Eucharistie en Église; nous écoutons la Parole de Dieu, nous nous nourrissons du Pain de vie.

Pour avoir négligé le dimanche sans motif, ainsi que la messe dominicale, beaucoup ont «*bien changé*», beaucoup sont dans le désarroi. La vie avance, les valeurs spirituelles sont facilement oubliées, sinon dédaignées.

Pour sanctifier le dimanche, profitons de la prière chrétienne par excellence, celle qui nous vient du Seigneur, celle qui se vit avec lui et tous nos frères et sœurs. C'est la sainte messe, le sacrifice divin, le banquet de vie. Dieu nous appelle à lui, pour entendre sa Parole et nous rassasier de son Corps et son Sang. Ne restons pas sourds à l'invitation.

Les participants à l'Eucharistie retournent ensuite dans leur milieu pour y vivre de charité. La liturgie ne peut se dissocier de la vie.

Nous ne pouvons nous éloigner de l'Eucharistie et de la communauté des croyants et demeurer des chrétiens vivants. Nous ne pouvons nous nourrir de l'Eucharistie seulement aux jours de fête; tout comme il ne suffit pas de manger à l'occasion de festivités.

La participation à la messe est un geste de foi, même et surtout quand elle semble monotone.

Beaucoup souffrent de froid loin du Feu qu'est Jésus. Beaucoup meurent de faim loin de sa Table. «*Qui mange ce pain vivra à jamais*» (Jn 6, 58). Il est toujours temps de se réchauffer, de se nourrir, et de sortir du désarroi...

QUELQU'UN ME DIT: PAS BESOIN D'ALLER À LA MESSE

Quelqu'un me dit: «Pas besoin d'aller à la messe tous les dimanches pour aimer Dieu. Je prie à la maison et je suis aussi proche de Dieu que ceux qui courent les cérémonies religieuses». Je ne sais trop quoi répondre.

* * *

Le danger n'existe-t-il pas de se construire une petite religion individualiste, selon ses goûts et son égoïsme? Il est facile de condamner les personnes qui "*courent*" les cérémonies religieuses, pour justifier son absence de telles cérémonies.

Notre religion tire son origine de Dieu, non de nous. Le Seigneur nous a laissé le mémorial de sa passion, de sa mort et de sa résurrection dans la plus grande prière qui soit, la messe, l'Eucharistie. Cette prière, nous la faisons avec lui, surtout le Jour du Seigneur, le dimanche. Il s'y offre à Dieu son Père en sacrifice divin, il se donne à nous en nourriture de vie éternelle. C'est le cadeau par excellence de son amour. Cette prière, c'est celle qu'il a laissée à son Église, que nous célébrons ensemble, en Église.

La prière privée, c'est bien, très bien. Mais, seule, il lui manque une dimension fort riche, la plus riche qui soit; il lui manque la célébration liturgique. «*Par la liturgie, le Christ, notre Rédempteur et Grand Prêtre, continue dans son Église, avec elle et par elle, l'œuvre de notre rédemption*» (Catéchisme de l'Église catholique, 1069). Serons-nous absents?

Cette prière liturgique, cette prière que nous a laissée le Seigneur Jésus, cette prière qu'il célèbre avec nous, surtout lors de la messe, nous ne pouvons nous en absenter sans détriment spirituel. Nul hommage ne lui plaît davantage, nulle dévotion ne nous obtient plus de bienfaits.

Il faut se réjouir des assemblées dominicales en l'absence du prêtre, Assemblées Dominicales en Attente de Célébration Eucharistique (ADACE), lorsqu'elles sont bien préparées, mais il ne faut pas oublier que nos communautés paroissiales doivent s'édifier sur l'Eucharistie (Can. 528, 2); autrement, elles dépérissent. «*Au regard de la grande tradition, les ADACE ne peuvent représenter qu'une situation d'exception*» (Normand Provencher, O.M.I.). Le rôle du prêtre et la prière eucharistique n'ont pas de substituts. Mgr Carlo Curis, nonce apostolique, rappelait l'importance et la nécessité de la messe.

Quant à la charité, elle se motive auprès du Seigneur et de nos frères et sœurs; elle prend sa source dans l'Eucharistie; elle se célèbre communautairement autour de la Table eucharistique.

JE VAIS À LA MESSE, MAIS PAS LE DIMANCHE

Que pensez-vous des gens qui nous disent: «Il n'y a pas de jour spécial pour la messe. Moi, j'y vais une fois par semaine, la journée qui me convient»?

* * *

Ce n'est pas à moi de les juger; mais je voudrais glisser une réponse à leur assertion. Leur opinion personnelle n'est pas celle de l'Église. Cette opinion va à l'encontre de toute la Tradition de l'Église qui, depuis ses origines, a sanctifié le Jour du Seigneur, le dimanche, le jour de la résurrection de Jésus Christ.

L'Eucharistie, que nous célébrons particulièrement ce jour-là, nous rappelle et rend présentes la mort et la résurrection du Christ Jésus.

La résurrection du Seigneur, ce grand miracle d'amour divin, survint «*le premier jour de la semaine*» (Mc 16, 2). L'Église primitive se réunissait «*le premier jour de la semaine... pour rompre le pain*» (Ac 20, 7).

Toute la famille, l'Église, se rassemble en ce premier jour de la semaine pour rendre hommage à Dieu, pour se souvenir de son grand geste d'amour sur la croix, pour le supplier de nous donner avec abondance les fruits de la rédemption.

Une messe sur semaine, c'est bien! Mais il y a la grande célébration de la Pâque du Seigneur le jour qui lui est particulièrement consacré, le dimanche, en union avec tous nos frères et sœurs.

De nos jours, faute de prêtre, des assemblées dominicales en attente de célébration eucharistique (ADACE) groupent des chrétiens et chrétiennes pour une célébration de la Parole suivie de la communion. C'est bien, car, même sans le prêtre, il faut célébrer ensemble le jour du Seigneur. Mais ce doit être l'exception et ce n'est pas là l'idéal, même si la célébration est joyeuse et plus festive qu'une simple messe. Le Christ a voulu des prêtres dans son Église pour présider l'Eucharistie.

«*Voici le jour que fit Yahvé,*
pour nous allégresse et joie» (Ps 118, 24).

SUIS-JE TENUE D'ALLER À LA MESSE EN FLORIDE?

Je demeure loin de l'église. Il faut y aller en voiture; j'ai peur d'y aller.

* * *

Je ne puis préciser ma réponse à votre question sans mieux connaître la situation dans laquelle vous vous trouvez quand vous allez en Floride.

Êtes-vous vraiment très loin de l'église? Êtes-vous là sans automobile? Avez-vous une peur morbide de sortir, car les lieux sont dangereux? Ma réponse s'adapterait mieux aux circonstances si je les connaissais.

Si vous vous éloignez de l'église pendant six mois, c'est plus sérieux qu'une absence motivée de deux ou trois semaines. Quel que soit l'endroit, la participation à l'Eucharistie du dimanche nous permet de nous unir pour rendre hommage au Seigneur et elle nous procure des grâces de choix.

Si vous ne pouvez vraiment pas vous rendre à l'église sans inconvénient sérieux, compensez votre absence par de la prière personnelle le jour du Seigneur. En certains milieux, la messe télévisée favorise cette prière.

QUE RÉPONDRE À VOTRE ENFANT QUI TROUVE LA MESSE «*PLATE*»?

*Alors que l'un de mes nombreux petits-enfants, âgé de 10 ans, s'apprête à aller célébrer le jubilé de l'un de ses grands-parents, il me dit: «**Ce qui est bien plate, c'est que ça va commencer par la messe**». L'autre, 5 ans, que j'invitais à m'accompagner à la messe, me répond: «**J'veux pu y aller, c'est trop dégueulasse**». Quelle désolation dans ce langage d'enfants nés de parents non-pratiquants. Qu'aurais-je dû répondre?*

* * *

Un tel langage ne vient pas d'eux, surtout à cet âge, mais d'adultes dont ils entendent les propos malheureux.

Que leur répondre? Premièrement, demeurez bien calme. Puis, étant leur grand-maman qu'ils aiment sans doute et respectent, expliquez-leur doucement qu'il n'en est pas ainsi, que la messe est la rencontre et la célébration d'un Dieu très bon, une prière, la plus belle qui soit, pour aimer ce Dieu qui nous aime, pour le prier de nous aider.

Vos paroles, même si elles sont maladroites, s'implanteront en eux. Il faut semer pour qu'un jour le divin Jardinier fasse germer cette semence. Faites-lui confiance. Vos paroles compenseront pour d'autres paroles moins bénéfiques pour ces jeunes si influençables.

POURQUOI AVOIR ENLEVÉ L'ASPERSION ET L'ENCENSEMENT?

Pourquoi a-t-on enlevé à la messe l'aspersion de l'eau bénite et l'encensement? Ces gestes rejoignaient le peuple.

* * *

Ces signes sont toujours permis, surtout à l'occasion de messes plus solennelles. En divers endroits, on fait usage de l'eau bénite et de l'encensement, surtout lors d'Eucharisties plus importantes.

Par-delà ces rites secondaires, allons à l'essentiel, la célébration du sacrifice divin et du banquet de vie. L'Eucharistie, quelle que soit son enveloppe rituelle, demeure la source de notre vie chrétienne et en constitue le sommet. Elle est par excellence la présence réelle du Seigneur qui n'a pas voulu nous laisser orphelins.

Libre à chacun et chacune de déplorer l'absence habituelle de l'eau bénite et de l'encensement, rites bien connus lors des grands-messes du temps passé. Au besoin, le désir que ces rites soient utilisés, au moins occasionnellement, peut se manifester au pasteur ou au comité de liturgie.

POURQUOI PAS DES MESSES DE GUÉRISON?

Pourquoi n'y a-t-il pas des messes de guérison dans toutes nos églises?

* * *

Depuis quelques années, surtout dans le Renouveau charismatique, se multiplient les messes de guérison, non seulement d'ordre physique, mais surtout d'ordre spirituel. Les guérisons d'ordre spirituel n'excluent pas les guérisons physiques, et vice-versa. La formule de telles messes de guérison peut varier d'un endroit à l'autre, selon le charisme du célébrant.

Ces messes de guérison sont un bienfait précieux en nos jours où la souffrance abonde, qu'elle soit physique, affective ou spirituelle. Il serait fort heureux que ces messes de guérison se multiplient et qu'il y ait possibilité d'y participer, du moins de temps à autre.

Il ne faut cependant pas oublier l'essentiel: toute messe est messe de guérison! Les messes dites de guérison et les messes «ordinaires» ne diffèrent pas, sinon dans leur présentation extérieure. Toute messe vaut comme sacrifice offert à Dieu, avec Jésus comme Victime et Prêtre. Toute messe est un banquet de vie éternelle, une nourriture qui guérit et fortifie. N'oublions jamais les données de notre foi sur la grande prière eucharistique, si humble qu'elle puisse paraître.

Ce n'est pas telle ou telle prière, tel ou tel geste, qui guérissent. C'est la prière du Christ Jésus présent à toute messe. C'est la prière de toute l'Église qui lui est unie dans le Corps mystique. Nous trouvons cette présence du Seigneur et de l'Église en toute célébration eucharistique.

Au sein de la grande prière liturgique, l'Eucharistie demeure en priorité la source et le sommet de la vie chrétienne, l'offrande et la prière qui, sans cesse, guérissent et sanctifient.

LA CONSÉCRATION EST RÉELLE

Nous disons que la consécration à la messe est réelle et aussi que c'est en mémoire. Pour moi, il y a contradiction. Je n'ai pas encore compris.

* * *

Non, il n'y a pas de contradiction. La consécration à la messe est réelle. Le pain et le vin deviennent vraiment le Corps et le Sang du Christ. Notre foi nous l'enseigne. Le sacrifice de la messe est vraiment offert à Dieu notre Père comme geste d'amour, offrande et remise de nos dettes. Le banquet de l'Eucharistie est une nourriture qui nous est présentée par l'amour d'un Dieu qui se livre à nous pour que nous vivions de lui. «*Ceci est mon Corps... Ceci est mon Sang*» (Mt 26, 26-28).

En même temps, la messe, ou l'Eucharistie, ou la Fraction du Pain, est un rappel de la dernière Cène, un rappel aussi de la mort et de la résurrection du Christ Jésus. Jésus dit à ses prêtres: «*Faites-le en mémoire de moi*» (I Co 11, 24-25).

Le Catéchisme de l'Église catholique souligne la réalité du geste: «*C'est par la conversion du pain et du vin au Corps et au Sang du Christ que le Christ devient présent en ce sacrement. Les Pères de l'Église ont fermement affirmé la foi de l'Église en l'efficacité de la Parole du Christ et de l'action de l'Esprit Saint pour opérer cette conversion*» (1375). Le concile de Trente a proclamé la foi chrétienne en la «*transsubstantiation*».

En même temps, l'Eucharistie est le «*mémorial*» de la Pâque du Christ, l'actualisation et l'offrande sacramentelle de son unique sacrifice. Dans toutes les prières eucharistiques nous trouvons, après les paroles de l'institution, une prière appelée «*anamnèse*» ou mémorial (Catéchisme de l'Église catholique, 1362). Ce mémorial n'est pas seulement le souvenir des événements du passé, mais la proclamation des merveilles que Dieu a accomplies pour les humains (1363).

Le mémorial reçoit un sens nouveau dans le Nouveau Testament. Quand l'Église célèbre l'Eucharistie, elle fait mémoire de la Pâque du Christ, et celle-ci devient présente (1364).

INVITÉE AU BANQUET DE L'EUCHARISTIE, JE NE PEUX COMMUNIER

Je suis mariée civilement à un homme divorcé depuis plusieurs années et dont la première épouse vit encore. J'ai un problème avec l'eucharistie. Ma conscience me dit que je peux communier, même si l'Église ne le permet pas encore. Pour moi, la communion est une nourriture aussi importante que la Parole de Dieu. Je me sens invitée au banquet, mais je n'ai pas le droit de manger. Est-ce que ça viendra un jour? Autrefois, on ne mangeait pas de viande les vendredis du carême; aujourd'hui, on le peut. Suis-je sur le mauvais chemin?

Pourquoi certaines personnes divorcées et remariées vont communier, et d'autres pas?

* * *

Disons tout de suite que l'Église peut changer des points de discipline comme celle de l'abstinence de la viande le vendredi, mais non la doctrine qui vient de Dieu. C'est fort différent.

Comme beaucoup de pasteurs, je souffre de votre souffrance spirituelle.

Vous avez la foi, vous voulez plaire au Seigneur. Pourtant, votre état de vie pose problème aux yeux de l'Église.

C'est que les personnes divorcées remariées, vivant dans un mariage reconstitué, ne sont pas validement mariées aux yeux du Seigneur et de son Église. Le premier mariage, à moins de preuve contraire, vaut toujours, demeure valide même après un divorce civil. Il serait bon de le faire étudier par la cour matrimoniale ecclésiastique, pour vérifier si ce premier mariage a été contracté validement. Pourquoi n'iriez-vous pas trouver votre curé, ou visiter le Centre diocésain, pour entreprendre des démarches en vue d'une déclaration possible de nullité pour votre premier mariage?

Toujours est-il que, dans votre état actuel, vous vivez avec quelqu'un hors du mariage chrétien. L'Église, responsable des sacrements institués par le Christ, ne peut approuver cette situation. Fidèles à l'enseignement de Jésus, elle croit à l'indissolubilité du mariage (Mt 19, 8-9). La fidélité des époux dans le mariage chrétien représente la fidélité du Christ à l'Église, son épouse.

Voilà pourquoi l'Église n'autorise pas la réception des sacrements pour les personnes qui se remarient, alors que leur premier mariage persiste aux yeux du Seigneur.

Poursuivez votre marche vers Dieu dans la prière, dans la recherche de ce qui lui plaît, dans la fidélité à ce qu'il requiert de vous. Soyez fidèle à la messe, unissez-vous au Seigneur dans la communion spirituelle, dévouez-vous de votre mieux là où vos services sont requis, n'arrêtez pas d'avancer spirituellement, fermes dans la foi que l'aide de Dieu ne vous fera jamais défaut. Gardez confiance!

DES CATHOLIQUES MARIÉS HORS DE L'ÉGLISE PEUVENT-ILS COMMUNIER?

Je connais des personnes catholiques qui se sont mariées devant un ministre anglican. Ils pensent qu'ils peuvent recevoir la communion et leurs parents pensent la même chose. Qu'en dites-vous?

* * *

Souvent, il y a une certaine ignorance de ce qu'il faut faire comme chrétien catholique. Le mariage, pour nous, est un sacrement de Dieu et de l'Église. Celle-ci voit à ce que certaines conditions permettent de vraiment profiter de ce sacrement. «*Le mariage des catholiques, même si une partie seulement est catholique, est régi non seulement par le droit divin, mais aussi par le droit canonique...*» (Can 1059).

Voici ce qui concerne la «*forme*» de la célébration du mariage de catholiques: «*Seuls sont valides les mariages contractés devant l'Ordinaire du lieu ou bien devant le curé, ou devant un prêtre ou un diacre délégué par l'un d'entre eux, qui assiste au mariage, ainsi que devant deux témoins...*» (Can. 1108).

Il semble bien, selon les dispositions prises par l'Église pour assurer la validité d'un mariage catholique, que les deux personnes catholiques dont vous parlez ne sont pas validement mariées aux yeux de l'Église.

Et, comme conséquence, elles ne peuvent recevoir l'Eucharistie, signe d'unité dans la foi qui nous unit au sein de l'Église catholique.

Je vous invite à ne pas juger, car il arrive parfois que, malgré les apparences, tout ne soit pas exactement comme nous le concevons. Laissons donc aux personnes impliquées de décider et aux pasteurs d'intervenir au besoin, s'ils le jugent à propos.

QUE PENSEZ-VOUS DES PERSONNES QUI VONT COMMUNIER LORS DE CÉRÉMONIES PARTICULIÈRES?

Que pensez-vous des personnes qui vont communier lors de funérailles, d'un mariage ou d'autres célébrations, probablement pour faire comme les autres? D'après moi, il y a beaucoup d'ignorance religieuse dans la population.

* * *

L'ignorance religieuse grandit avec la diminution du nombre des pasteurs, et surtout la négligence de la pratique religieuse et la déchristianisation. La foi subsiste encore, mais elle n'est plus nourrie d'instruction religieuse.

L'Église envisage des solutions qui permettront aux cérémonies religieuses de s'adapter aux personnes qui y participent, comme lors du décès d'une personnalité bien connue. Il peut y avoir simplement une liturgie de la Parole. Une messe de funérailles pourrait se célébrer plus tard et être réservée aux proches du défunt. S'il s'agit d'un mariage, une liturgie sans messe est souvent de mise.

Une pastorale mieux appropriée est en train de naître. Entre-temps, nous ne pouvons que respecter la conscience des personnes concernées, sans tomber dans l'inquisition.

JE SOUFFRE DE LA MALADIE CŒLIAQUE; COMMENT PUIS-JE COMMUNIER?

*J'ai la maladie cœliaque. C'est une allergie alimentaire au «**gluten**» contenu dans les farines de blé, d'orge et d'avoine. Il y a une association à Montréal qui nous aide à trouver les aliments que nous pouvons manger: «**La fondation québécoise de la maladie cœliaque**».*

Le pain que nous utilisons est composé de farine de tapioca, ou de maïs, ou de patates, ou de riz. Il est fabriqué en des endroits spéciaux. Ce pain peut-il être consacré à la messe? Puis-je demander au prêtre de consacrer un peu de ce pain que je lui apporterais?

Si vous pouviez me donner des directives pour que je puisse communier.

* * *

Vous m'avez exprimé votre désir de recevoir régulièrement la sainte communion, votre perplexité également. Je ne puis répondre d'une simple réponse émotive, puisqu'il y a des conditions pour que la consécration des hosties soit licite et valide. Le prêtre ne peut consacrer n'importe quel matériel.

Je respecte l'attitude de votre curé; je suis certain qu'il s'est renseigné au sujet de ce qu'il doit faire.

Voici ce que dicte l'Église: «*Le très saint Sacrifice eucharistique doit être offert avec du pain et du vin auquel un peu d'eau doit être ajouté. Le pain doit être de pur froment et confectionné récemment en sorte qu'il n'y ait aucun risque de corruption. Le vin doit être du vin naturel de raisins et non corrompu*» (Can. 924). Le Code de Droit canonique ajoute: «*La sainte communion sera donnée sous la seule espèce du pain ou, selon les lois liturgiques, sous les deux espèces; mais en cas de nécessité, ce pourra être aussi sous la seule espèce du vin»* (Can. 925).

L'Église s'est toujours basée sur l'exemple du Christ, lors de la dernière Cène (Mt 26, 26-29; Mc 14, 22-25; Lc 22, 17-20), pour affirmer que, par institution divine, le pain et le vin constituent la matière indispensable pour réaliser le sacrement. Le pain doit être nécessairement et uniquement de froment, c'est-à-dire de blé, selon la tradition de l'Église entière.

Les personnes qui souffrent de la maladie cœliaque ne peuvent se nourrir de gluten, un élément du blé, et la moindre qualité absorbée les rend très malades. Depuis 1967, les évêques leur permettent de recevoir la communion sous la seule espèce du vin, ce qui est devenu l'autorisation dans toute l'Église depuis la parution du Code de Droit canonique en 1983.

En 1982, la Congrégation pour la Doctrine de la Foi déclarait que l'Ordinaire du lieu, (l'évêque), ne pouvait permettre à un prêtre de consacrer des hosties spéciales sans gluten de façon que les cœliaques puissent communier sans inconvénient. La Congrégation affirme qu'il n'est pas permis de le consacrer et de l'utiliser. Elle ajoute que les cœliaques peuvent communier sous la seule espèce du vin.

Le 19 juin 1995, le cardinal Joseph Ratzinger écrivait aux responsables des conférences épiscopales pour clarifier le problème. Les Ordinaires (évêques diocésains, supérieurs majeurs d'instituts religieux cléricaux, etc.) peuvent accorder la permission aux personnes qui souffrent de maladie cœliaque de communier avec du pain préparé avec un minimum de gluten. Tout comme ils peuvent accorder aux prêtres alcooliques la permission de consacrer et de communier en faisant usage de moût, c'est-à-dire de jus de raisin non fermenté.

Selon ces directives, communiquez avec votre pasteur afin de pouvoir communier, même régulièrement.

COMBIEN DE TEMPS DOIT DURER L'ACTION DE GRÂCE?

Est-ce que la qualité de l'action de grâce après la communion dépend de la longueur du temps que l'on y met?

* * *

Elle dépend surtout de la ferveur de notre amour pour ce Dieu qui nous rencontre et se fait notre nourriture.

Ne convient-il pas de nous préparer à cette visite intime de notre Dieu qui nous nourrit de sa présence? N'est-il pas convenable de lui tenir compagnie dans le recueillement amoureux après l'avoir reçu?

Autrement, tout devient automatique, un geste vide de sens, aux effets superficiels. Il y a tendance à négliger la présence réelle de Dieu dans l'Eucharistie. Aussi à communier par routine, dans la distraction, sans adorer, remercier et prier Dieu qui vient nous habiter pour nous faire vivre de lui.

«Qui mange ma chair et boit mon sang a la vie éternelle et je le ressusciterai au dernier jour» (Jn 6, 54). La sainte communion n'est pas un simple symbole, mais la réalité la plus sublime qui soit.

Aussi convient-il de consacrer quelques moments du moins à l'action de grâces, temps fort précieux de notre journée. Pourquoi ne pas vivre le jour entier en action de grâces pour le don reçu, Dieu lui-même?

QUE FAIT-ON DE LA PRÉSENCE RÉELLE?

Notre prêtre dit: «Quand on entre dans une église, c'est la table qui a le plus d'importance, qu'il faut saluer».

On parle dans nos églises comme si elles étaient des salles de récréation. Pourtant, Jésus est bien là dans le tabernacle. Où est le respect qui lui est dû?

* * *

Vatican II a rappelé l'importance de la grande prière eucharistique, de la messe. D'où l'importance de l'autel consacré ou bénit, de la table de l'Eucharistie, situé bien en vue dans nos églises. Cet autel ne peut servir qu'au culte divin (Can. 1239). C'est là que nous célébrons la mort et la résurrection du Christ, son amour pour nous. C'est pourquoi l'autel, la table dont vous parlez, symbole du Christ lui-même victime et aliment, est le centre de l'église (Catéchisme de l'Église catholique, 1182, 1383).

À la suite de cette célébration, les hosties consacrées, la Sainte Réserve, est conservée dans le tabernacle pour que les malades puissent communier et, selon la Tradition de l'Église, pour que les fidèles puissent adorer le Seigneur. Beaucoup de saints et de saintes, et une multitude de fidèles, ont trouvé et trouvent dans cette adoration du Dieu de l'Eucharistie réconfort et sanctification. Il ne faut pas négliger cette réalité, sous peine d'appauvrir nos vies.

Comme l'église n'est pas une boîte de bonbons qui ne se connaissent pas, en divers endroits le prêtre encourage les salutations fraternelles de ceux et celles qui se retrouvent pour célébrer le Seigneur. Tant mieux si ces salutations se font à l'entrée de l'Église, dans le vestibule.

Car il ne faut pas négliger la Présence Réelle, l'adoration pleine d'amour de ce Dieu qui demeure avec nous sous les espèces sacramentelles. L'église n'est pas une salle ordinaire. Quelqu'un l'habite, ce Quelqu'un est Dieu, un Dieu que nous aimons retrouver, surtout le jour qui lui est consacré, le dimanche. Il est normal qu'on ne le néglige pas, lui non plus, mais qu'on l'adore, qu'on le prie dans le recueillement, qu'on lui dise notre amour. Le silence favorise l'oraison. L'Église demeure toujours un lieu saint, un lieu habité par Dieu, un lieu de contemplation et de prière.

Le Code de Droit canonique contient plusieurs canons se référant à la Réserve et à la vénération de la très sainte Eucharistie (Canons 934-944). Ainsi est-il écrit: «*Dans les lieux sacrés où la très sainte Eucharistie est conservée, il faut qu'il y ait toujours quelqu'un qui en prenne soin et, dans la mesure du possible, un prêtre y célébrera la Messe au moins deux fois par mois*» (Can. 934, 2).

Le respect de la Sainte Réserve s'étend au-delà des églises ou chapelles. Aussi est-il bon de nous rappeler cette décision de l'Église: «*Personne n'est autorisé à conserver la très sainte Eucharistie chez soi ou à l'emporter avec lui en voyage, à moins qu'un besoin pastoral ne l'exige et à condition que toutes les dispositions de l'évêque diocésain soient observées*» (Can. 935).

De telles lois favorisent partout et en tout lieu le respect du Saint-Sacrement.

LA GÉNUFLEXION SERAIT UN SIGNE DE RESPECT

On ne fait plus de génuflexion devant le tabernacle, même les prêtres. Faire la génuflexion serait un signe de grand respect pour le Seigneur.

* * *

Je ne nie pas que la déchristianisation actuelle puisse s'accompagner d'une diminution de la foi et d'un affaiblissement dans le respect de Dieu présent dans l'Hostie.

Mais certaines coutumes peuvent changer, sans que le cœur modifie son attitude de respect envers Dieu. La génuflexion pour beaucoup a été remplacée par un salut profond, une prosternation devant le Dieu de l'Eucharistie.

Quel que soit le geste d'adoration, soyons conscients que nous sommes, devant le tabernacle, en présence du Dieu trois fois saint, un Dieu présent et qui est là par amour. Ne nous conduisons pas dans l'église comme si nous étions dans une salle ordinaire. Réveillons notre foi, adorons et aimons.

Le geste qui, alors, manifestera notre esprit de foi sera significatif, qu'il soit génuflexion ou prosternation.

LE SAINT-SACREMENT
EST-IL TOUJOURS RESPECTÉ?

Au début de notre rencontre de prière, nous exposons le très Saint Sacrement. Quand vient le temps de témoigner, nous le faisons le dos tourné à l'ostensoir.

Ça me rend mal à l'aise. Est-ce que j'ai tort? Ne conviendrait-il pas mieux de replacer le Saint-Sacrement dans le tabernacle? J'en ai parlé au groupe de soutien; ça n'a rien changé.

Pendant une heure d'adoration, est-il de mise de réciter le chapelet, ou est-il préférable de lire et de méditer des psaumes et des lectures?

* * *

Ne vous préoccupez pas outre-mesure. Le Seigneur est moins pointilleux que nous. S'il voit la bonne volonté de qui l'aime et l'adore, il ne se formalisera pas de nos gaucheries d'enfant. Pas plus qu'il s'inquiétera de nous voir égrener le chapelet plutôt que de nous plonger en considérations mystiques. Et il n'est pas jaloux de sa Mère.

Normalement, il me paraît heureux de donner les témoignages en présence du Saint-Sacrement exposé, car ces témoignages rendent hommage à l'Auteur de tout bien. Sans doute, y aurait-il possibilité que ces témoignages ne soient pas livrés dos au Saint-Sacrement. Mais, même si cela a lieu, il ne faut pas crier trop vite au scandale. En beaucoup d'églises, le prêtre livre son homélie, près de l'autel il est vrai, mais en tournant le dos au tabernacle.

Vous en avez parlé au groupe de soutien et, sans doute, à la première personne responsable. Alors, demeurez en paix, puisque la décision ne relève pas de vous.

La paix et la charité dans les cœurs plaisent au Seigneur, plus que l'attitude corporelle.

- VII -

LE SACREMENT DE L'ORDRE

Questions sur les prêtres,
les critiques dont ils sont l'objet,
leur pusillanimité,
leur formation,
l'ordination des femmes,
le diaconat féminin

QUAND LES APÔTRES
SONT-ILS DEVENUS PRÊTRES?

Y a-t-il un moment, un temps, une occasion où les apôtres sont devenus prêtres? Est-ce le Jeudi Saint ou peut-être à la Pentecôte?

* * *

Pour mieux répondre à votre question importante, je me permets une vue d'ensemble sur l'Ancien Testament et le Nouveau.

Dans l'Ancien Testament, le peuple élu était un *«royaume de prêtres»* (Ex 19, 6). Dans ce peuple, Dieu choisit la tribu de Lévi pour le service liturgique. Ce sacerdoce offrait des sacrifices et des prières, mais ne pouvait opérer le salut. C'était une préfiguration du ministère ordonné de la Nouvelle Alliance.

Puis, débuta le Nouveau Testament... Notre unique Grand Prêtre est le Christ qui a offert son sacrifice rédempteur sur la croix, sacrifice qui se renouvelle de façon non sanglante dans le sacrifice eucharistique. Le sacerdoce du Christ est rendu présent par le sacerdoce ministériel, un sacerdoce de service.

L'Église, à son tour, est un *«royaume de prêtres»* (Ap 1, 6). Mais le sacerdoce commun des fidèles diffère essentiellement du sacerdoce ordonné et ministériel des évêques et des prêtres. Dans le ministère ordonné, celui des évêques et des prêtres, le Christ, par la force de l'Esprit Saint, est présent à son Église en tant que Tête de son Corps et Pasteur de son troupeau. Le diacre reçoit aussi l'ordination, le sacrement de l'Ordre, et sa mission est d'aider évêques et prêtres.

Ces renseignements fondamentaux me semblent utiles pour mieux comprendre le ministère ordonné et répondre à la question.

Le Christ, consacré et envoyé dans le monde par son Père, a choisi douze apôtres pour continuer sa mission de pasteur, pour sanctifier, enseigner et gouverner. Les apôtres ont choisi des évêques pour leur succéder.

Les évêques, toujours selon le plan de Dieu, ont transmis aux prêtres et aux diacres, la charge de leur ministère. Les prêtres, à l'image du Christ Prêtre, sont consacrés pour prêcher l'évangile, pour être les pasteurs des fidèles et pour célébrer le culte divin... Les diacres, au sein de la hiérarchie, sont ordonnés, *«non pas en vue du sacerdoce, mais en vue du service»* (L.G., 29).

C'est donc par le choix que fit le Christ de Pierre et des autres Apôtres que le ministère ordonné a vu le jour, pour que soit proclamée la Bonne Nouvelle. Puis, après ce choix, le Christ leur a donné le pouvoir de pardonner les péchés, de célébrer l'Eucharistie...

Pour parler de l'institution du sacerdoce ordonné par le Christ, ne faut-il pas dès lors se référer à diverses époques de la vie publique de Jésus, à diverses circonstances?

Cette mission confiée aux Douze par Jésus s'est transmise et perpétuée comme naturellement. Les apôtres, comme nous le voyons chez saint Paul, se sont choisi des successeurs pour continuer leur œuvre, par l'imposition des mains. Ce sont eux nos pasteurs, ceux voulus par le Christ. Ils ne se commissionnent pas eux-mêmes; ils sont députés par le Seigneur.

VOUS N'APPELLEREZ PERSONNE PÈRE

Jésus a dit: «Vous n'appellerez personne père; vous n'avez qu'un père qui est au ciel». Pourquoi se réfère-t-on aux prêtres comme pères? Pourquoi appelle-t-on père notre père biologique?

* * *

Quel était le message de Jésus, celui que nous lisons au chapitre 23 de l'évangile écrit par saint Matthieu? Celui de ne pas tomber dans l'orgueil des pharisiens et la vanité des scribes qui affectionnaient les places d'honneur, les phylactères bien en vue, les titres honorifiques. Jésus ne questionne pas leur autorité et leur pouvoir d'enseigner, mais il s'oppose à leur rigidité d'interprétation formaliste, et à leur orgueil insensé.

Le message de Jésus est de nous rappeler que nous sommes tous égaux, frères et sœurs, que Dieu est notre seul Père.

Quant à la paternité humaine, nous pouvons l'attribuer à nos papas biologiques ou à ceux qui nous ont éduqués, mais jamais elle ne sera à la hauteur, jamais elle ne sera comparable à la paternité divine. Dire père ou papa à celui qui nous a engendrés n'est pas un titre d'honneur infatué, d'orgueil stupide.

De même, nous pouvons désigner sous le nom de pères les prêtres qui nous transmettent la vie surnaturelle, mais, ici encore, ce sera par analogie, par faible ressemblance à la paternité de notre Père du ciel. Et non par souci de nourrir la vanité.

C'est ce que Jésus nous enseigne dans le texte cité. Une traduction simplement littérale risque de nous faire oublier l'essentiel du message, et même de le fausser. Ce message en est un d'humilité.

LES CRITIQUES CONTRE LES PRÊTRES

Comment faire pour arrêter les critiques contre les prêtres et les comparaisons entre prêtres? Soutenons les prêtres, car ce n'est pas facile d'être prêtre aujourd'hui dans un monde bouleversé.

* * *

«Le disciple n'est pas au-dessus du Maître» (Mt 10, 24). S'ils ont critiqué le Christ, ils critiqueront volontiers ses représentants, les prêtres. Il faut le déplorer, comme il faut regretter les comparaisons que nombre de chrétiens établissent entre les prêtres. Il faut aller au-delà des divergences humaines, pour découvrir dans la foi ce qui leur est commun à tous: le ministère d'œuvrer avec les évêques dans leur charge d'enseigner, de sanctifier et de régir. Ils ont comme modèle le Bon Pasteur, Jésus lui-même.

Je dis amen à vos suggestions. Malgré la faiblesse humaine évidente de certains d'entre eux, soutenons nos prêtres, car leur rôle est contesté en notre monde bouleversé. Que le prêtre se sente appuyé de ses frères et de ses sœurs dans la foi, assisté de leurs prières, soutenu de leur action, épaulé de leurs encouragements. En dépit de tout, y a-t-il une vocation plus sublime en soi que celle du sacerdoce, que le ministère de la prêtrise? Le prêtre perpétue l'œuvre du Christ, le prêtre prolonge l'entreprise des apôtres. Il est l'homme de la Parole, l'ouvrier de la réconciliation, le ministre de l'Eucharistie, le rassembleur du peuple de Dieu.

Chaque année des milliers de prêtres se seront préparés à la célébration du Jubilé de l'an 2000, d'abord à Fatima en 1996, puis à Yamassoukro, en Côte d'Ivoire, en 1997, à Guadalupe en 1998, à Jérusalem en 1999, enfin à Rome en l'an 2000.

Jésus disait de ses prêtres: «*Pour eux je me sanctifie moi-même, afin qu'ils soient, eux aussi, sanctifiés dans la vérité*» (Jn 17, 19). La vie de Jésus se prolonge dans ses prêtres.

Que la vitalité de votre vie chrétienne s'accompagne d'une grande estime pour le sacerdoce.

POURQUOI LES PRÊTRES NE SONT-ILS PAS TOUS SUR LA MÊME LONGUEUR D'ONDE?

Il s'agit de la foi et des sacrements. N'avons-nous pas tous le même chef spirituel en la personne du pape?

Pourquoi si peu d'enseignement? Nous sommes tellement ignorants, nous avons besoin de doctrine et d'évangélisation.

* * *

Le Seigneur ne nous a pas créés identiques. Nous n'avons pas été «*clonés*» par Dieu. Il y a dans l'Église une variété de charismes. Comme Paul le signale dans sa première lettre aux Corinthiens, tous ont un rôle complémentaire à jouer dans l'Église, Corps du Christ (I Co 12, 12-31).

Dans l'ensemble, les pasteurs de l'Église célèbrent la même foi en union avec l'Église; ils prêchent le même message évangélique. Mais ils ne sont pas stéréotypés et sans aucune liberté dans leur travail pastoral. Je ne dis pas qu'il n'y a aucune faiblesse de leur part. Mais ne dramatisons pas. Soutenons nos pasteurs de nos prières et de nos encouragements.

Je sais qu'il peut y avoir des abus. Mais le lien des prêtres avec leur évêque et avec le pape sert de critère pour juger de leur comportement et de leur doctrine.

Quant à votre faim de saine doctrine et d'évangélisation, je vous en félicite; essayez de l'assouvir. Renseignez-vous. Dans votre diocèse, sinon dans votre paroisse, il y a des cours, des sessions, des mouvements, qui peuvent combler vos aspirations légitimes pour la croissance de votre foi, de votre vie et de votre engagement.

NOS PRÊTRES ONT PEUR

Nos prêtres ont peur de donner l'enseignement, de dire la vérité, au nom de l'accueil et de la miséricorde...

* * *

Cette critique est fréquente. Ne jugeons pas trop vite et avec superficialité. Les prêtres ont une mission délicate, celle de proclamer la Bonne Nouvelle, celle aussi d'imiter le Christ dont il est écrit: «*Le roseau froissé, il ne le brisera pas, et la mèche fumante, il ne l'éteindra pas*» (Mt 12, 20). Priez beaucoup pour vos prêtres, soutenez vos prêtres.

Ils ne doivent pas se taire. C'est à chacun d'eux que saint Paul déclare: «*Je t'adjure devant Dieu et le Christ Jésus..., proclame la Parole, insiste à temps et à contretemps, réfute, menace, exhorte, avec une patience inlassable et le souci d'instruire. Car un temps viendra où les hommes ne supporteront plus la saine doctrine, mais au contraire, au gré de leurs passions et l'oreille les démangeant, ils se donneront des maîtres en quantité et détourneront l'oreille de la vérité pour se tourner vers les fables... Fais œuvre de prédicateur de l'évangile*» (2 Tm 4, 1-5).

Il faut que les pasteurs détournent des faux chemins, de ceux qui mènent à la perdition (Mt 7, 13), pour conduire les âmes vers la vraie vie (Mt 10, 39).

Ils doivent le faire avec bonté, en proposant la voie de l'amour. Qu'ils s'abstiennent de juger et de condamner durement, de façon non évangélique, leurs frères et sœurs dans la foi, ou qui n'ont plus une foi apparente.

Il est trop facile de dénoncer les misères des faibles, des sans-défense, et de se taire face aux crimes, aux délits, aux scélératesses des puissants de ce monde, des gens richissimes coupables de forfaits contre l'humanité: tortures, viols, tueries, génocides même, misères sans nom.

NOS PASTEURS CRAIGNENT DE DIRE LA VÉRITÉ

Les prêtres ne sont pas les bergers qu'ils devraient être; ils ne font plus de mise en garde... Ils ne parlent jamais de sciences occultes qui font tant de tort et ouvrent la porte à Satan.

Pourquoi nos pasteurs, évêques et prêtres, ont-ils si peur de dire la vérité et d'être de vrais guides du peuple de Dieu?

* * *

Je ne sais pas, moi, s'ils ont peur de dire la vérité ou s'ils ont crainte d'écraser davantage la brebis fragile, blessée et malade.

Que feriez-vous à leur place? Insisteriez-vous sur le poids d'une doctrine intransigeante? Laisseriez-vous plutôt battre en vous le cœur du Christ? «*À la vue des foules, il en eut pitié, car ces gens étaient las et prostrés comme des brebis qui n'ont pas de berger*» (Mt 9, 36). Il soupirait de tristesse: «*J'ai pitié de la foule*» (Mt 15, 32). Il y a tant de souffrances, il y a tellement de détresses spirituelles, il y a une faim criante d'amour et de compréhension.

Priez pour que le Seigneur inspire nos pasteurs, pour que le message présente hardiment la doctrine salvifique du Christ et soit pénétré de la tendresse d'un Dieu qui aime et sauve.

LES PRÊTRES SERAIENT PLUS SÉRIEUX S'ILS SE MARIAIENT

Est-ce qu'il n'y aurait pas plus de prêtres si leur mariage était accepté? Ils seraient peut-être plus sérieux dans leur sacerdoce.

Je me suis souvent demandé pourquoi ils ne peuvent se marier. On m'a dit que c'était parce que Jésus ne s'est jamais marié. Mais n'est-il pas aussi vrai que l'apôtre Pierre s'est marié et eut des enfants, lui que Jésus a choisi pour bâtir son Église?

* * *

Il n'est pas certain qu'à longue échéance, il y aurait plus de prêtres. Il est possible que oui.

La qualité de leur sacerdoce serait-elle meilleure? Permettez-moi d'en douter. Je ne conclus pas qu'elle serait nécessairement inférieure. Mais, de là à dire que les prêtres seraient plus sérieux dans leur sacerdoce me semble un énoncé sans preuve.

Je connais une multitude de prêtres saints et zélés. Ils ont tout quitté pour le Seigneur et se mettre tout entiers au service du peuple de Dieu. La qualité de leur don initial et total témoigne de la générosité de leur cœur et du sérieux de leur sacerdoce.

Là où existent des prêtres mariés, dans les Églises orientales, nous ne pouvons pas conclure que tout soit parfait pour autant. Les êtres humains, mariés ou non, sont en marche vers Dieu dans un combat spirituel de tous les jours.

Si, aujourd'hui, il y a crise du sacerdoce, il y a aussi crise du mariage. Si, aujourd'hui, quelques prêtres tombent et s'égarent, il y a aussi des gens mariés qui tombent et s'égarent.

Continuons à supplier le Maître de la moisson d'envoyer des ouvriers dans sa moisson, des hommes de Dieu,... sérieux dans leur sacerdoce.

QUE FAIRE FACE AU CERCLE DES AMIS DU CURÉ?

Quand on se sent rejeté dans l'Église à cause de groupes qui tournent dans le cercle des amis du curé, doit-on continuer à offrir nos services au nom de la charité?

* * *

Tout dépend des circonstances. Je ne vous connais pas. Les groupes dont vous parlez sont-ils trop influents? Avez-vous quelque défaut mignon qui déplaît à certains? Nous sommes tous défaillants et débiles...

Que la charité chrétienne vous habite, la paix aussi. Le travail pastoral nécessite un ingrédient, celui de l'union des cœurs.

Peut-être avez-vous raison: le curé limite sa confiance à certains groupes... S'il en est ainsi, offrez vos services quand même. S'ils sont rejetés, cela ne dépendra pas de vous. Vous pourrez alors plaire au Seigneur en vivant tranquillement dans une inactivité pastorale au moins passagère et dans l'abandon à sa volonté.

Votre zèle, s'il est authentique, prudent et sage, trouvera sans doute d'autres débouchés.

NOUS AVONS PEUR DE NOTRE CURÉ

*Qu'il y ait une meilleure collaboration entre pasteur et fidèles! Il est difficile d'avoir un «**boss**» après avoir connu un collaborateur.*

Que faire? Nous avons peur de lui.

* * *

La pauvre Église que nous formons, composée d'êtres humains, demeure fragile et pécheresse. Vous l'expérimentez avec votre nouveau curé, un «*boss*», chef d'entreprise ecclésiale. C'est malheureux.

Dites-vous aussi que personne n'est guère mieux. Il y a un peu du «boss» en chacun et chacune de nous. Heureusement que l'Église est plus que nous. Elle est aussi Jésus, sa doctrine, ses sacrements, sa vie, sa présence. Il agit à travers nos limites et nos péchés. Gardez confiance.

Faites ce que vous pouvez dans les circonstances actuelles, avec humilité et charité. Soyez bon pour votre «boss». Il est sans doute craintif dans son ministère et cache ses complexes et ses craintes. Il dissimule sa pusillanimité... avec autorité.

Ou, peut-être, a-t-il à faire face à d'autres «boss» parmi ses ouailles...

POURQUOI NE POUVONS-NOUS PLUS RECONNAÎTRE LES PRÊTRES?

*Leur tenue vestimentaire est débraillée et ils portent de vieilles chaussures. Même lorsqu'ils signent leur nom, comme dans «**Prions en Église**», aucun n'indique qu'il est prêtre. Ils ne s'identifient pas.*

Pourquoi les prêtres ne portent-ils pas le collet romain? Ils portent une cravate qui les étouffe. C'est le même résultat.

Comment les jeunes peuvent-ils être inspirés puisqu'ils ne voient plus rien de l'Église, sinon les rares personnes qui y vont? On a l'impression que les prêtres sont gênés et ne veulent pas être reconnus...

*Pourtant, l'Évangile dit: «**Que votre lumière brille devant les hommes**»... «**On ne met pas la lampe sous le boisseau**»... «**Celui qui me reniera devant les hommes, je le renierai devant mon Père qui est dans les cieux**»... Plusieurs, comme moi, déplorent le manque de discipline dans le clergé... Il y a des prêtres qui sont plus fonctionnaires que prêtres, avec leur chalet, leur grosse voiture... Certains ont un vœu de pauvreté... Et on nous demande d'aider les pauvres.*

* * *

Ne jugez personne, encore moins vos prêtres. Priez plutôt pour eux.

Je connais une multitude de prêtres qui sont excellents, qui se dévouent à leur tâche, souvent malgré l'heure venue d'une retraite légitime. Ils sont dérangés, de jour, de nuit. Leur dites-vous merci? Les encouragez-vous?

Leur ministère n'est pas une sinécure dans la société matérialisée. Mais, ils ont la foi et la confiance en Dieu. Je ne certifie pas qu'ils soient tous parfaits. Eux aussi sont pétris d'humanité, avec ses faiblesses inhérentes. Ils sont choisis pour une vocation sublime. Ils ont tout quitté, ils ont renoncé à avoir femme et enfants. Pour nous, pour vous. De par leur vocation, ils sont d'autres Christs. Le degré de notre foi n'est-il pas proportionné à notre amour du prêtre?

Au sujet de l'habit qu'ils doivent porter, voici la législation de l'Église: «*Les clercs porteront un habit ecclésiastique convenable, selon les règles établies par la conférence des Évêques et les coutumes légitimes des lieux*» (Can. 284). Les diacres permanents n'y sont pas tenus (Can. 288).

En 1996, la Conférence des évêques catholiques du Canada publiait les Normes complémentaires au Code de Droit canonique de 1983. Au décret 25, nous lisons que la Conférence demande que les clercs (non les diacres) soient habillés de façon à ce qu'ils soient identifiables comme clercs. Rien n'est spécifié au sujet de cet habit clérical. Le signe distinctif peut varier d'un endroit à l'autre, dit le commentaire officiel, qui ajoute: il peut être le collet romain, un crucifix ou une croix sur le revers de sa veste ou portée au cou. Pour un clerc religieux, ce peut être les insignes de son institut.

Est-ce par respect humain qu'ils ne portent pas toujours l'habit clérical, surtout hors des fonctions sacerdotales? ou qu'ils ne signent pas leur identité de prêtre? Je sais, comme vous, l'importance des symboles qui rappellent l'existence de Dieu, du sacré, du surnaturel. Je sais aussi que beaucoup cherchent à s'approcher des jeunes et des distants en minimisant tout ce qui peut inutilement les séparer d'eux. Je ne dis pas qu'ils ont raison, mais, quoi qu'il en soit, je ne peux ni ne veux les accabler de reproches.

Mgr François Garnier, évêque de Luçon, France, écrivait de ses prêtres: «*Je préférerais les voir tous porter cette petite croix, ce signe distinctif*», mais il s'insurge contre ceux qui condamnent les prêtres sans signe distinctif. Il dit: «*C'est ignorer le courage apostolique et quotidien que le plus grand nombre des prêtres gardent intact dans leur mission plus que jamais difficile*».

Je prie pour que tous, prêtres et laïcs, nous soyions fiers d'être de Jésus Christ et d'en témoigner, de toutes les façons possibles, par notre habillement sans doute, encore plus par notre vie et notre zèle.

QUELLE FORMATION DONNE-T-ON AUX FUTURS PRÊTRES?

Ils sont anti-prière et anti-adoration. Un futur prêtre ne fait pas sa génuflexion, communie comme un enfant distrait. Quel prêtre sera-t-il?

* * *

Pourquoi une telle critique et une telle condamnation? Je connais des séminaristes. Je ne puis qu'admirer ces jeunes qui, en dépit de tous les attraits d'un monde aux jouissances faciles, quittent le comfort de leur foyer, le goût d'avoir une femme et de fonder une famille, pour se donner au Seigneur. Croyez-vous qu'ils le font pour simple recherche humaine? Ne pouvez-vous croire qu'il y a, derrière ce don d'eux-mêmes, une réponse au Seigneur qui appelle?

Dire qu'ils sont anti-prière et anti-adoration me semble un jugement global primesautier et injuste.

Je ne dis pas qu'ils sont parfaits. Ils sont des jeunes appelés à grandir spirituellement. Le pourront-ils s'ils font face à des chrétiens et chrétiennes dont le cœur n'est pas charitable, qui les jugeront sans pitié, qui ne les soutiendront pas de leurs prières et de leurs encouragements? Alors, si la réponse est négative, la faute ne sera peut-être pas uniquement la leur.

L'appui aux jeunes prêtres est particulièrement nécessaire. Ne sont-ils pas trop tôt laissés à eux-mêmes, alors qu'ils sont confrontés à des situations accablantes, se demande Mgr Carlo Curis, nonce apostolique au Canada (18 octobre 1996). Ils ont besoin d'accompagnement et de soutien.

«Il est bon que les prêtres les plus jeunes se retrouvent tous les quinze jours ou chaque mois, surtout pour prier ensemble et pour échanger fraternellement leurs premières expériences sacerdotales» (Jean-Paul II).

À la formation initiale du prêtre, il faut joindre la formation permanente, comme y invite le pape, une formation qui garde vivants le don et le mystère de l'élection divine. Avec accent sur la sainteté sacerdotale, car ce n'est que sur ce terrain que peut croître une pastorale efficace. *«L'objectif primordial et fondamental de la formation permanente est précisément l'aide réciproque sur le chemin de la sanctification sacerdotale»* (Jean-Paul II).

Que le Seigneur préserve la bonté en notre cœur, particulièrement en ce qui regarde les prêtres. C'est le signe distinctif de ses amis.

LES ÉTUDES DES PRÊTRES LES RENDENT INCRÉDULES

Nous croyons que Notre Seigneur est ressuscité et vivant. Beaucoup de prêtres oublient qu'il peut faire encore les œuvres qu'il faisait sur terre.

Pourquoi n'y a-t-il jamais de cérémonies pour les malades? Le prêtre refuse d'en faire. Il y a beaucoup de malades, surtout de maladies intérieures. Comme on pourrait en profiter!

Après la communion, plutôt que de rester muets, nous pourrions demander à Notre Seigneur d'agir comme il le veut, de guérir les cœurs blessés, les maladies physiques, de rectifier certaines situations, lui présenter nos projets et nos intentions.

Pourquoi les prêtres n'imposent-ils pas les mains aux malades? Certains le font.

Merci de nous donner la chance de poser des questions; on ne peut jamais nous faire entendre.

* * *

Vos désirs sont légitimes, et vos suggestions les concrétisent. Comme vous dites, certains prêtres organisent des sessions de guérison, surtout intérieures, mais sans exclure les guérisons physiques.

En certains milieux, particulièrement lors de congrès, l'action de grâces s'accompagne de prières pour la guérison et pour l'obtention de diverses faveurs.

Vous pouvez toujours approcher votre pasteur pour qu'à l'occasion il puisse répondre à vos souhaits et aux souhaits d'autres personnes qui croient, dans leur foi, que la Parole de Dieu s'accompagne de signes. *«Et voici les signes qui accompagneront ceux qui auront cru: en mon nom ils chasseront les démons, ils parleront en langues nouvelles, ils saisiront des serpents, et s'ils boivent quelque poison mortel, il ne leur fera pas de mal; ils imposeront les mains aux infirmes et ceux-ci seront guéris»* (Mc 16, 17-18).

Il ne faudrait tout de même pas tenter Dieu comme ces pasteurs qui, il y a quelques années, s'inspirant de ce texte, ont absorbé du poison et sont morts.

Des signes de la présence divine, il y en a beaucoup parmi nous, des signes de vie chrétienne vécue fidèlement malgré les obstacles et les difficultés de la vie.

Jésus s'est servi de signes, non pas pour jouer à la vedette, mais pour proclamer son Royaume d'amour et de vie. Beaucoup ont vu des signes de Jésus et n'ont pas cru en lui; ils ne se sont pas convertis. *«Bien qu'il eût fait tant de signes devant eux, ils ne croyaient pas en lui»*, écrit saint Jean (12, 37).

Il ne faut pas s'arrêter aux signes, mais à la réalité spirituelle qu'ils représentent.

Il peut y avoir de belles cérémonies pour les malades, la prière après la communion peut s'accompagner d'une prière explicite en leur faveur, il n'en demeure pas moins que l'Eucharistie est par excellence la prière de guérison. L'Eucharistie est le plus grand signe que le Seigneur nous donne, celui de son amour, celui de la guérison surtout intérieure. Le Signe l'emporte sur les signes.

MARIAGE DES PRÊTRES, ORDINATION DES FEMMES

Croyez-vous qu'un jour le pape permettra le mariage des prêtres ou encore que des femmes deviendront prêtres, étant donné le déclin des prêtres au Québec?

* * *

Le déclin des prêtres crée une urgence. La moisson est surabondante, elle ne fait pas que blanchir, elle pourrit dans les champs faute de moissonneurs. Il nous faut supplier le Seigneur de multiplier les ouvriers apostoliques (Mt 9, 38). Le Seigneur a pitié de la foule qui erre affamée et à l'aventure.

Rien n'empêche qu'un jour soit accordée à l'Église de rite latin la permission d'ordonner prêtres des laïcs exemplaires, comme cela se fait dans les Églises catholiques de rites orientaux, comme cela se fit au début de l'Église. Il n'y a là rien qui s'oppose à la doctrine du Christ; il n'est question que d'un point de discipline. L'Église latine, pour le moment, maintient ce point de discipline car elle attache beaucoup d'importance au célibat consacré de ses prêtres, don total au Seigneur qui, de plus, rend plus facile la liberté d'action.

Pour ce qui est de l'ordination des femmes, l'Église dans son Magistère croit qu'il s'agit, non seulement d'un point de discipline, mais d'une façon d'agir qui remonte au Christ lui-même et ne peut être changée. Aussi le pape soutient-il qu'il n'est pas en son pouvoir de modifier cette tradition qui remonte aux origines de l'Église et qui n'autorise pas l'ordination des femmes. La controverse se poursuit, mais le souverain pontife déclare que la discussion est close: «*C'est pourquoi*», dit-il, «*afin qu'il ne subsiste aucun doute*

sur une question de grande importance qui concerne la constitu-
tion divine elle-même de l'Église, je déclare, en vertu de ma mis-
sion de confirmer mes frères, que l'Église n'a en aucune manière
le pouvoir de conférer l'ordination sacerdotale à des femmes et que
cette position doit être définitivement tenue par tous les fidèles de
l'Église» (Ordinatio sacerdotalis, 22 mai 1994). Le 28 octobre
1995, le cardinal Joseph Ratzinger, préfet de la Congrégation
pour la Doctrine de la Foi, déclarait que cette doctrine a été pro-
posée *«infailliblement par le magistère ordinaire et universel»* et
qu'elle appartient au dépôt de la foi.

Le 24 janvier 1997, le cardinal Joseph Ratzinger, ajoutait que
soutenir la possibilité de l'ordination des femmes n'était pas une
hérésie et n'encourait pas l'excommunication, mais que c'était
une grave erreur contre la foi, puisque l'Église certifie qu'elle n'a
pas l'autorité d'ordonner des femmes à la prêtrise.

Pourtant, le débat et même la contestation continuent en certains cercles d'Église.

Quoi qu'il en soit, la décision du pape et l'affirmation du cardinal Ratzinger gardent une signification de première importance
et sont d'une portée immense.

Les femmes exerceront de plus en plus des rôles importants dans
l'Église. Leur présence et leur rôle sont nécessaires. L'évolution de la situation féminine au sein de l'Église, comme au sein de la société, se poursuit. En 1970, Paul VI proclamait deux femmes docteurs, Catherine de
Sienne, décédée en 1380, et Thérèse d'Avila, morte en 1582. C'était un
précédent. Aujourd'hui, il s'agit de la sympathique Thérèse de l'Enfant-
Jésus, morte saintement en 1897, que les catholiques de tous pays voient
comme docteur de l'Église, docteur de l'amour et de la miséricorde, tout
comme le souhaitaient de grands théologiens comme Congar, Journet,
Urs von Balthasar, Durwell, Laurentin.

UNE DAME PEUT-ELLE DONNER L'HOMÉLIE?

Dans certaines paroisses, lors de la messe du dimanche, une dame lit l'Évangile et fait l'homélie. Je n'aime pas cela. Je crois que c'est le travail du célébrant. Est-ce que j'ai raison?

* * *

Sous l'autorité de l'évêque diocésain, la saine doctrine est présentée au peuple de Dieu par l'homélie et l'institution catéchétique (Can. 386, 1).

Le curé d'une paroisse doit veiller à la transmission de la Parole de Dieu à ses paroissiens et paroissiennes, surtout par l'homélie les dimanches et les fêtes d'obligation, et la formation catéchétique (Can. 528, 1). Il est hautement recommandé de faire l'homélie même en semaine, surtout pendant l'Avent et le Carême, ou à l'occasion de cérémonies spéciales (Can. 767, 3).

Pour répondre théoriquement à votre question, je cite le Code de Droit canonique: «*Parmi les formes de prédication l'homélie, qui fait partie de la liturgie elle-même et est réservée au prêtre ou au diacre, tient une place éminente; au cours de l'année liturgique, les mystères de la foi et les règles de la vie chrétienne y seront exposés à partir du mystère sacré...*» (Can. 767, 1).

L'homélie est normalement le ministère du célébrant. Le Code de Droit canonique stipule qu'elle est réservée au prêtre ou au diacre qui ont reçu cette mission officielle au moment de leur ordination. Futurs prêtres, les séminaristes s'y préparent, comme le veut l'Église (Can. 256, 1).

Telle est la loi de l'Église. Il peut y avoir des exceptions pour des motifs sérieux. C'est probablement le cas dans votre paroisse. Nourrissez-vous de la Parole de Dieu qui se prolonge pendant l'homélie, quelle que soit la personne qui la dispense. L'Esprit Saint sera sans doute à l'œuvre. Qu'il nous fasse comprendre les Écritures pour que notre cœur devienne tout brûlant. Nous n'aurons plus qu'à mettre cette Parole en pratique...

LES FEMMES POURRAIENT-ELLES DEVENIR DIACRES?

Pensez-vous que l'Église devrait donner aux femmes la mission de devenir diacres? Il me semble qu'elles seraient une aide immense aux prêtres en différents services: administrer plusieurs sacrements, visiter les malades, distribuer l'Eucharistie à domicile, etc. L'un des motifs n'est-il pas la grande pénurie de prêtres?

* * *

Déjà les femmes fournissent une aide immense aux prêtres en de multiples domaines: la pastorale, la catéchèse, les soins caritatifs... Les services dont vous parlez sont déjà rendus par plusieurs femmes; elles ne sont pas diacres. Beaucoup de religieuses, depuis un temps immémorial, se dévouent dans tous les domaines de la liturgie, de la pastorale et de la charité. Le 2 février, jour de la Présentation de Jésus au Temple, est la Journée de la Vie consacrée.

Le diaconat est une vocation qui permet de recevoir un Ordre sacré. Doit-on considérer l'impossibilité pour une femme de recevoir le sacrement de l'Ordre comme diacre? L'Église donnera-t-elle un jour l'ordination diaconale aux femmes?

Peut-on légitimement voir un précédent à l'ordination des femmes au diaconat permanent dans l'existence de diaconesses en certains milieux de l'Église des premiers siècles?

Si la possibilité de l'ordination au sacerdoce semble rejetée définitivement par l'Église, celle de l'ordination au diaconat permanent l'est-elle aussi? Parmi d'autres, le cardinal Martini de Milan semble opter pour la négative.

Du 1er au 4 avril 1997, à Hohenheim, en Allemagne, des centaines de femmes participaient au premier Congrès international du diaconat féminin, organisé par l'université de Tübingen, la Société européenne pour la théologie catholique, etc., pour étudier les fondements théologiques et pastoraux du diaconat féminin et adresser des propositions à l'Église catholique.

Dans son Exhortation apostolique sur «*La vie consacrée*», publiée le 25 mars 1996, le pape souligne six façons particulières pour les femmes d'exercer leur mission dans l'Église: l'engagement dans l'évangélisation; l'œuvre d'éducation; la participation à la formation des futurs prêtres et des personnes consacrées; l'animation de la communauté chrétienne; l'accompagnement spirituel; la promotion des valeurs fondamentales de la vie et de la paix. L'Église ajoutera-t-elle, un jour, l'ordination au diaconat permanent pour les femmes? Je ne sais. Les études se poursuivent en ce domaine.

- VIII -

LE SACREMENT DE MARIAGE

L'institution du sacrement,
sa célébration,
les mariages mixtes,
la validité,
la déclaration de nullité

QUI A INSTITUÉ LE SACREMENT DE MARIAGE ET QUAND?

* * *

Nous sommes les enfants de la technique et des sciences exactes. Nous voudrions savoir les circonstances précises, le temps déterminé, les paroles utilisées par Jésus, pour savoir quand fut institué le sacrement de mariage. D'autres posent la même question touchant le sacrement de l'Ordre.

L'Église nous enseigne que les sept sacrements furent institués par Jésus Christ, qu'ils sont des signes de son amour, des signes efficaces qui favorisent notre vie chrétienne (Catéchisme de l'Église catholique, 1120 ss).

Ce qui ne signifie pas que nous pouvons déterminer avec précision l'origine de tous les sacrements. Ainsi en est-il du sacrement de mariage. Nous savons, en lisant saint Matthieu, au chapitre 19, que Jésus a parlé du mariage tel que voulu au commencement du monde, quand le Créateur forma l'être humain à son image et à sa ressemblance, qu'il le forma homme et femme. Jésus répéta la volonté du Seigneur Dieu que le mariage soit monogame et indissoluble.

Saint Paul, inspiré par l'Esprit de Dieu, développa ce beau thème du mariage chrétien en le comparant à l'amour tendre et fidèle du Christ pour son Église (Ep 5, 21-33).

C'est celle alliance matrimoniale, ordonnée au bien des conjoints ainsi qu'à la génération et à l'éducation des enfants, que le Christ a élevé entre baptisés à la dignité de sacrement (Can. 1055).

Jésus manifesta toute son estime pour le mariage en effectuant son premier miracle en faveur d'un jeune couple, à Cana en Galilée (Jn 2, 1-11).

Le sacrement du mariage fut donc voulu par le Christ tel que l'indique sa vie, tel qu'institué par sa doctrine.

COMMENT DÉCOUVRIR LA VOLONTÉ DE DIEU DANS MON MARIAGE?

Comment la concilier avec mes projets, mes ambitions, mes contraintes familiales d'époux? Puis-je respecter la volonté de Dieu et, en même temps, le comportement possessif de mon épouse?

* * *

C'est dans la prière, avec l'aide d'un bon conseiller spirituel si possible, dans un cheminement progressif, que vous discernerez, jour après jour, la volonté de Dieu dans votre vie quotidienne, auprès de votre épouse en particulier. Je souligne que c'est dans un cheminement progressif, jour après jour, car le discernement de la volonté de Dieu ne se fait pas une fois pour toutes. Il est toujours à reprendre, à préciser et à améliorer.

Votre épouse doit être, après Dieu, le numéro un de votre vie. Vous ne pouvez vous sanctifier en l'ignorant. Elle est possiblement l'ingrédient principal qui sanctifie votre vie, avec ses qualités et avec ses défauts. Qui n'a pas de qualités et de défauts?

Mariés, votre vie et votre croissance spirituelles se font à deux. Vous n'êtes plus célibataire.

Elle est *possessive*, dites-vous. C'est qu'elle vous aime, peut-être mal, peut-être avec un certain égoïsme. Pourrez-vous la changer? J'en doute. Pourrez-vous l'améliorer? C'est possible. Parlez-lui de ce qui vous semble excessif, de ce qui paraît faire obstacle à votre vie spirituelle. Puis, ensuite, dans la paix, cherchez à faire votre possible dans les circonstances qui vous paraissent défavorables. Au sein de ces difficultés, Dieu est à l'œuvre; il connaît vos désirs.

Votre sainteté grandit, mais non en dehors de la grisaille quotidienne. La sainteté ne survole pas les nuages, mais elle se glisse dans la vie de chaque jour.

LA PRÉSENCE DU PRÊTRE EST-ELLE NÉCESSAIRE POUR UN MARIAGE VALIDE?

Les époux se donnent le sacrement de mariage par l'échange des alliances et leur promesse de se lier l'un à l'autre. Donc, il peut y avoir un mariage sans célébration eucharistique. Donc, nous pourrions aller à l'église (le couple) et nous marier devant Dieu. Aurions-nous reçu le sacrement du mariage? Si vous me dites que le prêtre doit être là pour bénir le mariage, peut-il être remplacé par un diacre? Où en suis-je dans tout cela?

* * *

Pour un chrétien, le mariage doit être un sacrement, un signe de l'amour indéfectible du Christ pour son Église. «*L'alliance matrimoniale... a été élevée entre baptisés par le Christ Seigneur à la dignité de sacrement. C'est pourquoi, entre baptisés, il ne peut exister de contrat matrimonial valide qui ne soit, par le fait même, un sacrement*» (Can. 1055).

L'Église catholique, responsable des sacrements, a déterminé pour ses fidèles les conditions pour que le sacrement du mariage soit valide. Ils sont tenus à la forme canonique, c'est-à-dire à ce que requiert la loi de l'Église que voici:

«*Seuls sont valides les mariages contractés devant l'Ordinaire du lieu ou bien devant le curé, ou devant un prêtre ou un diacre délégué par l'un d'entre eux, qui assiste au mariage, ainsi que devant deux témoins...*» (Can. 1108).

«*C'est le consentement des parties légitimement manifesté entre personnes juridiquement capables qui fait le mariage...*» (Can. 1057).

Donc, le consentement de deux personnes de sexe différent est l'élément constitutif du mariage. L'Église exige que ce consentement soit donné devant un ministre habilité à en être le témoin officiel. Il faut aussi que le couple soit juridiquement libre, sans empêchement de mariage, comme le serait le fait d'être déjà marié-es.

Telle est la forme canonique du mariage. À moins de dispense, elle est obligatoire pour que le mariage d'un catholique soit valide. Le prêtre ou le diacre remplit la fonction de témoin privilégié. Dans certaines conditions et par nécessité, un laïc, homme ou femme, peut être délégué pour recevoir le consentement matrimonial au nom de l'Église (Can. 1112).

LE MARIAGE EST-IL VALIDE QUAND ON SE MARIE DANS LE DOUTE?

Le futur marié s'avance dans la grande allée de l'église pour prononcer son engagement de mariage. Il se demande en lui-même s'il doit dire son oui car il a des doutes sur la réussite de son mariage. Aujourd'hui, son mariage est en difficulté. Est-il vraiment marié devant Dieu?

***

La présomption est en faveur de la validité de son mariage, à moins de preuves contraires à vraiment identifier.

Qui s'engage dans le mariage ou dans le célibat consacré et la vie religieuse, avec l'assurance, sans l'ombre d'un doute, qu'il va persévérer jusqu'à la fin dans l'état de vie qu'il assume?

Celui et celle qui se marient espèrent un amour qui durera toujours, un mariage que rien ne brisera. Peut-être craignent-ils le pire? Ce doute sur le succès de leur mariage, cette crainte que leur bonheur ne durera pas, ne les empêchent pas de contracter un mariage normalement valide.

Car cette crainte et ce doute normaux n'enlèvent pas la liberté de leur décision de contracter mariage.

Il en serait autrement si le mariage était contracté sous l'effet de la violence ou de la crainte grave externe dont une personne ne peut se libérer sans être forcée de choisir le mariage (Can. 1103). La crainte dont il est ici question doit être grave et venir d'une cause externe; elle prive alors la personne qui se marie de l'usage libre de sa volonté.

Selon la question posée, telle n'est pas la situation. La crainte dont il s'agit n'a aucune incidence juridique; elle n'empêche pas le consentement. Le mariage demeure libre et valide.

NE FAUT-IL PAS MENTIONNER LE DANGER DE MARIAGES MIXTES?

Lorsqu'une personne catholique et une autre protestante se marient, il arrive souvent que la personne catholique veut plaire à la personne protestante et change de religion en se disant que c'est le même bon Dieu. Ne faudrait-il pas mentionner le danger de tels mariages?

Avoir la même foi n'est-il pas un facteur d'unité pour un couple?

* * *

Nous savons bien que tout mariage comporte des risques d'échec et affronte tôt ou tard des difficultés. Nulle vie sans brouillard, vents et bourrasques. La bonne entente entre deux êtres, même s'ils s'aiment, n'est pas sans hauts et bas. Y a-t-il une vie conjugale sans nuages?

Lorsqu'un homme et une femme se marient, ils sont appelés à cheminer ensemble toute leur vie. La différence de religion peut causer problème, surtout si l'un des conjoints appartient à une religion non-chrétienne ou fait partie d'une secte. Parfois, le conjoint catholique doit subir les assauts du fanatisme religieux.

L'Église le sait par expérience. Aussi un mariage mixte, entre un catholique et un chrétien non-catholique, n'est autorisé qu'avec permission expresse de l'autorité compétente (Can. 1124). Pour éviter le danger dont vous parlez, celui de perdre la foi catholique, celui de sombrer dans l'indifférence religieuse, l'Église requiert de la partie catholique la promesse orale qu'elle sera fidèle à la foi catholique. L'Église exige aussi la promesse que la partie catholique fera son possible pour que les enfants soient élevés dans la foi catholique. La partie non-catholique doit être mise au courant de cet engagement de l'autre (Can. 1125).

Je n'en conclus pas que les mariages mixtes sont nécessairement malheureux, destructeurs de la foi catholique, néfastes pour les enfants tiraillés entre la religion de maman et celle de papa. Il existe d'excellents mariages mixtes où règne la paix, où se développe un sain œcuménisme.

Le problème n'en est pas moins réel, un danger de mésentente sur ce qui est essentiel, la pratique religieuse, un risque de négliger sa foi catholique, un glissement hors de l'Église des enfants issus d'un tel mariage.

Tout mariage requiert une bonne préparation. Lorsqu'il s'agit d'un mariage mixte, il est essentiel que la préparation soit intensive et que soient discutés l'aspect religieux, la pratique religieuse des conjoints, l'éducation spirituelle des enfants.

JUSQU'OÙ VA LA RESPONSABILITÉ FACE À L'ÂME DE SON CONJOINT OU DE SA CONJOINTE?

On dit que chaque membre d'un couple uni par la grâce du sacrement de mariage doit répondre de l'état d'âme de son conjoint ou de sa conjointe.

* * *

Cette responsabilité est la conséquence de l'amour qui unit le couple. Elle ne doit pas être un fardeau assumé à contre-cœur. L'homme et la femme qui s'unissent dans le sacrement du mariage se donnent l'un à l'autre. Désormais, ce n'est plus dans la solitude qu'ils avanceront vers Dieu sur le chemin de la vie, mais la main dans la main, d'un seul cœur.

Les époux s'engagent à cheminer à deux, et avec leurs enfants si le Seigneur leur donne d'avoir des enfants. Ils ne vivent plus en célibataires, mais ils avancent en harmonie vers la patrie du ciel. Ils se soutiennent mutuellement à travers les intempéries des saisons de la vie. Ils sont en quelque sorte responsables l'un de l'autre, surtout spirituellement. Ils s'entraident dans l'amour par la prière et le bon exemple.

Cette responsabilité ne doit pas être assumée à la légère; elle perdure toute la vie. Mais elle se vit dans le respect de l'autre. Dieu lui-même ménage notre liberté, malgré nos décisions parfois erronées et lourdes de séquelles malheureuses.

Si, malgré vous, votre conjoint se comporte mal, demeurez en paix, malgré la tristesse qui s'ensuit. Que persistent le soutien de la prière, la charité et le bon exemple; peut-être quelques conseils appropriés.

Ne désespérez jamais. Votre sainteté consiste à aimer Dieu, à aimer aussi votre époux ou votre épouse, en faisant votre possible pour cheminer paisiblement et conjointement sur la route sûre, la route balisée par le Seigneur, celle de la vraie Vie. Le Seigneur, par la grâce du sacrement, vous y accompagne.

DOIT-ON RESTER QUAND L'AMOUR DISPARAÎT?

Il n'y a plus dans le mariage que la routine et l'effort d'un seul conjoint.

* * *

Le mariage est plus qu'un amour passager, physique, émotionnel. Le mariage est une alliance d'amour profond, une alliance que caractérise la fidélité. C'est une alliance à l'image de celle qui unit le Christ Jésus à son Épouse, l'Église, alliance faite de force et de tendresse, de respect et d'attachement durable.

L'amour passionnel du début peut, graduellement, s'atténuer, même disparaître. Le feu de l'amour doit être nourri quotidiennement. S'il ne l'est pas, cesse de se dégager une chaleur bienfaisante, cesse d'éclairer la lueur de l'âtre où le feu baisse.

On peut même conclure un jour qu'il n'y a plus d'amour. Alors, pourquoi rester ensemble, se demandent les conjoints. N'est-il pas préférable d'allumer un feu nouveau qui, dès le départ, crépite et semble justifier la fin du mariage précédent.

Cette conclusion est celle qui prévaut dans des milieux non chrétiens. Mieux vaut se quitter quand il n'y a plus d'amour.

Mais cet amour disparu est-il l'amour véritable, l'amour principal, l'amour chrétien? Cet amour chrétien est plus que sentimental. Il est celui du Christ pour nous. Il subsiste en dépit du rejet, de la froideur de la personne aimée.

Un couple chrétien qui se marie, dont le mariage veut survivre aux bourrasques des saisons de la vie, doit savoir qu'il y aura des creux dans leur amour l'un pour l'autre. La fidélité doit subsister; l'alliance de deux êtres dans le mariage doit se continuer pour le meilleur et le pire, pour l'éternité. Peut-être l'amour du début reviendra-t-il?

S'il ne revient pas, doit se continuer l'amour chrétien pour la personne choisie dans le mariage, face à Dieu et à la communauté. L'amour chrétien dont la vitalité ne dépend pas de la réaction de l'autre, mais qui demeure toujours profond, comme celui du Christ pour son Église en dépit de ses infidélités.

La grâce du sacrement fortifie cet amour chrétien et le rend stable. Le mariage, selon le plan de Dieu, demeure indissoluble. Il représente cet amour de Dieu pour l'humanité, cet amour du Seigneur pour l'Église. Un amour que rien ne termine.

QUE FAIRE POUR CONSERVER L'AMOUR?

Que faire pour conserver l'amour dans un couple en vieillissement?

* * *

L'amour devrait être naturel et s'enraciner avec le temps.

L'amour physique et passionnel du temps de la romance se purifie avec les années, avec les soubresauts des événements heureux et malheureux, avec le frottement de deux êtres qui vivent sans cesse côte à côte. Il n'est plus le même qu'autrefois, il s'est spiritualisé, il a acquis plus de délicatesse et de tendresse.

Que se multiplient les bonnes paroles, et l'amour grandira.

Que se multiplient les petits gestes d'attention, et l'amour grandira.

Que se multiplient les prévenances l'un pour l'autre, et l'amour grandira.

Que croisse l'amour du Seigneur, et l'amour grandira.

Un amour tendre et fort, gratuit et fidèle, comme celui du Seigneur pour son Église et pour nous.

Il est beau de voir des couples âgés, unis dans un amour indéfectible, un amour qui s'éternisera dans le bonheur.

Beaucoup ne peuvent goûter à un amour fidèle au long des années. Le couple dont ils faisaient partie s'est disloqué, souvent bien malgré eux.

Dieu peut compenser la disparition de l'amour conjugal en conférant un amour plus vaste, un amour qui dilate le cœur, un amour qui rejoint les enfants et les petits-enfants, aussi la grande famille humaine, des amis, des gens en mal d'affection. Cet amour sans frontières d'un conjoint délaissé ressemble à l'amour qui anime de saints prêtres et tant de gens consacrés.

La question que vous me posez rejoint des couples fidèles l'un à l'autre, dont l'amour s'épure avec le roulis des saisons, avec l'éclipse des années. Rien n'est plus beau que cet amour tendre de couples âgés. La mort même ne peut les séparer.

UN MARIAGE QUI N'EST PAS CATHOLIQUE EST-IL UN MARIAGE VALIDE?

* * *

Il faut apporter certaines précisions pour une réponse adéquate.

Responsable des sacrements, l'Église revendique le droit et le devoir de donner des règles juridiques au mariage de ses *fidèles catholiques*.

Ainsi, selon le Code de Droit canonique:

«Le mariage des catholiques, même si une partie seulement est catholique, est régi non seulement par le droit divin, mais aussi par le droit canonique...» (Can. 1059).

«Seuls sont valides les mariages contractés devant l'Ordinaire du lieu ou bien devant le curé, ou devant un prêtre ou un diacre délégué par l'un d'entre eux, qui assiste au mariage, ainsi que devant deux témoins,... restant sauves les exceptions...» (Can. 1108).

C'est ce qu'on appelle la forme canonique ordinaire à laquelle sont soumis les catholiques qui se marient. Ils y sont tenus, à moins d'avoir reçu une dispense appropriée.

Pour le mariage d'une personne non catholique avec une personne catholique:

- une personne catholique peut marier une partie non catholique dans l'Église catholique avec la permission expresse de l'autorité compétente (évêque). C'est ce qu'on appelle un mariage mixte (Can. 1124).

- une partie catholique peut se marier à une partie non catholique devant un ministre non catholique ou un juge de paix, pour des raisons graves et après avoir reçu une dispense de la forme canonique (Can. 1127, 2).

Pour le mariage entre deux chrétiens non catholiques, la législation de l'Église ne dit rien, par respect pour les principes œcuméniques. Leur mariage est valide selon les lois de leur Église respective.

Les mariages entre non baptisés sont considérés valides par l'Église s'ils sont faits conformément aux dispositions civiles, pourvu qu'elles ne s'opposent pas à la loi naturelle.

SE MARIER EST-IL UNE PUNITION?

J'aime un homme marié, divorcé, avec trois enfants. Selon ma foi, je ne peux le marier.

Il y en a un autre, pas marié, aussi avec trois enfants. Celui-là, je pourrais le marier.

Devant cette situation, je considère que les deux ont vécu la même chose, sauf le mariage.

Se marier est-il donc une punition pour le reste de nos vies?

* * *

S'unir à deux dans le sacrement du mariage n'est pas une punition, mais un don du Seigneur comme pour tout sacrement. Le Seigneur est présent dans le sacrement du mariage, dans cet amour du couple l'un pour l'autre. Il cimente l'amour dans la fidélité, à la vie à la mort. «*Eh bien!*», dit Jésus, «*ce que Dieu a uni, l'homme ne doit point le séparer*» (Mt 19, 6).

L'homme ne doit point répudier sa femme, ni la femme son mari, enseigne Jésus. Le mariage valide est indissoluble. Quand Jésus livra cette doctrine, ses disciples lui rétorquèrent: «*Si telle est la condition de l'homme envers la femme, il n'est pas expédient de se marier*». Vous semblez tenir le même langage. Jésus répond: «*Tous ne comprennent pas ce langage, mais ceux-là à qui c'est donné*» (Mt 19, 10-11).

Malheureusement, certains mariages se brisent. Ce n'est pas à nous de juger les responsabilités, mais à Dieu. Mais rappelons-nous le plan de Dieu pour un mariage monogame et indissoluble. L'amour d'un conjoint pour l'autre doit ressembler à l'amour indéfectible du Christ pour son Église. Saint Paul y invite les couples: «*Que chacun aime sa femme comme soi-même, et que la femme révère son mari*» (Ep 5, 33).

Le mariage n'est pas un fardeau, mais un cadeau. C'est une vocation sainte, un don total à l'autre.

POURQUOI ACCORDER
UNE DÉCLARATION DE NULLITÉ?

Pourquoi l'Église accorde-t-elle la nullité de mariage, alors que le mariage est un sacrement? Ce que Dieu a uni, seul Dieu peut le désunir.

***

Je suis d'accord avec vous. Le mariage est indissoluble. Pourvu qu'il soit valide. L'est-il toujours? C'est ce que se demande l'Église en certains cas. Pour le savoir, par ses tribunaux ecclésiastiques, elle étudie les circonstances qui ont entouré tel mariage. En certains cas, elle constate qu'il manquait certaines conditions pour qu'il soit valide. Ainsi en est-il si l'un des conjoints n'a pas l'usage suffisant de la raison, s'il souffre d'un grave défaut de discernement concernant les droits et les devoirs essentiels du mariage à donner et à recevoir, si, pour des causes de nature psychique, il ne peut assumer les obligations essentielles du mariage, etc. (Can. 1095). Tout conjoint doit savoir que le mariage est une communauté permanente entre l'homme et la femme, ordonnée à la procréation des enfants par une certaine coopération sexuelle (Can. 1096).

Alors, après vérification et après avoir entendu «*le défenseur du lien*», elle «*n'accorde*» pas une nullité de mariage, au sens d'un privilège, mais elle déclare, s'il y a des preuves valables, qu'il n'y a pas eu de mariage valide. C'est «*une déclaration de nullité de mariage*».

POURQUOI TANT RETARDER POUR ACCORDER
UNE DÉCLARATION DE NULLITÉ DE MARIAGE?

Pourquoi pas plus de rapidité à libérer les personnes qui demandent la nullité d'un mariage afin de vivre une vie chrétienne dans un nouveau mariage? Plus de compassion, s.v.p.

***

Il faut beaucoup de compassion. Mais aussi un respect des lois de Dieu, de l'indissolubilité du mariage monogame tel que voulu par le Christ (Mt 19, 4-6).

L'Église ne peut se prononcer à la légère et sans motifs sérieux pour qu'un mariage soit déclaré invalide. Après une enquête approfondie, il arrive que la nullité du mariage ne puisse être prouvée.

Par ses experts dans les cours matrimoniales ecclésiastiques, par ses avocats et juges, l'Église étudie les cas de mariage qui lui sont présentés dans des interviews sérieux, des enquêtes confidentielles et respectueuses, et l'usage des documents existants. Faisons-lui confiance.

Quant à la célérité du procès canonique, il se fait avec toute la diligence possible, malgré la quantité de cas étudiés et la complexité de certains dossiers. Rien ne peut se faire dans l'imprudence et la frivolité. La compassion n'est pas véritable en dehors du chemin indiqué par le Seigneur.

LES PRÊTRES PEUVENT SE MARIER; LES COUPLES SÉPARÉS NE LE PEUVENT PAS. POURQUOI?

Lorsque les prêtres, les religieux et religieuses embrassent leur état de vie, ils prononcent des vœux qui les lient pour la vie. Or, lorsqu'ils sont laïcisés, ils peuvent se marier et faire leur religion comme si rien n'était.

D'autre part, un couple qui se marie s'engage également pour la vie. S'il y a divorce et que le mariage ne peut être déclaré nul, les deux conjoints ne peuvent se refaire une vie, convoler en justes noces et recevoir les sacrements.

Il me semble y avoir là deux poids, deux mesures. Dans les deux cas, il y a engagement devant Dieu, mais, d'une part, on peut s'en défaire, d'autre part, non!

***

C'est qu'il y a différence entre le vœu du célibat et le sacrement du mariage. Le vœu est une promesse qui lie devant Dieu et l'Église, un engagement solennel. Nul ne peut en être dispensé à la légère, mais il n'y a pas de loi divine qui interdit une telle dispense.

Le sacrement du mariage est un engagement solennel devant Dieu et l'Église. Dieu l'a voulu indissoluble (Gn 2, 24). Jésus Christ a rappelé cette exigence. «*Ce que Dieu a uni, l'homme ne doit point le séparer*» (Mt 19, 6). L'Église ne peut donc permettre un second mariage du vivant du conjoint.

Il lui arrive, toutefois, après enquête sérieuse, de déclarer nul un mariage; elle affirme alors que, pour certaines raisons, il n'y a pas eu de mariage valide.

La différence entre le vœu de religion ou l'engagement du sacerdoce et le sacrement de mariage ne signifie pas un favoritisme d'une part et une sévérité d'autre part. Dans le premier cas, la dispense relève du pouvoir de l'Église; dans l'autre cas, non.

Dans une situation ou dans l'autre, Dieu demeure le seul juge des cœurs et des responsabilités, qu'il s'agisse du vœu de célibat ou du sacrement de mariage.

MA SŒUR DIVORCÉE REMARIÉE SE SENT REJETÉE DE L'ÉGLISE

Comment parler au cœur d'une sœur divorcée qui a refait sa vie en union libre, et qui se sent rejetée et non accueillie au sein de l'Église?

* * *

Qu'elle se sente accueillie par vous qui l'aimez sincèrement. Vous ne pouvez approuver ce qui ne doit pas l'être, selon ce qui est requis par notre vie de disciples de Jésus, mais la bonté et la charité sont toujours de mise. Il y a trop de souffrance aujourd'hui pour la traiter avec désinvolture. Derrière la séparation et le divorce, il y a le drame des personnes blessées. Certaines ont subi le divorce plutôt que de l'avoir causé.

Si l'Église, par fidélité à son Seigneur, ne peut accepter comme permises certaines situations matrimoniales, il ne faut pas en conclure qu'elle rejette votre sœur. Elle est toujours membre de l'Église, elle peut de multiples façons participer à sa vie, à sa prière, à sa pénitence, à sa charité; elle peut s'activer au sein de nombreux mouvements. L'Église est composée de pécheurs qui croient à la miséricorde du Seigneur et qui, espérons-le, s'efforcent de marcher vers lui dans un meilleur amour et une plus grande fidélité.

Il ne faut jamais désespérer du Seigneur venu appeler non les justes mais les pécheurs (Mt 9, 13). L'Église est son Corps...

Vous faites partie de cette Église... Vous la représentez.

LES MARTYRS DU MARIAGE NE SE SONT-ILS PAS DÉTRUITS?

Il est arrivé souvent, dans la vie des couples mariés, qu'il y eut des martyrs sous prétexte que ce que Dieu a uni, l'homme ne doit point le séparer. Dieu n'a pas demandé de se détruire. Comment comprendre toutes ces choses?

* * *

N'évaluons pas la société d'autrefois avec la mentalité d'aujourd'hui. Ce serait un anachronisme. C'est souvent le cas quand nous jugeons le passé et la façon de vivre de nos ancêtres, avec nos critères contemporains.

Nos parents, nos grands-parents, sont restés fidèles l'un à l'autre, selon l'engagement matrimonial pris devant Dieu et la communauté. Leur vie n'a pas toujours été facile, j'en conviens. Ils sont demeurés fidèles au précepte du Seigneur pour un mariage indissoluble. Leurs enfants ont grandi dans un milieu équilibré, auprès de papa et de maman, dans la sécurité affective. Les époux n'ont pas toujours eu la vie aisée, la bonne entente parfaite, mais, dans l'ensemble, ils se sont épaulés dans l'amour et la fidélité. Certains ont été héroïques dans leur vie conjugale.

La société a bousculé dans une approche du mariage plus débonnaire. *«Si tu m'aimes, je t'aime... Si la dispute s'installe, nous nous séparons... Il n'y a rien là!»*

Il n'y a rien là, excepté le drame de l'épouse ou de l'époux délaissé au moindre courant d'air frisquet. Il y a la crainte constante de la séparation et l'angoisse qui s'ensuit. Il y a tant d'enfants ballottés d'un papa ou d'une maman à l'autre, ou dans un foyer monoparental.

Est-ce là un progrès sur le passé?

Évidemment, il est toujours possible de se séparer pour des motifs sérieux, comme serait la violence conjugale. Il y a toujours lieu de se demander, pour des raisons graves, si le mariage ébranlé dans sa base, était valide.

Il y eut des drames dans le passé, il y eut des martyrs du mariage dans le passé. Mais les drames et les martyrs d'aujourd'hui, au sein du mariage, ne sont pas moins traumatisants ni moins nombreux.

La foi demeure qui aide à assumer des situations tellement malheureuses.

N'EST-CE PAS TROP RISQUÉ DE SE MARIER?

Que faut-il dire ou faire face à nos jeunes qui ne veulent pas se marier? Ils prétendent qu'il y en a trop qui divorcent, que ce sont des coûts dispendieux, des troubles trop grands pour en prendre le risque.

Ils font leur religion quand même; pour eux, tout est correct. Éclairez-moi.

Comment les approcher sans paraître leur donner des ordres? Mon mari et moi avons essayé de leur transmettre les valeurs chrétiennes. Deux d'entre eux vivent avec leur conjoint sans être mariés. Ils vont recevoir la communion comme «s'il n'y avait rien là». De toute façon, nos curés sont bien muets sur ces points.

Je suis une mère inquiète. Que leur réserve la vie éternelle? Comme j'aimerais une réponse claire sur ces points, et pour eux et pour nous!

Une mère soucieuse qui se questionne

* * *

Une mère soucieuse comme tant de mamans, tant de papas aussi! Vous avez à cœur le bien de vos enfants, vous avez le souci de leur vie éternelle. Vous souffrez dans une certaine angoisse, jour et nuit, en vous préoccupant de vos enfants et petits-enfants.

J'aimerais vous pacifier. Seule, la foi peut le faire. Vous avez fait votre possible; vos enfants ont grandi. Ils volent de leurs propres ailes. Ils vieilliront. La vie, avec ses joies et ses peines, les fera réfléchir. Ils acquerront la maturité spirituelle. Dieu agira en eux. Vos enfants sont ses enfants!

Que puis-je vous dire, sinon vous inviter à garder confiance? Cette confiance naît de la foi en un Dieu Sauveur et aimant.

Priez pour vos jeunes. Depuis longtemps, vous le faites; continuez!

Souriez à leur vie. Goûtez leur bonheur. Glissez-leur de bons mots qui encouragent. Promettez-leur parfois l'appui de vos prières, en telle ou telle circonstance qui les concerne. Qu'ils vous voient heureuse d'être chrétienne, fidèle à l'Eucharistie, trouvant votre force en Dieu, ayant recours à Marie.

Patience, courage, confiance!

QUE FAIRE SI MON AMI NE VEUT PAS SE MARIER?

Je vis avec quelqu'un depuis plusieurs années. Il ne veut pas se marier. Que faire?

* * *

À vous de prendre une décision. Que votre décision s'inspire de la sagesse humaine, et aussi des principes de votre foi.

Cette personne est-elle sérieuse dans un amour pour vous qui serait un amour fidèle et généreux? Ne lui servez-vous pas temporairement de compagne de vie qu'il rejettera tôt ou tard? Est-ce là la raison pour laquelle il ne veut pas s'engager dans le mariage? Vous aime-t-il suffisamment pour respecter vos convictions et votre foi?

Cette foi qui est vôtre vous invite à vous engager dans un mariage chrétien, devant Dieu et la communauté des croyants. Pourvu que ce soit avec l'élu de votre vie, celui qui vous aime vraiment, qui sera un bon père pour vos enfants.

Priez. Il faut prendre la décision qui convient, selon votre choix et selon ce à quoi vous invitent le Christ et l'Église, un mariage où Dieu est présent.

- IX -

LE SACREMENT DES MALADES
LES SACRAMENTAUX

Le sacrement des malades,
quelques sacramentaux,
les icônes,
les reliques

FAUT-IL ÊTRE EN ÉTAT DE GRÂCE POUR RECEVOIR LE SACREMENT DES MALADES?

On nous a toujours présenté l'Extrême-Onction comme un moyen sûr d'aller au ciel. J'ai toujours cru qu'elle effaçait les péchés, même si la personne était plus ou moins consciente. Mais voilà: je viens de lire qu'il faut être en état de grâce pour la recevoir. Si c'est vrai et que la personne qui la reçoit ne peut parler pour se confesser, qu'est-ce que l'Extrême-Onction peut bien lui apporter? Pourquoi alors se précipiter pour aller chercher un prêtre? Expliquez-moi ce sacrement.

* * *

L'Église préfère que nous parlions du sacrement des malades, de l'onction des malades, plutôt que d'Extrême-Onction. Par cette onction, l'Église intercède pour les malades et elle les exhorte à s'unir au Christ souffrant pour le bien de l'Église.

Saint Jacques écrit: «*Quelqu'un parmi vous est-il malade? Qu'il appelle les presbytres de l'Église et qu'ils prient sur lui après l'avoir oint d'huile au nom du Seigneur. La prière de la foi sauvera le patient et le Seigneur le relèvera. S'il a commis des péchés, ils lui seront remis*» (Jc 5, 14-15).

«*Tout prêtre, et seul le prêtre, administre validement l'onction des malades*», déclare l'Église dans le Code de Droit canonique (1003).

Dans une célébration liturgique et communautaire, les prêtres prient sur les malades et leur imposent les mains en silence, puis «*le sacrement de l'onction des malades est conféré aux personnes dangereusement malades en les oignant sur le front et sur les mains avec de l'huile dûment bénite..., en disant une seule fois: ‹Par cette onction sainte, que le Seigneur, en sa grande bonté, vous réconforte par la grâce de l'Esprit Saint. Ainsi, vous ayant libéré de tous péchés, qu'il vous sauve et vous relève›*» (Sacram unctionem infirmorum, 30 novembre 1972).

Ce sacrement signifie la présence du Christ, divin Médecin qui fortifie le malade; il peut même guérir le malade. Il lui permet de sanctifier le temps précieux de la maladie. Par ce sacrement, le Seigneur «*touche*» les malades pour les guérir, comme autrefois en Palestine.

Ce sacrement ne doit pas être reçu uniquement au moment de la mort, mais dès que la santé est gravement menacée par l'âge ou la maladie. Ajoutons: «*Il est approprié de recevoir l'onction des malades au seuil d'une opération importante*» (Catéchisme de l'Église catholique, 1515).

Ce sacrement, recommandé par saint Jacques, remet en même temps les péchés de qui est coupable (Jc 5, 15).

Alors, pourquoi se confesser avant de le recevoir? Le père Bernard Häring, rédemptoriste, dans «*La loi du Christ*», répond en disant que le sacrement des malades est en soi un «*sacrement des vivants*», c'est-à-dire qu'il exige l'état de grâce et donc, en cas de péchés graves, la réception préalable du sacrement de pénitence. Par suppléance uniquement, l'Onction des malades opère aussi comme «*sacrement des morts*».

Même en l'absence de fautes sérieuses, la réception du sacrement de pénitence permet de meilleures dispositions pour recevoir la visite du Seigneur au moment de la maladie ou de la vieillesse. Le Catéchisme de l'Église catholique déclare: «*Si les circonstances y invitent, la célébration du sacrement peut être précédée du sacrement de Pénitence et suivie du sacrement de l'Eucharistie*» (1517). Si les circonstances ne sont pas favorables, il est donc tout à fait légitime de recevoir le sacrement des malades sans avoir reçu au préalable le sacrement du pardon.

Au moment de la mort, l'Eucharistie sera reçue comme signe du Christ passé de la mort à la vie, l'Eucharistie sera reçue en «*viatique*», pour le grand voyage vers Dieu.

FAIRE BRÛLER UN LAMPION VAUT-IL AUTANT QUE FAIRE CÉLÉBRER UNE MESSE?

Il y en a qui disent que faire brûler un lampion vaut autant qu'aller à la messe. Moi, je dis non. La messe a une valeur infinie et y participer est ce qu'il y a de plus grand.

* * *

Vous avez raison. Cependant, je préférerais qu'il n'y ait pas de comparaison.

La messe est d'une richesse infinie. Nous pouvons nous référer à ce que le Catéchisme de l'Église catholique nous dit sur la liturgie divine, source et sommet de l'action de l'Église (La sainte liturgie, 10), et surtout sur l'Eucharistie, sacrifice sacramentel, banquet pascal, gage de la gloire à venir (1322ss).

Faire brûler un lampion est un geste méritoire, s'il est posé dans la foi. La prière au Seigneur, à la Vierge, à un saint ou à une sainte, veut se prolonger par l'hommage de ce lampion. Cette coutume populaire d'allumer un lampion est fort louable comme tribut de vénération et de confiance. Comme tout sacramental ou son équivalent, cette action s'appuie sur l'intercession de l'Église; elle doit s'accompagner d'une prière pour être vraiment louange et sanctification.

Je lisais cette supplication: «*Seigneur, que ce cierge que je fais brûler soit lumière pour que tu m'éclaires dans mes difficultés et mes décisions. Qu'il soit feu pour que tu brûles en moi tout égoïsme, orgueil et impureté. Qu'il soit flamme pour que tu réchauffes mon cœur. Je ne peux pas rester longtemps dans ton église; en laissant brûler ce cierge, c'est un peu de moi que je veux te donner. Aide-moi à prolonger ma prière dans les activités du jour*».

PEUT-ON VENDRE UN OBJET BÉNIT?

Est-ce vrai qu'un objet bénit, comme un chapelet, ne doit pas être vendu mais donné?

* * *

L'Église ne veut pas qu'une bénédiction soit vendue. Elle s'oppose à la simonie, c'est-à-dire au trafic de biens spirituels, tout comme au commerce d'objets sacrés ou de charges ecclésiastiques.

La simonie, lisons-nous dans le Catéchisme de l'Église catholique, «se *définit comme l'achat ou la vente des réalités spirituelles... Il est impossible de s'approprier les biens spirituels et de se comporter à leur égard comme un possesseur ou un maître, puisqu'ils ont leur source en Dieu. On ne peut que les recevoir gratuitement de lui*» (2121).

La simonie pèche contre le premier commandement, car elle est un acte d'irreligion.

L'Église se montre sévère au sujet de la simonie et annule les transactions simoniaques, comme nous le lisons dans le Droit Canon (Can. 149, 188, 1380).

Les objets peuvent être bénits, mais après leur achat.

POURQUOI ACCORDER TANT D'IMPORTANCE AUX ICÔNES?

* * *

Parce que les icônes ont un message à nous transmettre; elles nous inspirent sur le chemin de Dieu.

Les icônes sont des images, des portraits, des tableaux d'art byzantin qui représentent le Christ, sa Mère ou d'autres saints et saintes. Aussi les icônes sont-elles fort populaires, surtout dans les Églises orientales qui, depuis toujours, en font un usage pieux. Elles sont pour ces Églises en quelque sorte des sacramentaux. Comme tout objet pieux, souvent, elles sont bénites. Il ne convient pas qu'elles soient bénites avec le Saint-Sacrement ni qu'elle soient consacrées; ce serait aller contre la pratique de l'Église.

Préparées dans la prière, le jeûne et selon l'inspiration divine, souvent par des moines, les icônes sont faites selon une technique vraiment spéciale, stéréotypée, sur bois, avec des symboles qui permettent la méditation et facilitent la prière.

Les personnages représentés par les icônes, remplis d'intériorité, nous font entrer dans le monde surnaturel, nous donnent de pénétrer en nous-mêmes, facilitent la prière et la contemplation. L'art au service de la foi nous permet de mieux goûter au sens du mystère, comme le disait Jean-Paul II. Cet art fut préservé en dépit de la crise iconoclaste des 8ᵉ et 9ᵉ siècles.

Aujourd'hui, les contacts multipliés avec nos frères et sœurs de rite oriental nous fournissent l'avantage unique de découvrir le monde des icônes pour alimenter notre foi et accroître notre amour du monde surnaturel.

Parmi les icônes que nous connaissons mieux, il y a celle de la Trinité par Roublev, le Christ Pantocrator, diverses icônes de Marie, comme la Vierge Noire, celle de Vladimir en Russie, celle de Marie, Porte du ciel, et tant d'autres. Ces dernières années, en plusieurs endroits fut rapporté le phénomène du suintement d'huile parfumée provenant d'icônes; l'Église demeure prudente à ce sujet.

L'icône de Notre-Dame du Perpétuel-Secours est fort ancienne; elle remonte au 10ᵉ ou au 11ᵉ siècle, peinte d'abord sur une planche de bois. D'abord vénérée à Crète, île de la mer Méditerranée, cette image miraculeuse le fut ensuite à Rome pendant plusieurs siècles. En 1866, le pape Pie IX la confia aux Rédemptoristes qui, depuis lors, répandent sa dévotion dans le monde entier. Nous contemplons une magnifique reproduction de cette icône dans une chapelle de la basilique de Sainte-Anne-de-Beaupré.

Sur un fond d'or se détachent les figures de Marie et de Jésus qui se blottit sur son cœur. Les deux sont couronnés de diadèmes précieux. Deux anges portent les instruments de la passion. C'est le *«tableau de la terrible vision»*. Marie et Jésus éprouvent déjà les affres du drame du Golgotha. L'Enfant est effrayé et se réfugie dans les bras de sa mère. La Vierge, tristement, garde les yeux sur nous. Elle semble nous dire: «*Pensez à Jésus et à ses souffrances pour vous, aimez-le. Ayez recours à moi. Comme Jésus blottissez-vous avec confiance sur mon cœur. Je suis la Mère du Perpétuel-Secours*».

À nous de devenir ensuite des icônes vivantes.

_____

LES RELIQUES SONT-ELLES TOUJOURS AUTHENTIQUES?

Comment peut-on être sûr de l'authenticité d'une relique, que ce soit celle de sainte Anne ou d'autres saints, etc.? L'Église reconnaît-elle ces reliques comme authentiques? La foi des chrétiens peut-elle être abusée ou trompée par des reliques qui n'en seraient pas? Quelle est la pensée de l'Église là-dessus?

* * *

Peut-être pourrions-nous comparer l'attitude de l'Église touchant les reliques à celle qu'elle apporte au sujet des lieux d'apparitions. Dans un cas comme dans l'autre, elle approuve l'authenticité probable de telle ou telle relique comme elle approuve l'authenticité de tel ou tel lieu d'apparitions. Elle n'oblige pas à croire à l'authenticité des reliques ou de lieux d'apparitions, même si elle les approuve. Une telle croyance ne fait pas partie du credo, de notre foi chrétienne. Nous pouvons, toutefois, y adhérer de foi humaine.

Une relique de première classe est une relique composée d'un ossement de la personne vénérée. Il y a des reliques secondaires qui peuvent être des objets ou des vêtements en rapport avec la personne de sainte réputation.

La relique est honorée pour ce qu'elle représente, et non pour ce qu'elle est.

Qui n'estime pas des reliques, peut-être une photo, un vêtement, un objet, qui ont servi à une personne aimée et disparue? On paie cher telle ou telle «*relique*» d'une star du sport, d'une vedette du cinéma.

Les reliques révérées au sanctuaire de Sainte-Anne-de-Beaupré sont approuvées par l'Église. Nous n'avons pas à croire à leur authenticité comme nous croyons à l'authenticité de la Parole de Dieu dans les Écritures sacrées. Mais ces reliques remontent aux premiers siècles de l'histoire de l'Église. La plupart nous viennent indirectement ou non du sanctuaire très ancien d'Apt, en Provence, là où, selon une tradition vénérable, fut transporté le corps de sainte Anne par les premiers chrétiens. Les faveurs obtenues par l'attouchement des reliques sont sans nombre.

La première relique obtenue par le sanctuaire de Sainte-Anne-de-Beaupré en 1670, relique toujours en honneur au sanctuaire, fut un don obtenu par le bienheureux François de Montmorency Laval, premier évêque de Québec.

Parmi les reliques principales de Sainte-Anne-de-Beaupré, il y a celle confiée au sanctuaire par le pape Léon XIII en 1892. Des faits merveilleux ont accompagné cette relique en route vers Sainte-Anne-de-Beaupré. Alors qu'elle était vénérée à l'église Saint-Jean-le-Baptiste, à New York, un épileptique fut guéri instantanément de son mal. Tous les journaux signalèrent ce prodige. Les foules vinrent de partout. En trois semaines, pas moins de 250 000 personnes s'acheminèrent vers l'église Saint-Jean-le-Baptiste; beaucoup de guérisons corporelles et de conversions furent signalées. Dix policiers durent diriger la circulation et fermer la route aux voitures.

Le pape Jean XXIII confia au sanctuaire de sainte Anne une relique majeure, en 1960.

Dieu s'est incarné en Jésus; notre religion n'est pas qu'une théorie spirituelle. Jésus, sur terre, accomplit beaucoup de miracles en se servant de gestes ou d'objets humains. Ainsi le voyons-nous se servir de salive et de boue pour guérir un aveugle (Jn 9, 6). Aujourd'hui, il lui plaît de se servir d'humbles objets bien concrets pour stimuler notre foi et produire des prodiges. Beaucoup de pèlerins attribuent à la vénération des reliques de sainte Anne leur guérison et autres faveurs obtenues, que ce soit à Sainte-Anne-de-Beaupré, lors de Soirées de sainte Anne, ou en d'autres lieux et occasions.

- X -

PARENTS, ENFANTS
ET ADOLESCENTS

Naissance des enfants,
leur éducation,
la souffrance des enfants,
les adolescents,
les écoles,
l'aide aux parents âgés

POURQUOI DIEU NE ME PERMET-IL PAS D'AVOIR DES ENFANTS?

J'ai trente ans. Je vais à l'église chaque semaine. Je fais mes prières chaque soir. Je lis ma Bible chaque matin. Ça fait trois ans que mon mari et moi essayons d'avoir un enfant. Nous n'avons pas eu de succès. Ça me fait beaucoup de peine car je veux avoir des enfants de tout mon cœur. Pourquoi Dieu ne répond-il pas à ma prière?

* * *

Je voudrais tant vous encourager et vous dire de garder confiance.

Peut-être en vous citant simplement les cas de parents qui ont attendu cinq ans, dix ans et plus, avant d'avoir le privilège d'avoir un enfant. Je me souviens d'un papa qui ne cessait d'embrasser son bébé pendant toute la cérémonie du baptême, lui qui avait vécu dans l'attente d'un enfant pendant quatorze ans.

Priez. Recommandez-vous à vos saints préférés, à saint Gérard Majella, le patron des mamans, à la bonne sainte Anne qui, selon la tradition, a souffert de demeurer stérile pendant vingt ans, avant de donner naissance à la Vierge Marie.

Ne manquez pas, non plus, de consulter un médecin.

Si le Seigneur permet que votre mari et vous ne puissiez avoir d'enfant, il vous accordera une autre fertilité, celle de gens à qui vous apporterez votre aide, du soleil, du bonheur et de la vie. C'est ainsi que l'amour de couples stériles est devenu fécond dans l'Église et la société.

Demeurez confiants. Que votre amour l'un pour l'autre compense, du moins pour le moment, l'absence d'un petit être issu de votre chair.

Comme disait Elqana à son épouse Anne qui, stérile, se désolait et ne voulait manger: «*Anne, pourquoi pleures-tu et ne manges-tu pas? Pourquoi es-tu malheureuse? Est-ce que je ne vaux pas pour toi mieux que dix fils?*» (I S 1, 8). Aimez-vous tendrement, et confiez-vous au Seigneur qui prendra soin de vous.

POURQUOI FAIRE DES ENFANTS,
PUIS LES NÉGLIGER?

Je suis une grand-maman. Dernièrement, l'une de mes brus a quitté mon fils pour un autre homme. Ça fait mal! Il a deux petits enfants en bas âge.

L'un me dit: «Mémé... Dis pourquoi les parents font des enfants et, après, ne veulent plus les avoir? Maman n'est pas fine; elle aime mieux son chum que ses enfants. Une chance que mon papa reste avec mon petit frère et moi; il nous aime beaucoup».

J'ai tellement mal...

* * *

Beaucoup de grands-parents, comme vous, ont tellement mal à cause de leurs enfants et de leurs petits-enfants

Les paroles de votre petit-fils sont fortes et émotionnantes. Qui les lui a apprises?... Elles font réfléchir. Je ne voudrais pas qu'elles augmentent la souffrance déjà aiguë d'un papa ou d'une maman qui ont connu la douleur de la séparation. Sont-ils coupables? Pas toujours, et loin de là!

Puis-je vous suggérer, madame, et bien humblement, de ne pas prendre parti pour l'un des parents? Pas même pour votre fils. Surtout devant vos petits-enfants. Inconsciemment, des parents accusent vertement leur bru ou leur gendre de tous les maux, et protègent leur grand enfant devenu séparé-e ou divorcé-e. La vie est souvent bien complexe...

Il faut surveiller l'émotivité et garder la sérénité. Il importe de ne pas influencer les enfants si fragiles en disloquant leur amour naturel pour leur papa et leur maman. Au besoin, dites-leur une parole de bonté qui pacifie, qui nourrira leur amour pour leur papa et leur maman, malgré le drame dont ils sont les innocentes victimes.

PEUT-ON REFUSER D'AVOIR DES ENFANTS PARCE QU'IL EST DIFFICILE DE LES ÉLEVER?

Que diriez-vous à un couple au début de la trentaine qui, sans être riche, vit à l'aise? Ce couple ne désire pas d'enfants sous prétexte que les enfants, les adolescents, sont trop difficiles à élever de nos jours. Ils causent trop de problèmes à leurs parents.

* * *

Je voudrais d'abord laisser à un tel couple de prendre ses responsabilités. Certaines personnes peuvent vouloir les juger sans les connaître, sans saisir leurs vraies motivations. Il existe des souffrances cachées qu'il importe de respecter.

S'il est vrai qu'un tel couple ne veut pas d'enfants sous prétexte qu'ils sont cause de problèmes et difficiles à éduquer, il y a là, semble-t-il, un manque de confiance en Dieu et un brin d'égoïsme.

Le Christ a élevé le mariage entre baptisés à la dignité de sacrement. Les propriétés essentielles du mariage sont l'unité et l'indissolubilité (Can. 1056). L'Église exige, pour un mariage valide, qu'il n'y ait pas d'exclusion totale et définitive d'un enfant. Le Code de Droit canonique stipule, en effet, en parlant de l'engagement matrimonial initial, que le mariage est ordonné par son caractère naturel au bien des conjoints ainsi qu'à la génération et à l'éducation des enfants (Can. 1055).

Un mariage doit s'ouvrir à la vie. C'est là un de ses éléments essentiels. Exclure définitivement cet élément rend le mariage invalide (Can. 1101, 2). Que les couples ne négligent pas la générosité de l'accueil à la vie. Ce qui ne veut pas dire qu'il est nécessaire d'avoir un nombre illimité d'enfants, car bien des facteurs, y compris la situation économique, souvent s'y opposent. Mais que les parents se souviennent qu'il n'y a pas de plus belle gratification qu'un enfant.

L'ENFANT DANS UNE FAMILLE MONOPARENTALE

Dans une famille monoparentale, un garçon de 7 ans aura la visite de son père pendant un mois durant le temps des Fêtes. Il ne l'a jamais rencontré. Quelle attitude prendre pour qu'il n'ait pas de peine après son départ? De nouveau, il se trouvera sans papa.

* * *

Il faudra, en l'aimant avec tendresse, lui faire comprendre doucement la situation matrimoniale de ses parents. Non pas pour qu'il prenne parti pour l'un ou l'autre, mais pour l'inciter à aimer et son papa et sa maman.

Qu'il soit entouré d'affection, pour qu'il ne se sente pas orphelin de son père.

Si c'est possible, qu'il revoit son père; c'est normal. Pourvu que les circonstances soient favorables. Elles ne le seraient pas si ces rencontres divisaient injustement son cœur. Elles ne le seraient pas dans certaines situations de violence.

La situation de tant de jeunes meurtris nous émeut. Chaque situation demande un bon discernement, surtout une attitude respectueuse et délicate pour que la meurtrissure de ces jeunes n'aille pas jusqu'à un traumatisme qui désoriente la vie, qui déstabilise l'équilibre émotif et psychologique.

Si vous pouvez aider un tel jeune, faites-le avec charité chrétienne, avec beaucoup de doigté, dans le respect des deux conjoints, les yeux et le cœur fixés sur l'enfant.

LES ENFANTS NOUS DÉRANGENT DANS L'ÉGLISE

Nous sommes souvent dérangés dans l'église. Notre attention se glisse vers les enfants qui n'écoutent pas leurs parents; nous sommes frustrés. Quoi faire? Le dire au prêtre?

* * *

Deux excès sont à éviter.

L'un serait de tolérer les cris et les ébats des enfants au point de rendre impossible la prière et la célébration liturgique digne de ce nom. Parfois, des parents sont excessivement tolérants des gambades et de l'agitation bruyante de leurs enfants; ils n'interviennent pas, ne cherchent pas à les éduquer à un comportement qui convient, surtout à l'église.

En plusieurs églises, nous trouvons des salles où les enfants peuvent pleurer à «*gorge déployée*»..., sans distraire l'assemblée.

L'autre excès ne me semble guère mieux. Sous prétexte de bon ordre et de recueillement pieux, les enfants ne sont pas tolérés dans l'église, ou bien au moment de leurs pleurs ou de quelques cris à haute décibelle, les adultes regardent les enfants et leurs parents en fronçant les sourcils. Les parents de ces jeunes enfants n'osent plus revenir avec leurs rejetons joufflus de vie et heureux de le signaler à l'assistance.

Cette deuxième attitude, attitude de condamnation, me semble beaucoup plus nuisible que la première. Elle révèle l'intolérance. Elle conduit à l'éloignement de la pratique religieuse des enfants et de leurs parents. Elle est à l'opposé de la conduite de Jésus. Les apôtres voulaient éloigner de lui les enfants importuns qui lui «*faisaient perdre du temps*». Jésus les rabroua en leur disant: «*Laissez les petits enfants venir à moi, ne les empêchez pas; car c'est à leurs pareils qu'appartient le Royaume de Dieu*» (Lc 18, 16).

COMMENT SUPPRIMER NOTRE ANGOISSE POUR NOS ENFANTS?

Malgré notre abandon à la Providence, comment enlever l'angoisse qui s'empare de nous à l'égard de nos enfants qui ne pratiquent plus et qui ne fréquentent plus les sacrements?

* * *

J'aimerais vous livrer une méthode d'insouciance à leur sujet. Je ne le puis, ce serait vous priver de votre amour pour eux. L'amour s'inquiète des personnes aimées. L'amour est inséparable du souci que nous avons pour le bonheur des êtres que nous chérissons. Ainsi en est-il pour vos enfants.

Vos enfants, vous ne cessez de les enfanter. Vous ne le pouvez. Vous subissez les douleurs de cet enfantement toute votre vie.

Ce que je vous suggère, c'est de ranimer votre foi dans le Seigneur qui aime vos enfants, encore plus que vous, qui est venu pour eux comme pour vous, qui est mort pour les sauver, qui, comme son Père, ne veut pas qu'aucun d'eux ne se perde (Jn 6, 39).

Confiance alors! Faites votre possible dans la prière, l'exemple joyeux de votre vie chrétienne, les paroles qui encouragent. Confiez-les au Sauveur Jésus, confiez-les aussi à leur Maman du ciel. Vos prières, un jour, seront exaucées.

POURQUOI DIEU PERMET-IL LA SOUFFRANCE, SURTOUT CHEZ LES ENFANTS?

* * *

La souffrance, quel mystère! Nous sommes tous confrontés à la souffrance tôt ou tard. La nôtre, celle d'êtres qui nous sont chers. Personne ne peut expliquer le pourquoi de la souffrance, surtout celle d'êtres innocents, surtout celle des enfants.

Mais nous avons la foi. Au sein de la souffrance, nous pouvons jeter un regard sur le crucifix. Le Christ a choisi la voie difficile de la souffrance pour entrer dans la gloire, pour nous sauver. Nous sommes ses disciples, nous voulons marcher sur ses traces. *«Si quelqu'un veut venir à ma suite»*, dit Jésus, *«qu'il se renie lui-même, qu'il se charge de sa croix, et qu'il me suive»* (Mt 16, 24).

La croix fait mal.

La souffrance unie aux souffrances de Jésus a valeur d'éternité. Puissions-nous nous exprimer comme saint Paul: *«Je complète en ma chair ce qui manque aux épreuves du Christ pour son Corps, qui est l'Église»* (Col 1, 24).

Il y a trop de souffrances perdues. La souffrance peut devenir notre plus belle prière si elle est assumée dans la foi. De la souffrance et de la mort jaillit la vie. Il en fut ainsi pour Jésus, il en fut ainsi pour la Vierge des Douleurs.

Écoutons Jésus: *«Heureux les affligés, car ils seront consolés»* (Mt 5, 5).

C'est dans la foi que nous pouvons pleurer la souffrance, la nôtre, celle des autres, physique ou morale, celle surtout des enfants.

N'hésitons pas à nous réfugier près de Jésus; il nous y invite: *«Venez à moi, vous tous qui peinez et ployez sous le fardeau, et moi je vous soulagerai»* (Mt 11, 28).

Le Seigneur sera toujours là au moment de nos peines. Offrons-lui d'avance la fin de notre vie, avec ses détachements, ses souffrances physiques et morales. Cette étape sera peut-être la plus riche de notre existence.

MON ENFANT EST-IL MALHEUREUX PARCE QUE JE LE MAUDISSAIS?

*J'avais un fils qui était très agité. Quand j'étais à bout, je lui disais: «**Si je pouvais te maudire au point que le diable viendrait te chercher...!**» Pourtant, je l'aimais et je l'aime encore.*

Je voudrais savoir si c'est à cause de mes paroles qu'il est si malchanceux, avec les accidents qu'il a subis, un cœur malade... Je suis moi-même maladive et je me fais des reproches. Je regrette, j'ai honte et c'est pourquoi je ne signe pas cette lettre, espérant que vous y répondrez.

* * *

Je ne peux louer les paroles malheureuses que vous avez dites sous l'effet de la colère, mais je tiens surtout à vous remettre en paix, non seulement avec Dieu, mais avec votre enfant, et surtout avec vous-même. Même si vous avez proféré des paroles blessantes, vous aimiez votre enfant, dites-vous. Je crois que votre enfant découvrait, par-delà vos impatiences, l'amour que vous lui portiez. Il y a des choses qui, même non exprimées, se sentent, et tel est l'amour maternel ou paternel.

Ne faites pas le lien entre ces paroles que vous regrettez et les malheurs actuels de votre enfant. Rien n'oblige à voir une relation entre vos propos et les souffrances de votre fils.

Les événements pénibles et la maladie sont fréquents aujourd'hui pour de nombreuses personnes, qu'elles aient été aimées ou non dans le passé.

Je tiens beaucoup à ce que vous puissiez retrouver la paix profonde. C'est ce que le Seigneur désire pour vous, lui dont l'amour pour vous ne cesse pas et ne peut cesser. Confiez-lui votre enfant, confiez-lui votre peine. Et cessez de voir en lui un Dieu vengeur qui inflige des peines à votre fils à cause de vos faiblesses passées. Dieu voit le regret de votre cœur et vous pardonne. Saint Paul ne dit-il pas: «Là où le péché s'est multiplié, la grâce a surabondé» (Rm 5, 20)?

Priez pour votre enfant, mais sans sombrer dans le désespoir au sujet du passé que vous confiez au Seigneur.

LES ADOLESCENTS QUI NE VEULENT VENIR À LA MESSE

Comment agir avec les adolescents qui ne veulent pas venir à l'église et ne s'occupent pas de Dieu? Dois-je seulement donner l'exemple comme parent ou encore les inciter fortement à venir à la messe comme mes parents l'ont fait, alors que j'aurais préféré aller à la messe seulement quand cela me tentait?

* * *

Les jeunes ressemblent aux jeunes de tous les temps, mais ceux d'aujourd'hui vivent dans un contexte qui ne fut pas le vôtre dans votre adolescence.

Comme les jeunes d'hier, et ceux qui viendront demain, ils veulent battre de leurs propres ailes, s'affranchir de tout joug, se libérer de la tutelle de leurs parents et éducateurs. La vie est un perpétuel recommencement. Vos parents avaient raison d'insister sur la pratique religieuse. Vous-même avez le devoir d'insister auprès de vos jeunes, compte tenu de leur âge. Un jeune de 18 ans n'est plus un jeune de 12 ans.

Comme ont fait vos parents, vous pouvez donc accentuer les valeurs religieuses, ne serait-ce que pour contrebalancer l'influence païenne exercée par la société sur vos jeunes. Semez malgré tout; un jour le bon fruit sera mûr. Mais, au fur et à mesure que vos jeunes grandissent, essayez de motiver le pourquoi de vos exigences: importance de rendre notre hommage au Seigneur, nécessité de le prier, de nourrir notre foi et notre appartenance à la grande famille qu'est l'Église...

Tenez compte, toutefois, si vous ne voulez pas vous décourager, que le monde a évolué depuis votre tendre enfance. Il s'est déchristianisé; il s'est ouvert à l'univers entier; il s'est informatisé. Vos jeunes sont plaqués devant un éventail de possibilités, même religieuses, et ils sont déboussolés malgré eux. Avec votre tendresse de parents, parlez-leur doucement, respectant leur autonomie grandissante. Donnez-leur l'exemple chrétien, priez et, pour le reste, faites confiance au Seigneur venu aussi pour vos jeunes...

MON GARÇON SE DIT PLUS HEUREUX SANS RELIGION

*Mon garçon me dit: «**Depuis que j'ai délaissé la pratique religieuse, j'ai moins de misère**». Il l'a délaissée à 15 ans; maintenant, il en a 18. Il a été servant de messe.*

J'ai de la peine de voir une foi qui semble morte.

***

Est-elle vraiment morte? Je ne le crois pas. Votre enfant est un adolescent qui traverse une étape de sa vie, une étape de croissance, une étape qui semble négative mais qui ne l'est pas. Il n'est plus un enfant, il n'a pas encore la maturité de l'âge. Il veut voler de ses propres ailes, ce qui est normal. Il rejette tout ce qui lui semble une entrave, l'autorité de ses parents, la pratique religieuse. Il croit jouir de la liberté. Souvent, cette liberté n'est qu'apparente car le jeune est influencé par ses pairs, les jeunes de son âge.

Espérons qu'il découvrira l'importance de la pratique religieuse. Comment se dire croyant sans «*pratiquer*»? La vie chrétienne ne se vit pas chacun chez soi. Par le baptême, nous devenons enfants de Dieu et membres de la famille qu'est l'Église. Ensemble, nous célébrons le Seigneur, surtout autour de la table de l'Eucharistie, avec lui, le Seigneur. Autrement, fait défaut une dimension essentielle de toute vie chrétienne. Nous négligeons le meilleur hommage que nous pouvons rendre au Seigneur, nous négligeons la nourriture de vie.

Écoutons Jésus: «*En vérité, en vérité, je vous le dis, si vous ne mangez la chair du Fils de l'homme et ne buvez son sang, vous n'aurez pas la vie en vous...*» (Jn 6, 53ss).

Espérons et prions pour que la foi se rallume dans une pratique religieuse, faite de prière et de charité.

À QUEL POINT SOMMES-NOUS RESPONSABLES DE LA VIE DE NOS ENFANTS?

Nous les avons élevés du mieux que nous avons pu, avec les connaissances que nous avions. Une fois partis de la maison, ils sont devenus différents, ont abandonné la pratique religieuse, vivent en concubinage. Pour nous, c'est la tolérance, non l'acceptation. Nous les aimons quand même.

Ma question n'est peut-être pas bien posée... J'aurais moins de difficultés à élever des poulets et à faire un jardin, car je n'ai qu'une quatrième année. Excusez mon manque de composition.

***

Je crois que le Seigneur vous aime beaucoup, vous et tant de bons parents comme vous. Il compatit à vos épreuves morales, quand il vous voit désemparés face à la vie que mènent vos chers grands enfants. Ceux-ci négligent les valeurs spirituelles qui ont tissé vos vies; votre cœur en est profondément meurtri.

Tout ne dépend pas d'une éducation fautive, d'une éducation donnée au meilleur de votre connaissance. Même s'il y eut faiblesse dans l'éducation chrétienne, rien ne sert de gémir sur le passé. Vos enfants devenus grands respirent l'air du temps, le parfum enivrant du sensualisme, l'arôme du bonheur immédiat, l'éther de la liberté. Ils ne sont pas mauvais, mais ils sont facilement emportés par le courant rapide de notre société.

Continuez à les recommander au Dieu si bon venu pour eux comme pour vous. Donnez-leur l'exemple de la vie chrétienne fervente et joyeuse, et tenez à votre foi, à la pratique religieuse, à la charité, à ce qui est essentiel. Prière et exemple...

La vie, pour eux comme pour vous, sera mélange de soleil et de nuages. Ils comprendront, avec le temps, le message que vous leur avez inculqué, ils s'ouvriront à Dieu et aux valeurs surnaturelles qui donnent un sens à l'existence. Le Seigneur chemine avec eux, même si, pour le moment, ils ne le reconnaissent pas. Confiance!

Il ne faut jamais désespérer. Laissez toujours ouverte la porte de votre foyer et de votre cœur, la porte de l'amour.

LES ÉCOLES NON-CONFESSIONNELLES

Quelle va être l'attitude de l'Église devant le fait accompli d'écoles non-confessionnelles?

* * *

L'Église a connu la gamme de toutes les possibilités de gouvernements monarchiques et démocratiques, théocratiques et laïques... Par la force de l'Esprit, elle proclame la Bonne Nouvelle en toutes circonstances. Ainsi en est-il dans le domaine scolaire, même quand la situation n'est pas idéale. Il arrive souvent que les parents choisissent l'école de leurs enfants. Tous peuvent et doivent en réclamer le droit. Le gouvernement doit les respecter et ne pas écouter uniquement les promoteurs de l'école laïque ou neutre pour tous. Il faut que tous soient respectés en notre monde pluraliste, même les chrétiens!...

Faute d'accepter une formation qui leur semble biaisée au point de vue moral et religieux, des parents optent pour une scolarisation à domicile, populaire surtout en milieu anglophone (*home schooling*).

Les parents sont les premiers responsables religieux de leurs enfants. Écoutons Vatican II: «*Les parents doivent par la parole et par l'exemple être les premiers à faire connaître la foi à leurs enfants*» (Lumen Gentium, 11). Ils ont aussi le grave devoir d'exiger pour leurs enfants la formation chrétienne au rythme de leur formation profane (L'éducation chrétienne, 7). La liberté religieuse n'implique-t-elle pas la liberté de jouir d'une éducation religieuse pour leurs enfants (La liberté religieuse, 5)? Ne peuvent-ils se joindre à des associations catholiques pour mieux accomplir leur mission chrétienne? Il en existe déjà chez nous, telle «*L'Association des Parents catholiques*» qui a vu le jour en 1966 et qui s'est ramifiée en de nombreuses associations locales.

Si, par malheur, les écoles deviennent chez nous non-confessionnelles, l'Église agira comme elle le fait ailleurs. Elle invitera les parents à assumer la transmission de la foi auprès de leurs enfants. Elle leur offrira une formation adéquate appropriée. Mais elle tient au respect de ses droits et elle étudie la situation des écoles catholiques au Canada et des institutions catholiques en général; c'est une priorité.

Parmi les documents principaux qui traitent de l'école catholique, nous trouvons la déclaration du concile Vatican II: «*L'éducation chrétienne*», des textes publiés par le Saint-Père et la Sacrée Congrégation pour l'éducation chrétienne, des enseignements multiples de la C.E.C.C. (Conférence des Évêques Catholiques du Canada) ou de l'A.E.Q. (Assemblée des Évêques du Québec).

Nombreuses furent les interventions en faveur de l'école confessionnelle, surtout en ces dernières années où l'avenir des écoles catholiques, jusqu'ici assuré par la Confédération canadienne, semble obscurci. «*L'article 93 de la Loi de l'Amérique du Nord britannique a protégé les droits et les privilèges déjà reconnus par les lois antérieures pour ce qui a trait à la confessionnalité des écoles du Québec*» (Lucien Lemieux, dans L'Église canadienne, 3 sept. 1981, p. 18).

Lors des États généraux sur l'éducation, en 1996, les évêques du Québec présentaient un mémoire. Ils manifestaient leur étonnement devant la proposition de déconfessionnalisation qui ne reflétait pas la volonté d'une forte majorité de la population québécoise; ils faisaient appel à la démocratie, dans le respect des non-chrétiens, dans le respect aussi de la majorité des croyants de foi catholique. Un quelconque enseignement religieux ou une morale humaniste ne satisfairaient guère la transmission de l'Évangile et l'éducation à sa vie.

S'ils acceptent l'établissement de commissions scolaires linguistiques, les évêques retiennent le droit des parents à des écoles confessionnelles. Ils réclament des garanties: maintien de l'enseignement religieux, choix d'un cours d'enseignement religieux ou d'enseignement moral, service d'animation pastorale, etc.

ÉCOLES SANS RELIGION ET PARENTS NON-PRATIQUANTS

Que va-t-il arriver aux enfants dans des écoles déconfessionnalisées, alors que leurs parents ne pratiquent pas?

* * *

Nous ne pouvons espérer la croissance de la foi dans des écoles linguistiques déconfessionnalisées, où les données de la religion chrétienne ne sont plus enseignées, où la pastorale est absente, où la foi n'est plus nourrie. Espérons que subsisteront des écoles foncièrement catholiques et la possibilité de cours de religion chrétienne, ainsi qu'un service de pastorale.

Au Québec, alors que le gouvernement poussait le gouvernement fédéral à amender l'article 93 de la Constitution canadienne et à abolir les protections de droits scolaires confessionnels, 82 % des enfants étaient inscrits en enseignement moral et religieux catholique; de plus, entre 75 et 90 % des parents votaient en faveur du maintien du statut de l'école catholique.

Vous me dites que les parents ne pratiquent pas. Ils sont les premiers responsables de l'éducation de leurs enfants, y comprise l'éducation chrétienne. Ils ont droit à des écoles de leur choix, des écoles confessionnelles. N'est-ce pas le désir de la majorité des parents et de nombreuses associations tant protestantes que catholiques? Si les parents ne pratiquent pas, cela ne veut pas nécessairement dire qu'ils n'ont pas la foi. Espérons qu'elle demeure vivante et qu'ils pourront la transmettre à leurs enfants, malgré la faiblesse de leur pratique religieuse.

Espérons aussi que le Seigneur tôt ou tard fera comprendre son message d'amour à ces enfants qui grandissent dans une ambiance facilement païenne, athée même. Il faut croire à son amour et à son action, et ne pas désespérer.

Quant aux parents chrétiens et pratiquants, ils sont alertés aux lacunes d'une éducation neutre, laïcisée, même laïque. Qu'ils compensent par la prière en famille, leur enseignement à la maison, leur exemple de dévouement joyeux, l'appartenance pour eux et leurs enfants à des groupements catholiques, leur adhésion à la communauté paroissiale.

POURQUOI PAS PLUS DE RÉUNIONS ADAPTÉES AUX JEUNES?

* * *

Beaucoup s'évertuent à susciter et à organiser de telles réunions. Il y a nombre de groupements: Marie-Jeunesse, Défi-Jeunesse, Souffle d'espérance, Témoignage Chrétien, Café chrétien, La Relève, La Flambée, Jeunes du Monde, Écoles d'évangélisation, Centre

Agapè, JEC, JOC, Midade (Mouvement international d'apostolat des enfants), etc. Cette liste est loin d'être exhaustive. Certaines associations disparaissent, d'autres naissent. N'existe-t-il pas en chaque diocèse une pastorale-jeunesse?

En 1985, le pape instituait pour les années à venir la Journée mondiale de la Jeunesse. Au niveau international, depuis 1986, il y eut et il y a des rencontres avec le pape, à Compostelle, à Czestochowa, à Denver, à Paris..., groupant des centaines de milliers de jeunes, voire 4 à 5 millions comme à Manille le 15 janvier 1995.

Le succès de telles rencontres, universelles ou locales, n'est pas acquis d'avance; il n'est jamais facile. L'âge des jeunes est un âge ingrat, un temps de semailles. Les jeunes sont à la recherche du vrai bonheur, de l'amour durable, de la vie authentique. Ils sont tentés par le plus facile, par le bonheur factice et immédiat. Ils sont facilement influençables par le marketing du plaisir.

Les jeunes, pourtant, sont généreux, et, comme dit le pape, trois thèmes éveillent en eux un écho profond: *«la joie, la liberté, l'amour»*. Ils veulent la paix, la fraternité, la vérité, la justice.

Plusieurs sont allergiques à des rencontres sérieuses et spirituelles. Des réunions enrichissantes et d'allure plus sage ne sont pas la marchandise joliment emballée et aguichante que leur offrent les mass médias.

Il faut louer les apôtres, des jeunes souvent, qui se dévouent pour la jeunesse, jeunesse saine et de bonne volonté, jeunesse aussi égarée sur les routes de la drogue et du sexe facile. Chacun et chacune doivent collaborer. Vous-même, par vos propres dons, par vos prières, par vos encouragements. Jamais par une critique désabusée.

«La pastorale des jeunes est une priorité apostolique»... *«Servir les jeunes, c'est servir l'Église»*, affirme le pape. Le Seigneur continue de jeter sur les jeunes un regard d'amour et d'espérance.

QUE RESTERA-T-IL DE LA RELIGION POUR NOS PETITS-ENFANTS?

*La religion pour moi, c'est une belle histoire qui continue. Qu'en restera-t-il bientôt? J'ai été élevée dans une famille chrétienne; je pratique. Mes enfants ont reçu un bon bagage spirituel, mais ils pratiquent selon leurs goûts: **ça me le dit, ça ne me le dit pas... Quand je peux et quand ça me tente...** C'est leur religion. Qu'en restera-t-il à nos petits-enfants? Ça me fait peur. Ils n'observeront jamais les commandements de Dieu et de l'Église; ils ne les connaissent pas.*

* * *

Votre inquiétude est celle de beaucoup de parents. Je n'ai pas de solutions magiques à vous offrir, des recettes à vous dicter. Tout ce que je peux vous suggérer, c'est de faire confiance au Seigneur qui aime vos enfants, autant et plus que vous ne les aimez.

La vie évolue. Elle est fortement matérialisée et influencée par les moyens modernes de communication qui ne sont pas tous de résonance biblique. La pratique religieuse est à la baisse, le nombre de pasteurs diminue et le troupeau se disperse. Les loups ravisseurs rôdent...

Vous m'écrivez: «*Dieu sait que la nourriture télévisée que l'on nous sert ad nauseam nous affecte. La morosité mondiale causée par la barbarie de nos sociétés hébète nos subconscients. L'information écrite est aussi polluée. Il se passe sûrement de jolies choses: bouche cousue, ce n'est pas payant. Économie, économie, \$, mais l'humain. Il faudrait refaire nos sociétés décadentes. Quand? Le Seigneur prendra-t-il le gouvernail?*»

Malgré ces données négatives, il faut garder l'espoir. Vos jeunes sont bons et veulent réussir, ils souhaitent ce qu'il y a de meilleur pour leurs enfants. Aidez-les de votre exemple chrétien, de vos prières, de vos paroles encourageantes, à découvrir pour eux et leurs jeunes le secret du vrai bonheur.

Vos enfants, tôt ou tard, aux tournants de la vie, découvriront l'importance des valeurs surnaturelles, d'une vie vécue avec Dieu et en Église, avec des frères et sœurs.

Dieu est vivant. Dieu est présent. Dieu est amour. Le Christ a vaincu le monde (Jn 16, 33). Confiez-lui vos enfants ainsi qu'à la Vierge, dans une espérance chrétienne, une espérance qui ne déçoit pas. Vos prières ne resteront pas sans réponse.

JE RÊVE QU'IL Y AIT DES CÉNACLES FAMILIAUX

Je prie souvent pour mes enfants qui sont impolis avec moi. C'est notre croix comme parents.

Je prie qu'il y ait un jour des cénacles familiaux qui nous aident à prier et à faire grandir nos enfants dans la sainteté; nous n'en avons pas encore trouvés.

* * *

L'Église a souci des familles. En font preuve les *Rencontres mondiales du Saint-Père avec les Familles*. La première se tint à Rome en 1994, à l'occasion de l'Année Internationale de la Famille; la deuxième à Rio de Janeiro les 4 et 5 octobre 1997.

Comme tant de bons parents, continuez de soutenir vos enfants, même impolis pendant leur croissance, de votre patience amoureuse et de vos prières.

Quant aux cénacles familiaux qui vous aideraient à prier et à faire grandir vos enfants spirituellement, peut-être n'existent-ils pas exactement comme vous le souhaiteriez.

Mais ce n'est pas le vide absolu. Il y a des associations de parents chrétiens un peu partout, des mouvements et des communautés pour adultes, pour jeunes aussi. Regardez attentivement autour de vous, dans votre paroisse, dans votre diocèse. Informez-vous au centre diocésain, auprès de votre pasteur.

Participez à des mouvements comme le cursillo, le Renouveau charismatique, ou autres associations. Offrez à vos jeunes de participer à la Relève, à Défi-Jeunesse, à Marie-Jeunesse, à R-3, à un Café chrétien...

Votre rôle n'est pas de tout repos. Unissez-vous à d'autres couples consciencieux et chrétiens près de chez vous, pour partager avec eux, pour prier avec eux.

Et pourquoi ne commenceriez-vous pas vous-même un cénacle familial tel que vous en rêvez? Tout commence souvent par un rêve... Des voisins ne demanderaient pas mieux que de se joindre à vous, dans leur souci pour leurs propres enfants.

OÙ LA BIBLE PARLE-T-ELLE DU SERVICE DE SES PARENTS ÂGÉS?

Pourquoi peut-il être pénible de s'occuper de ses parents?

* * *

Dans ma vie, il me fut donné d'admirer des hommes et des femmes qui, pendant de longues années, se sont libérés pour s'occuper de leurs vieux parents. Parfois, ils sont demeurés célibataires pour mieux secourir leur papa et leur maman vieillis, handicapés ou impotents.

Vous me demandez de vous citer la Bible... Les citations ne manquent pas. Nombreux sont les passages qui parlent avec sévérité de ceux qui méprisent ou rudoient leurs parents. *«Maudit soit celui qui traite indignement son père et sa mère»* (Dt 27, 16).

Dans le Décalogue, nous lisons: *«Honore ton père et ta mère»* (Ex 20, 12; Dt 5, 16). N'est-ce pas les honorer que de s'occuper d'eux quand ils courbent sous le poids des années? C'est aussi les aimer et leur porter respect. *«Écoute ton père qui t'a engendré, ne méprise pas ta mère devenue vieille»* (Pr 23, 22). Il faut payer nos parents de retour; *«voilà ce qui plaît à Dieu»* (I Tm 5, 4).

Il me semble que la priorité dans la charité va d'abord aux parents à qui nous devons la vie. C'est la piété filiale qui réjouit le Seigneur.

Il arrive qu'en vous dévouant pour vos parents, vous manquiez de patience devant leurs lenteurs, leurs gaucheries, leurs sautes

d'humeur. C'est humain. Cherchez à contrôler vos réactions négatives, mais ne cessez pas pour autant de vous dévouer pour eux.
«La charité couvre une multitude de péchés» (I P 4, 8).

Le ciel n'est pas pour les souliers vernis... Le ciel est-il pour
ceux qui se sont gardé les mains propres en ne faisant rien, pas
même la charité qui, parfois, peut s'accompagner d'un brin d'impatience?

Continuez à vous dévouer pour vos parents âgés. Un jour, vos
enfants, espérons-le, agiront de même envers vous.

- XI -

PROBLÈMES DE MORALE

Le pouvoir érotique,
les abus sexuels,
les relations sexuelles,
le bingo et le casino

LE NEUVIÈME COMMANDEMENT EST-IL TOUJOURS À LA MODE?

* * *

Tous les commandements de Dieu demeurent à la mode, y compris le neuvième.

Quel est ce 9e commandement? «*Tu ne convoiteras pas la maison de ton prochain. Tu ne convoiteras pas la femme de ton prochain, ni son serviteur, ni sa servante, ni son bœuf, ni son âne, rien de ce qui est à ton prochain*» (Ex 20, 17). «*Quiconque regarde une femme avec convoitise a déjà commis dans son cœur l'adultère avec elle*» (Mt 5, 28). Évidemment, ce qui est dit de l'homme concerne aussi la femme. C'est le cœur qui peut souiller l'être humain, dit Jésus (Mt 15, 19); la convoitise...

Il faut purifier son cœur. «*Heureux les cœurs purs, car ils verront Dieu*» (Mt 5, 8). Le combat pour la pureté requiert, avec la grâce de Dieu, la vertu de chasteté, la pureté d'intention, la pureté du regard, une certaine pudeur, surtout de nos jours alors que règne la permissivité des mœurs (Catéchisme de l'Église catholique, 1520ss).

La pratique de la «*belle vertu*», importante plus que jamais, ne doit pas nous faire oublier la pratique des autres vertus, la justice, la charité...

LE MAQUILLAGE NE SERT-IL PAS AU POUVOIR ÉROTIQUE?

Les produits de maquillage et les longues chevelures, la moustache pour l'homme, autant d'éléments qui s'ajoutent à notre pouvoir érotique. Sont-ils vraiment permis? Ils sont signes de vanité. On sait que l'hiver, lorsque notre corps est bien couvert, le visage et la chevelure ont plus de pouvoir pour l'attirance sexuelle.

À Rome, Cicéron considérait ces choses comme la cause de la décadence de la république. Au moyen-âge, le maquillage était défendu et vu comme un piège du malin. Au 19ᵉ siècle, on n'admettait que le naturel le plus strict.

Avant d'étudier les grandes questions du siècle, l'avortement, la liberté sexuelle, etc., ne devrait-on pas s'occuper de ce qui y pousse peut-être? Beaucoup d'hommes et de femmes doivent demeurer dans la chasteté car le conjoint a refait sa vie. Leur pouvoir érotique reste le même et on dépense des fortunes pour le garder.

Une femme

* * *

Il ne faut pas devenir des obsédés sexuels qui ne rêvent que de sexe. Il ne faut pas, non plus, devenir scrupuleux et vouloir une vie angélique chimérique.

Votre souci est réel et, en partie, fondé. Le culte du moi, la publicité érotique, ne sont pas que fantasmes imaginaires et innocents. Nous vivons à l'enseigne de la sensualité. Bien cultivée, merci!

Le culte excessif de la beauté ignore parfois la clameur des pauvres.

Mais doivent dominer le bon sens, le gros bon sens, et l'équilibre psychique. S'il faut éviter la lascivité de la mode, le maquillage à n'en plus finir, les pierreries précieuses au coût excessif, souvent pour «*réparer des ans l'irréparable outrage*», il convient toujours d'être propre, de bien se présenter, de voir au besoin à un maquillage «*normal*». Une certaine convenance dans la façon d'agir n'est pas défendue, y compris le maquillage.

Évidemment, hommes et femmes doivent être conscients des conséquences de leur habillement. Il peut être indécent. Il peut inciter à la convoitise du regard et à la liberté sexuelle prohibée.

La pudeur est toujours de mise. Elle «*préserve l'intimité de la personne. Elle est ordonnée à la chasteté dont elle atteste la délicatesse... La pudeur est modestie. Elle inspire le choix du vêtement*» (Catéchisme de l'Église catholique, 2521-2522).

Écoutons saint Pierre: «*Que votre parure ne soit pas exté-rieure, faite de cheveux tressés, de cercles d'or et de toilettes bien ajustées, mais à l'intérieur de votre cœur dans l'incorruptibilité d'une âme douce et calme: voilà ce qui est précieux devant Dieu*» (I P 3, 3-4).

Et saint Paul d'ajouter: «*Que les femmes, de même, aient une tenue décente; que leur parure, modeste et réservée, ne soit pas faite de cheveux tressés, d'or, de pierreries, de somptueuses toi-lettes, mais bien plutôt de bonnes œuvres, ainsi qu'il convient à des femmes qui font profession de piété*» (I Tm 2, 9-10).

LA FEMME EST-ELLE RESPONSABLE DES DÉSIRS DES HOMMES?

Cela fait plusieurs fois que je vois à la t.v. des femmes québé-coises converties à l'Islam; elles disent que nous, les catholi-ques, nous devrions nous habiller comme elles. Il faut dire que nos mères étaient modestes.

Il y a des péchés commis par les hommes qui désirent les belles femmes (il y en a qui vont dans les centres d'achat juste pour cela: regarder les femmes)... La femme est-elle respon-sable des désirs des hommes? Nous passons du temps à nous mettre belles, mais lorsque nous sommes belles, nous deve-nons désirables.

Une partie de l'économie repose sur la vente de cosmétiques et les soins esthétiques, y compris la chirurgie. Si nous étions plus pudiques, plusieurs devraient changer de métiers...

* * *

La vertu ne consiste-t-elle pas à pratiquer un juste milieu? La sainteté ne grandit pas avec la beauté du maquillage; elle ne grandit pas, non plus, que je sache, dans le culte de la laideur et la malpropreté.

Si certaines femmes d'autres religions adoptent un comportement plus modeste, pourquoi ne pas les imiter? Par pudeur, par chasteté, par amour pour le Seigneur.

Que la femme mariée se fasse belle, mais pour son époux. *«La grâce d'une épouse fait la joie de son mari»* (Si 26, 13).

La vraie beauté, disait saint Jean Chrysostome, c'est celle de l'âme, d'une âme paisible et pure, au regard franc, au sourire empreint de bonté.

Que la conduite chrétienne et le bon jugement préviennent les écarts, dans le respect de ce qui convient, selon une mode qui ne provoque ni volupté ni mépris.

POURQUOI L'ÉGLISE A-T-ELLE CACHÉ LES ABUS SEXUELS?

Pourquoi l'Église a-t-elle toujours caché et essayé de justifier les abus sexuels? Pourquoi ne pas avouer le problème ouvertement et faire des excuses?

* * *

L'Église n'a jamais essayé de justifier les abus sexuels, que ce soit ceux des membres du clergé ou ceux des fidèles laïcs qui sont, eux aussi, membres de l'Église. A-t-elle voulu vraiment les cacher? Il y eut certes des cas où les autorités ecclésiastiques ont été négligentes ou ont manqué de vigilance mais, dans l'ensemble, elles se sont efforcées de mettre fin aux abus et de les prévenir. La société a évolué, l'Église aussi. Il ne faut pas juger la façon de s'y prendre autrefois pour enrayer les fautes et les scandales avec la méthode actuelle, tout comme il ne faut pas blâmer nos parents et grands-parents de nous avoir éduqués d'une manière différente de celle d'aujourd'hui. Les enfants et petits-enfants de la société actuelle seront peut-être sévères pour nous qui, pourtant, faisons notre possible. Chaque génération cherche à faire de son mieux. Ainsi en fut-il de l'Église du passé.

L'Église doit-elle faire des excuses pour les péchés de ses membres? Pour les péchés de quels membres, les clercs ou les laïcs? Pour les péchés des autres ou pour les nôtres, quel que soit notre état de vie?

Les parents doivent-ils s'excuser pour les bévues de leurs enfants?

Que l'Église le fasse, c'est peut-être bien. Aussi faudrait-il qu'elle loue cette multitude de fidèles qui l'honorent, prêtres, religieux, religieuses, laïcs, qui vivent aussi saintement que possible.

Nous sommes l'Église. Que nos excuses soient une conduite digne de l'Évangile.

LES SCANDALES AUGMENTENT MA FOI

Pour moi, les scandales qui «secouent l'Église et ébranlent la foi» ont un effet contraire. Loin d'ébranler ma foi, ces scandales, qui sont rares (car il ne faut pas exagérer), augmentent ma foi en Jésus Christ et sont la preuve que l'Église est d'origine divine, mais composée d'humains.

* * *

Vous avez raison. L'Église est divine, de par son Fondateur, Jésus, de par sa doctrine, de par sa vie, mais elle est constituée d'êtres humains, qu'ils soient membres de la hiérarchie ou fidèles laïcs.

Elle fut toujours humaine et sujette aux scandales, fussent ceux de saint Pierre et de tous les chrétiens et chrétiennes de tous les siècles. Fussent aussi nos propres péchés, car nous formons, nous aussi, l'Église. Toujours l'Église sera la proie de scandales. L'Église n'est pas une assemblée d'anges du ciel, mais de nous tous qui titubons et, parfois, trébuchons en marchant vers la Patrie.

Que l'Église, fragile et livrée à certains scandales, poursuive sa marche en avant, à travers tous les âges, est un miracle de Dieu. Qu'elle continue à produire de bons fruits, à proclamer la Bonne Nouvelle de l'amour de Dieu, qu'elle multiplie les gestes de charité partout dans le monde, voilà un signe de la présence en elle de la force toujours agissante de l'Esprit Saint. L'Église est en perpétuel printemps.

L'Église demeure à jamais le Corps du Christ; il en demeure pour toujours la Tête (Col 1, 18). Il s'est livré pour l'Église (Ep 5, 25). Il ne nous laissera pas orphelins (Jn 14, 18). Les dernières paroles de Jésus sur terre furent de nourrir notre confiance en nous disant: «*Voici que je suis avec vous pour toujours jusqu'à la fin du monde*» (Mt 28, 20). Jamais il ne désertera la barque de son Église, qui subit le roulis et le tangage sur l'océan de la vie.

MES RELATIONS SEXUELLES AVEC MON ÉPOUX ME DÉGOÛTENT

Nous en avons peu souvent. Je les fais pour plaire à mon mari, pour qu'il ne soit pas malheureux et qu'il n'aille pas se satisfaire ailleurs. Mon époux est très patient et il me répète qu'il m'aime.

Il me semble que les relations sexuelles ne devraient pas se continuer quand le couple, vu l'âge, ne peut plus avoir d'enfants. Quels sont vos conseils? Nous voulons accomplir la volonté de Dieu dans notre vie de couple.

* * *

Votre lettre révèle votre foi, celle de votre mari, votre amour l'un pour l'autre, la délicatesse de vos sentiments.

Beaucoup d'épouses ne tiennent pas à l'acte sexuel; elles se contenteraient de caresses et de paroles affectueuses. Il n'en est pas ainsi d'époux qui expriment autrement leur amour et éprouvent un besoin normal de l'acte sexuel.

Dans le mariage, dit saint Paul, l'époux et l'épouse disposent du corps de l'autre et ne peuvent se refuser l'un à l'autre, si ce n'est d'un commun accord pour un temps. Lisez à ce sujet la première lettre de saint Paul aux Corinthiens, les premiers versets du chapitre 7. Respectez donc les désirs légitimes de votre mari, à moins de raison valable.

L'Église, dans le Code de Droit canonique, rappelle que le mariage est ordonné au bien des conjoints, puis à la génération et à l'éducation des enfants (Can. 1055). C'est aussi l'enseignement du Catéchisme de l'Église catholique (No 1601ss). D'abord au bien des conjoints, le vôtre, aussi celui de votre mari!

La grâce du sacrement de votre mariage vous accompagne et vous aide. Je suis convaincu que, dans la prière, l'amour et le dialogue, vous trouverez une paix profonde.

POURQUOI PARLE-T-ON DE LA FEMME ADULTÈRE, NON DE L'HOMME?

Pourquoi parle-t-on de la femme adultère prise en flagrant délit? Jamais, il n'est question de celui qui était avec elle. Pourquoi est-elle seule trouvée coupable?

* * *

C'est d'elle dont parle la Bible. Je ne peux changer la Parole de Dieu à ce sujet. Je découvre dans ce passage biblique le souci du Seigneur surtout pour les personnes de la société plus facilement blâmées et sans défense; ici, pour la femme. Une femme délaissée, accusée! Jésus s'en occupe, lui qui est venu pour les mal-aimés, les rejetés, les hors-la-loi. L'exemple aurait-il été aussi marquant s'il s'était agi d'un homme?

Ce qui ne veut pas dire que l'homme adultère soit moins coupable. Peut-être bien que la société s'en souciait moins. C'était les mœurs du temps qui, sans doute, le voulaient ainsi.

Pourtant, la Parole de Dieu accuse fortement des hommes adultères, même le roi David de si grande réputation. Le prophète Nathan le dénonce. Il souffre sa punition dans le regret et l'humilité. Il écrit: «*Ma faute est devant moi sans relâche*» (Ps 51, 5).

En certains pays, aujourd'hui encore, les femmes sont sujettes à plus de sévérité que les hommes. La discrimination sexuelle n'est pas disparue. Mais, sachons comprendre le message de la

Bible qui nous rappelle que, devant Dieu, nous sommes tous égaux et que Dieu jugera de façon équitable et les hommes et les femmes.

CHEZ LES PERSONNES ÂGÉES, TOUT SERAIT-IL PERMIS?

Chez les personnes âgées, tout serait-il permis, comme demeurer avec quelqu'un séparé ou non marié, sauf l'acte sexuel?

* * *

Les personnes âgées, plus que toute autre, sont au seuil de l'éternité. Doivent-elles l'oublier en ne vivant que pour les plaisirs de cette terre et en faisant fi de l'enseignement du Seigneur et de l'Église?

Les personnes âgées, plus que toute autre, doivent faire preuve d'expérience, de maturité, de sagesse chrétienne. Parvenues au crépuscule de la vie, doivent-elles souiller l'image de cette expérience, de cette maturité et de cette sagesse chrétienne?

Les jeunes les regardent. Qu'elles soient un exemple pour ces jeunes.

Je ne crois pas que les personnes âgées donnent un exemple édifiant en vivant en union libre. Notre comportement doit être chrétien. Il ne faut pas justifier nos faiblesses. Vivre à deux hors du mariage est un mauvais exemple et porte au scandale. Même s'il n'y a pas de relations sexuelles, ce qui n'est pas évident.

Aussi, avec l'aide du Seigneur, est-il opportun de rectifier certaines situations. «*Vous êtes lumière dans le Seigneur; conduisez-vous en enfants de lumière*», nous dit saint Paul (Ep 5, 8).

LE BINGO ET LE CASINO
NE SONT-ILS PAS DU GAMBLING?

J'aime aller au bingo, parfois deux fois par semaine. Que pensez-vous du bingo? Est-ce du gambling?

Aujourd'hui le bingo cède la place au casino. Est-ce mieux?

* * *

Je ne vois pas de mal à ce qu'une personne aille occasionnellement jouer une partie de bingo. C'est là un divertissement anodin. Ce qu'il faudrait déplorer serait de jouer au bingo sans arrêt, d'y dépenser beaucoup d'argent, de devenir esclave d'une pratique abusive.

Ainsi en est-il surtout des maisons de jeu. Leur présence envahissante dans notre société n'est pas sans créer des problèmes d'ordre moral. Les casinos qui prolifèrent n'apportent pas nécessairement les avantages qu'ils annoncent: attrait touristique, création d'emplois, croissance économique...

Même si un contrôle s'effectue, les maisons de jeu suscitent trop de convoitise pour que soit évité tout abus. Ce sont des lieux propices à divers trafics. Beaucoup de petites gens s'en approchent dans l'espoir d'y trouver le klondyke rêvé, le gros lot vite gagné. Certains y dépensent leurs revenus et l'argent de la famille de façon compulsive. Leur dépendance affecte leur famille et toute la société. C'est un asservissement sérieux.

Le Conseil national du bien-être social projetait la lumière là-dessus à l'hiver 1996 dans un document intitulé: «*Les jeux de hasard au Canada*». Il y traitait d'une industrie de plusieurs milliards de dollars, du jeu compulsif, des coûts sociaux et financiers associés au jeu compulsif et pathologique, des groupes spéciaux de joueurs compulsifs que sont les jeunes, les femmes et les autochtones.

Il nous faut prendre garde à la publicité qui ne fait état que des aspects positifs des jeux de hasard, les emplois générés, les retombées économiques, etc. De tels avancés ne sont pas toujours confirmés. Des centaines de milliers de Canadiens sont des joueurs compulsifs, avec comme résultats, trop souvent, des familles qui se disloquent, des dettes insurmontables, des activités criminelles.

Tout a éclaté quand les loteries d'État ont commencé avec les années 70, en débutant avec Loto-Canada, plus tard Loto-6-49, Loto-Québec, etc. En plus des loteries organisées par les gouvernements fédéral, provinciaux et régionaux, il y en eut en faveur des œuvres de bienfaisance. À ces loteries, il faut ajouter comme jeux de hasard les courses de chevaux dans les hippodromes ou ailleurs, les jeux électroniques d'arcade, les bingos électroniques ou traditionnels, les paris sportifs, les *«gratteux»*, les casinos permis au Québec avec, d'abord, ceux de Montréal, de Charlevoix et de Hull, les appareils de loterie vidéo qui, depuis 1990, sont très accessibles, fort populaires et font miser des milliards de dollars, etc. Inutile de dire que les gouvernements sont captivés par les sommes d'argent que les jeux de hasard leur procurent.

Le drame du jeu compulsif est grave. Environ un million de Canadiens et de Canadiennes en souffrent, à divers degrés. En souffrent aussi leur famille et leur profession, sans oublier l'État. Les joueurs empruntent, parfois chez des usuriers, au détriment de leurs proches. Ils sont sujets à la dépression, aux troubles, au stress, se réfugient facilement dans la drogue et la boisson, parfois se suicident. Les joueurs compulsifs ont besoin d'aide pour en sortir.

Le danger est d'ignorer la valeur du gain honnêtement gagné par le travail, une vie normale et saine, et d'espérer, avec irréalisme, un miracle en or... ou en argent.

Et grandit la pauvreté, même si les gouvernements y trouvent une source de revenus.

Des mesures sont à prendre, dès que possible, pour enrayer les dangers encourus. Le Conseil national du bien-être social en suggère, v.g. limiter les appareils de loterie vidéo aux casinos ou établissements du genre, interdire plus sévèrement aux mineurs les loteries et certains lieux d'amusement, divulguer les dangers, etc. Avant tout, il importe de faire un choix responsable face aux jeux de hasard.

- XII -

PROBLÈMES DE MORALE
ET DE BIOÉTHIQUE

Les méthodes naturelles,
l'avortement,
la masturbation,
l'homosexualité,
le condom,
le suicide,
l'euthanasie

NOUS SUIVONS LES MÉTHODES NATURELLES

Nous sommes mariés depuis 5 ans; nous avons un mariage chrétien. Mon mari est aux études universitaires pour encore un an; je travaille. Nos familles nous questionnent souvent au sujet de l'arrivée des enfants. Nous désirons beaucoup une famille. Nous suivons les méthodes naturelles de la régularisation des naissances, acceptées par l'Église. Ne sommes-nous pas corrects d'attendre encore un an ou deux? Quelle est votre pensée?

* * *

La décision d'attendre ou non relève de vous, de votre bon jugement, de votre discernement, des circonstances de votre vie. Vous respectez l'enseignement de l'Église au sein de votre mariage qui se veut chrétien, dans l'amour et la fidélité au Christ. Quels que soient les «*Qu'en dira-t-on*», poursuivez votre route, la route de votre amour à deux, désireux de la venue d'enfants, le plus beau cadeau qui soit, attentifs aussi aux aléas de la vie, des études et des ressources financières.

Vous suivez les méthodes naturelles de régulation des naissances... Le 7 décembre 1996, le pape recevait la centaine de participants au Cours de formation pour les enseignants des méthodes naturelles, promu par l'Université catholique de Rome. Il leur disait: «*La validité scientifique de ces méthodes et leur efficacité éducative les rendent toujours plus appréciées pour les valeurs humaines qu'elles supposent et qu'elles renforcent, lorsqu'elles sont enseignées et proposées dans un contexte anthropologique et éthique approprié; et ce dans le sens des sages directives de l'encyclique précitée Humanae vitae de Paul VI, plusieurs fois reproposées dans les documents successifs du Magistère*».

Le Saint-Père a rappelé que «*l'observation des méthodes naturelles réclame et renforce l'harmonie des conjoints, aide et corrobore la redécouverte du don merveilleux que sont la maternité et la paternité, induit le respect de la nature en réclamant la responsabilité des personnes*».

«Au plan mondial, ce choix soutient le processus de liberté et d'émancipation des femmes et des populations face aux injustes programmes de planning familial qui entraînent le triste cortège des diverses formes de contraception, d'avortement et de stérilisation».

Soyez félicités!

POURQUOI LES PRÊTRES NE PARLENT-ILS PAS DU PLANNING FAMILIAL NATUREL?

Pourquoi nos prêtres ne parlent-ils pas de pfn (planning familial naturel) approuvé par l'Église? Faute de savoir, nos nouveaux mariés choisissent les moyens artificiels condamnés par l'Église.

* * *

La doctrine est rappelée souvent, en particulier par le pape, mais tous lisent-ils les documents qui nous viennent du Saint-Siège? A-t-on lu l'encyclique *«Evangelium vitae»* (L'Évangile de la vie), texte si riche d'encouragements, écrit fort positif publié le 25 mars 1995? L'Église, de nouveau, s'élève contre la contraception, la *«mentalité contraceptive»*; aussi contre la stérilisation et surtout l'avortement.

Si le pape ne tombe pas dans les détails précis du planning familial naturel, tout son enseignement y invite les couples. Il y a des signes positifs efficaces, ajoute le pape, dans la situation actuelle de l'humanité. Le pape le souligne, *«il y a de nombreux époux qui savent prendre généreusement la responsabilité d'accueillir des enfants comme ‹le don le plus excellent du mariage›»* (Gaudium et Spes, 50).

Il existe, chez nous, des associations comme *Seréna* (SErvice de RÉgulation des NAissances) qui suggèrent aux couples d'utiliser les méthodes naturelles de planification des naissances, en conformité avec l'enseignement de l'Église. La connaissance du cycle menstruel de la femme est une condition nécessaire à un choix libre en régulation des naissances (Seréna). Avec son époux Gilles, Rita Henry-Breault fondait Seréna à Lachine en 1955. Après les modestes débuts au Québec des années 1955 à 1965, avec la libération sexuelle, la découverte de la pilule, celle de la stérilisation par chirurgie, la légalisation de la contraception au Canada et le refus de l'encyclique «*Humanae vitae*» en 1968, l'avortement dans les années 70, Seréna se concentra sur l'enseignement des méthodes naturelles. L'avenir continua de révéler toute l'opportunité de son action, toujours inspirée du test sympto-thermique, avec des moyens comme quelques prises de température par mois et l'observation de la glaire cervicale... La méthode est beaucoup plus efficace que ne l'était la méthode du calendrier.

Cette action de *Seréna* se base sur les valeurs chrétiennes, pour une fécondité responsable; elle est orientée vers l'épanouissement du couple. Elle est bien plus qu'une technique. Des couples-moniteurs aident bénévolement d'autres couples. Seréna Québec: (514) 273-7531; Seréna Canada: (613) 728-6536.

Dans les années 70, avec l'aide de groupes semblables d'autres pays, ce fut l'expansion internationale avec *FIDAF* (Fédération Internationale D'Action Familiale). En 1994, Dr Suzanne Parenteau en devenait la présidente mondiale.

D'autres couples moniteurs proposent la méthode d'ovulation *Billings*. Elle fait l'interprétation de la glaire cervicale et des transformations au col. Cette méthode endossée par l'Église catholique, fut développée par les docteurs John et Evelyn Billings et utilisée depuis 1960 pour réaliser ou éviter la grossesse et, mieux encore, devenir un chemin de vie dans une communication heureuse au sein du couple. Il existe au Canada l'organisation *WOOMB* (World Organization Ovulation Method Billings). Cette méthode serait hautement efficace, à 99.64 %.

Au long des années et avec le progrès des sciences, ces méthodes naturelles ont acquis une efficacité qui n'a rien à envier aux procédés artificiels.

La doctrine qui prône l'usage de moyens naturels est facilement fournie lors des cours de préparation au mariage, des Rencontres catholiques de fiancés... Laïcs et prêtres apportent leur collaboration. Il importe de ne pas garder le silence au sujet des méthodes naturelles. Tous les chrétiens et chrétiennes devraient afficher leurs convictions.

En date du 12 février 1997 paraissait, publié par le Conseil pontifical pour la Famille, un vade-mecum pour les confesseurs sur certains sujets de morale liés à la vie conjugale. Dans le vade-mecum est abordé le problème délicat de la procréation responsable, est souligné le lien indissoluble des deux significations de l'acte conjugal: union et procréation. La contraception contredit le plan d'amour de Dieu proposé aux époux. Sur le chemin de la sainteté, le chrétien fait l'expérience de sa faiblesse, mais aussi de la miséricorde du Seigneur. L'objectif ultime du vade-mecum est de favoriser un authentique chemin de sainteté conjugale et familiale.

―――――

L'ÉGLISE DEVRAIT NOUS ÉCLAIRER SUR L'AVORTEMENT

Est-ce que l'Église ne pourrait être plus fidèle à Jésus en nous éclairant, nous fidèles, sur notre devoir de nous opposer à l'avortement?

* * *

Ne le fait-elle pas? Le concile Vatican II est toujours d'actualité. Dans la Constitution: «*L'Église dans le monde de ce temps*», l'avortement est condamné sans équivoque, tout comme l'euthanasie et le suicide délibéré (27, 51). Le Code de Droit canonique fait de même; aussi le Catéchisme de l'Église catholique... Avons-nous lu l'encyclique du pape Jean-Paul II, «*Evangelium vitae*», «*L'Évangile de la vie*», publiée le 25 mars 1995? Le pape intervient à temps et à contretemps pour rappeler le devoir de respecter la vie, de l'instant de la conception jusqu'au moment de la mort naturelle.

Traditionnellement l'avortement se définit comme l'éjection d'un fœtus vivant, mais non-viable, du corps de sa mère; la personne qui procure un tel avortement est excommuniée automatiquement (Can. 1398).

Le «*fœticide*» est, strictement parlant, différent de l'avortement. Il consiste à tuer le fœtus dans le ventre de la maman; c'est une sorte d'homicide. Avortement et «*fœticide*» sont également immoraux. Ainsi en est-il de la craniotomie et de l'embryotomie. Aujourd'hui, la plupart des avortements se font soit par succion, soit par dilatation ou par une drogue prostaglandine, souvent en lien avec la pilule RU 486, ou par empoisonnement salin. Alors, habituellement, le fœtus meurt dans le sein de sa mère. Le Conseil pontifical pour l'interprétation des textes législatifs déclare, en interprétant le canon 1398, que sont excommuniées les personnes qui procurent un avortement ou le «*fœticide*» (Authentic Interpretation on the 1983 Code, p. 48-49).

Avons-nous pris connaissance des déclarations multiples de nos évêques qui stigmatisent l'avortement? Ce fléau prend des proportions toujours nouvelles avec la facilité des moyens d'avortement. Comme l'écrivait le ministre canadien de la santé, la légalisation de la pilule abortive RU-486 ne dépend pas uniquement de données cliniques et scientifiques, mais aussi de considérations sociales et éthiques; à nous de défendre les valeurs éthiques qui s'opposent à l'avortement.

Le 12 septembre 1996, une soixantaine d'évêques américains, dont les huit cardinaux du pays, participaient à une vigile de prière devant le Capitol, à Washington, en signe d'opposition à l'avortement dit «*quasi-naissance*».

Connaissons-nous les mouvements pro-vie? Ainsi, «*l'Alliance pour la vie*» est un organisme national de coordination de 240 groupes d'éducation affiliés et associés pour la vie au Canada. Certains, comme «*Québec pro-vie*» dirigé avec tant de courage et de générosité par M. Gilles Grondin, militent farouchement pour sauver des vies humaines naissantes; ils font preuve de courage tenace. Ils sont catholiques, ils sont d'origine chrétienne, ils s'associent à toutes les personnes de bonne volonté.

De plus, tant d'associations et de maisons d'accueil existent pour secourir les personnes enceintes et en difficulté, afin de prévenir l'avortement.

QUELS SONT LES DANGERS DES EXPÉRIENCES SUR LES EMBRYONS?

* * *

Les questions scientifiques se multiplient dans le domaine de la médecine: expérimentation humaine, transplantation d'organes, diagnostic prénatal, détermination de la mort, etc. La bioéthique a surgi en Amérique du Nord, à la suite de la dernière guerre mondiale, pour trouver des solutions aux problèmes soulevés.

Entre-temps, l'épiscopat canadien réagit sans cesse auprès du gouvernement pour corriger certaines lois anti-vie.

Qu'on se rappelle les efforts entrepris lors du projet de loi C-47, en 1997, concernant les techniques de reproduction humaine et les opérations commerciales qui lui sont liées. Ce projet de loi ne manquait pas de mérites et il comblait un vide dangereux; Mgr Bertrand Blanchet, au nom des évêques canadiens, recommandait de l'adopter.

Ce projet de loi s'opposait à la production d'hybrides humain-animal; il interdisait de vendre, d'acheter ou d'échanger un ovule, du sperme, un zygote, un embryon, un fœtus; d'autres pratiques déshumanisantes étaient également interdites. Tout n'était pas parfait dans ce projet de loi. Aussi, Mgr Blanchet se préoccupait-il de la congélation d'embryons.

Avortement, expérimentations contraires à l'éthique faites sur les fœtus, clonage même dans une perspective soi-disant utilitaire et thérapeutique, tout cela ne peut être approuvé par l'Église et par toute personne qui croit que la vie humaine, don de Dieu, est sacrée de la conception jusqu'à la mort.

L'être humain, image de Dieu, mérite protection. Il faut donc respecter les embryons et ne pas s'en servir indûment comme cobayes.

QUEL SERA L'AVENIR DU CLONAGE HUMAIN?

* * *

Il faut éviter certains écarts, comme serait le clonage des êtres humains, question à l'ordre du jour depuis la création par clonage de la brebis Dolly, en Écosse, création connue au début de 1997. L'ensemble des gens de divers pays s'opposent au clonage humain. Pour divers prétextes, certains pourraient vouloir expérimenter, mais la fin ne justifie pas les moyens.

À la suite du clonage de Dolly, l'Académie pontificale pour la vie a publié de sages réflexions que je me permets de citer, même si certaines expressions sont d'ordre technique:

Le clonage est entendu comme la production d'un ou de plusieurs individus somatiquement identiques à la souche. Le clonage de Dolly représente une nouveauté radicale, c'est-à-dire la reproduction asexuelle et asexuée visant à produire des individus biologiquement égaux à l'individu adulte qui fournit le patrimoine génétique de base.

Le succès du phénomène Dolly a provoqué beaucoup de remous et d'alarmes. Une question a alors surgi dans les esprits: cherchera-t-on à agir de même avec les humains?

Évidemment, il sera toujours impossible de reproduire l'âme spirituelle, «*élément constitutif essentiel de tout sujet appartenant à l'espèce humaine, qui est créée directement par Dieu. L'âme ne peut être ni engendrée par les parents, ni être produite par la fécondation artificielle, ni même clonée. En outre, le développement psychologique, la culture et le milieu conduisent toujours à des personnalités différentes*».

Le danger du clonage humain subsiste, le désir de reproduire des individus remarquables, de recréer l'image d'un défunt bien-aimé, etc; ce serait là de l'eugénisme, condamné par l'éthique et l'ordre juridique. Ce serait centrer l'importance de l'être humain sur ses qualités biologiques. Ce serait la dérive d'une science sans valeurs.

«*Le clonage risque d'être la parodie tragique de la toute-puissance de Dieu*». La conception de la vie cesse alors d'être don d'amour pour devenir produit industriel.

Le 12 mars 1997, le Parlement européen lui-même demandait avec insistance l'interdiction du clonage humain et rappelait la valeur de la dignité de la personne humaine.

AURAIS-JE PU FAIRE AVORTER MON FILS SÉVÈREMENT HANDICAPÉ?

❀ ❀ ❀

Un jour, j'avais le privilège d'animer une retraite «*Foi et partage*», une retraite avec des frères et sœurs handicapés physiquement et psychologiquement, tout aussi bien qu'avec des gens qui ne semblaient pas l'être. Mais ne le sommes-nous pas tous?

Parmi les retraitants, il y avait mon ami Donald, et aussi Jack, les deux sur des civières, les deux souffrant d'un lourd handicap, les deux partageant une profonde, saine et chrétienne amitié. Donald ne pouvait marcher et il ne lui restait que peu de temps à vivre.

Je lui ai demandé gentiment: «*Donald, que feras-tu le jour où tu entreras au ciel?*» Il m'a répondu avec un grand sourire: «*Je vais d'abord saluer Jésus, puis je me mettrai à courir dans le ciel*».

Votre fils, madame, est un enfant de Dieu et il habitera, grâce à la vie que vous lui avez transmise, le paradis du Seigneur. Il est plus grand, infiniment plus grand que son infirmité. Vous auriez regretté, et à bon droit, d'avoir supprimé sa vie, une vie qui vient de Dieu et dont lui seul est le maître.

En santé ou non, l'enfant que vous avez conçu avait droit de continuer son existence sur terre. L'eugénisme, la préservation de la vie uniquement pour les êtres apparemment normaux, la destruction de tous les infirmes, jeunes ou moins jeunes, est un grand crime contre l'humanité.

Ne regrettez jamais d'avoir laissé votre enfant vivre. C'est ce qu'il attendait de sa mère, c'est ce que chaque enfant attend de sa maman. C'est le début d'une vie éternelle, avec le Seigneur, avec vous.

Pour soutenir les parents, pour pourvoir au besoin à l'adoption d'enfants handicapés, souffrant de déficiences intellectuelle, physique ou sensorielle, de ces enfants réputés inadoptables, fut créée à Drummondville, l'association *«Emmanuel, l'Amour qui sauve»*. Ainsi, ces enfants, dont certains ont le syndrome de Down, souffrent de la trisomie 21, sont heureux et égayent les foyers de leur présence d'enfants de Dieu. Ils prennent leur place légitime dans la société.

Le pape n'a pas manqué d'honorer Jean Vanier, le fondateur canadien de L'Arche, cette organisation mondiale pour secourir les handicapés blessés dans leur intelligence. Grâce à Jean Vanier la fédération de l'Arche s'est établie en 26 pays; il y a 24 Arches au Canada. Vanier, disait le pape, représente *«la culture de la solidarité et la civilisation de l'amour»*.

Admirons aussi le foyer d'amour créé par Louise Brissette qui accueille un si grand nombre de ces enfants, *«des cadeaux mal emballés»*, mais de véritables cadeaux! Louise le dit: *«Quand il y a de l'amour, on ne voit plus de différence. L'amour donne à chacun et chacune sa beauté»*.

L'ADULTÈRE ET L'AVORTEMENT COUPENT-ILS DU CIEL?

Quelqu'un qui a commis l'adultère peut-il aller au ciel?

Une personne qui a eu un, deux ou trois avortements, est-elle pardonnée?

* * *

Un chrétien ne devrait pas pécher, surtout il ne devrait pas commettre des fautes sérieuses qui séparent de l'amitié du Seigneur. Tels sont les péchés d'adultère et d'avortement. Le premier signifie une infidélité grave dans le mariage; l'autre prive un être innocent du droit de naître. Sont-ils pardonnables? À qui se repent, le pardon peut-il être accordé? Le ciel est-il ouvert à de tels pécheurs repentants?

Au début de l'Église, au 3e siècle, en un temps de ferveur marqué par les persécutions sanglantes contre les chrétiens, certains péchés semblaient inconcevables et, aux yeux de plusieurs, trop graves pour qu'ils soient pardonnés. Il y eut une crise doctrinale, celle des péchés dits irrémissibles. Les tendances rigoristes ne datent pas toutes d'hier. Certains voulaient que soit refusée l'absolution aux apostats, aux adultères et aux homicides. Ils seraient à jamais excommuniés. Ils devraient s'en remettre uniquement à la miséricorde divine; il ne leur restait plus qu'un certain désespoir.

Les pasteurs de l'Église ont réagi, le pape saint Calliste, l'évêque saint Cyprien... Tout en exigeant un temps de pénitence, ils ont autorisé de tels pécheurs à recevoir le pardon. Le Christ n'at-il pas obtenu ce pardon pour tous les pécheurs qui se repentent? Aujourd'hui, ce nous semble évident. Il n'en fut pas toujours ainsi. Il y eut des schismes, il y eut un antipape.

Le pardon existe toujours pour tout pécheur repentant, que ce soit à la suite d'un adultère, que ce soit à la suite d'avortements.

Évidemment, cette pensée ne doit pas nous porter à multiplier les fautes. *«Ne sois pas assuré du pardon*
que tu entasses péché sur péché.
Ne dis pas: ‹Sa miséricorde est grande,
il me pardonnera la multitude de mes péchés!›»
(Si 5, 5-6).

Ce serait abuser de la bonté du Seigneur et encourir la justice. Le péché demeurera toujours le péché, mais Dieu offre sa miséricorde à qui regrette ses fautes.

LA MASTURBATION NE PRÉSERVE-T-ELLE PAS LA SANTÉ?

Est-ce que la masturbation est encore considérée comme un péché? Est-elle un péché grave si on fait cela pour être en santé normale? Je vis seule et en dépression. Je fais cela une ou deux fois le mois.

* * *

Si l'Église déclare qu'il y a là un désordre sérieux, loin de moi de la contredire. Mais, dans les circonstances subjectives, y a-t-il toujours connaissance suffisante et plein consentement de la volonté qui rend la faute sérieuse?

Je mets en question, toutefois, ce que vous dites, que la masturbation assure un meilleur équilibre psychologique et le bien-être. Cette opinion est plutôt le fruit de la publicité tapageuse et païenne qui clame qu'il n'y a rien de mal dans la masturbation. Ce n'est pas là la pensée traditionnelle de l'Église.

La masturbation n'est-elle pas plutôt un certain repliement sur soi, une jouissance égoïste? Ce narcissisme et ce plaisir égoïste ne sont pas la raison d'être de la sexualité et du plaisir sexuel.

SI LA MASTURBATION ÉTAIT PERMISE, IL Y AURAIT MOINS DE SCANDALES

Certains affirment que la masturbation est une bonne thérapie pour des personnes dépressives ou qui s'ennuient.

Est-ce péché mortel de se masturber? En se masturbant, on ne fait de tort à personne et, souvent, on se sent mieux après. Si ce n'était pas péché, peut-être qu'on n'irait pas ailleurs chercher du sexe et qu'il y aurait moins de scandale, même pour les prêtres. Faut-il se confesser chaque fois?

* * *

L'Église répond à vos doutes et objections en affirmant que la masturbation est un mal, un désordre, et qu'elle va à l'encontre de la volonté du Seigneur. Le plaisir sexuel a été voulu par Dieu au sein du mariage.

Celui qui se masturbe ne fait pas de tort à personne, dites-vous. Notre vie d'enfant de Dieu va plus loin que le respect du prochain; elle comprend aussi le respect du désir divin, de son plan d'amour sur notre vie.

La personne qui se masturbe, quel que soit son état de vie, contrôle-t-elle mieux que d'autres la tentation de la fornication ou de l'adultère? Rien ne le prouve. La maîtrise de soi me semble le meilleur antidote contre le mal, quel qu'il soit. Cette maîtrise de soi est possible dans la prière et l'éloignement des tentations qui seraient volontaires.

Faut-il qu'une personne se confesse après chaque faute de masturbation? Tout dépend de la personne, de la fréquence de cette faiblesse, de l'habitude à vaincre, etc. Je suggérerais à chaque personne de demander conseil à ce sujet à un confesseur compétent.

En général, la confession régulière et fréquente éloigne le péché, fortifie le pénitent, le fait progresser sur le chemin de l'amour. Il ne faut pas centrer sa vie sur tel ou tel point délicat comme la masturbation. Il ne faut pas s'emprisonner dans tel problème, mais s'ouvrir à toute la richesse de la vie chrétienne et du progrès spirituel. Autrement, s'infiltre le découragement et s'accentue le piétinement sur place, sans progrès ni élan de confiance vers Dieu.

LES HOMOSEXUELS ONT-ILS UNE PLACE SANS ÉQUIVOQUE?

Les homosexuels prennent-ils trop de place dans notre société? Je réponds: les homosexuels ont-ils une place sans équivoque, d'égalité franche, à part entière, dans notre société? Par expérience personnelle, je répondrais non.

Vous écrivez bien et juste, en signalant que cette orientation, dans la plupart des cas, n'est pas un choix, une prédilection. Cette orientation remonte aux premières lueurs de la conscience, aux premiers tiraillements de la sensualité. En plus, tout au cours de la croissance affective de la personnalité jusqu'à l'âge adulte, la situation marginale devient un fardeau, une cause multiforme de difficultés, de rejets, de portes qui se ferment, etc.

Avec l'âge et les années, cette croix se fait de plus en plus lourde, qu'on veuille s'y soustraire ou pas...

Derrière la mauvaise image laissée au public par certaines manifestations dégradantes et du plus mauvais goût, il existe un bon nombre d'homosexuels qui aspirent ou ont aspiré à une vie affective stable, équilibrée, propre, faite de respect, d'amour et de fidélité, malgré l'énormité des difficultés rencontrées.

Recevez l'expression de mes sentiments distingués.

* * *

L'homosexualité, dont il est ici question, ne concerne pas les amitiés entre adolescents d'un même sexe, amitiés parfois d'ordre sensible, mais ordinairement en route vers des amitiés hétérosexuelles.

Derrière le langage poli et respectueux de mon interlocuteur se cachent beaucoup de souffrances dues à l'incompréhension et au rejet, sinon au mépris. Pourtant, les homosexuels et les lesbiennes sont aussi des enfants de Dieu.

La personne qui m'écrit s'oppose à certaines démonstrations plus ou moins vulgaires qui portent discrédit aux homosexuels qui souhaitent vivre dignement leur état de vie.

Je crois qu'il est opportun de relire les interventions de nos pasteurs pour que les homosexuels soient traités avec respect. Si les actions d'homosexualité ne sont pas moralement acceptables, l'orientation homosexuelle n'est pas une faute.

Il faut comprendre l'attitude de nos pasteurs face à la législation civile. Ainsi, en mai 1996, le parlement du Canada votait un amendement pour ajouter l'orientation sexuelle dans la liste des discriminations prohibées. L'Église a exprimé sa crainte qu'une telle décision ne soit un obstacle à l'enseignement de l'Église et de l'école sur la sexualité. Elle redoute une incompréhension du mariage et de la famille. L'Église ne peut dévier du plan de Dieu sur la sexualité. Aussi, trouve-t-elle nécessaire de refuser la possibilité du mariage entre gens d'un même sexe, et elle ne souhaite pas qu'ils puissent adopter des enfants dans un tel contexte.

Beaucoup d'homosexuels veulent s'épanouir dans la vie. Respectueux de la volonté divine, fortifiés de sa grâce et des sacrements, ils peuvent et doivent se sanctifier. Ainsi en est-il des membres du groupe «*Courage*», une organisation qui a vu le jour à New York, en 1980. Dans la prière, dans le partage, dans la fraternité, ils se pacifient et vivent selon l'enseignement de l'Église. Ils rejettent comme prohibés les actes d'homosexualité. Que tous les homosexuels reçoivent des marques d'une charité dont nous tous avons besoin. De cette charité le Christ a donné un exemple non équivoque.

L'USAGE DU CONDOM
EST-IL PERMIS DANS LE MARIAGE?

Le condom est-il permis dans le mariage catholique pour régulariser la venue des enfants?

* * *

Non, car il s'agit de l'usage d'un moyen artificiel de la régularisation des naissances. Aussi l'Église, par ses pasteurs, s'y oppose-t-elle.

L'Église préconise les méthodes naturelles de régulation des naissances, que ce soit la méthode *Billings* ou la méthode symptothermique.

S'il y eut ces dernières années une controverse au sujet du condom, c'est en lien avec certaines situations particulières, comme la prévention du sida. Ce remède que serait l'usage du condom, est faux et illégitime au dire de l'Église; il ne fait qu'encourager la promiscuité. De plus, des savants prétendent que le virus du sida est tellement petit qu'il peut traverser le condom dont la contexture offre des espaces beaucoup plus grands que la taille du virus.

Le véritable antidote, il faut le trouver dans la prévention de la maladie, dans un comportement moral, dans la formation au bon usage des relations sexuelles. Il ne faut pas court-circuiter la question et sa réponse juste.

Le condom n'est pas une solution et ne peut qu'encourager la sexualité précoce et hors mariage.

UN MARI QUI SOUFFRE DU SIDA PEUT-IL UTILISER LE CONDOM?

Si un homme marié apprend qu'il a le sida, ne peut-il protéger sa femme par l'usage du condom quand il a avec elle des relations sexuelles?

* * *

Nous savons jusqu'à quel point l'Église s'oppose à l'usage du condom comme solution aux problèmes de la société. Quand il s'agit de prévention contre l'expansion de la maladie si grave qu'est le sida, l'Église ne voit dans l'usage du condom qu'une fausse solution. Elle préconise, non pas des relations sexuelles dites protégées, mais une éducation à l'usage vraiment humain et responsable des relations sexuelles, tout comme à l'obéissance au Créateur de qui nous voulons respecter les objectifs nobles et enrichissants. Nous ne sommes pas que des animaux qui agissent par instinct.

La facilité de l'usage du condom, si aisément obtenu dans les lieux publics et même scolaires, ne règle aucun problème en profondeur; au contraire!

Le cas qui se présente ici sous forme de question a des modalités très précises. Il s'agit d'un conjoint qui souffre du sida et qui, dans ses relations sexuelles avec son conjoint légitime, ne veut pas lui transmettre cette maladie cruelle. Il n'est pas question ici de l'usage d'un condom pour mieux commettre la fornication ou l'adultère.

Dans ce cas précis, plusieurs théologiens et théologiennes soutiennent que le préservatif qu'est le condom peut être utilisé. Il s'agirait d'un geste à double effet: prévenir la maladie tout en ayant des relations sexuelles autorisées entre époux. L'intention n'est pas d'abord de frustrer les relations sexuelles normales, mais de prévenir la maladie. Le père Xavier Thévenot, professeur de théologie morale à l'Institut catholique de Paris, écrivait: «*Qu'un couple marié, dont l'un des conjoints serait atteint de sida, pense devoir recourir aux préservatifs, je crois que tous les moralistes l'approuveront*» (L'Actualité religieuse, mars 1987, p. 19).

LE SUICIDE: UNE MALADIE?
UN GESTE VOLONTAIRE?

*Tout dernièrement, un jeune homme de 25 ans s'est suicidé. Auparavant, il a composé une très belle lettre à sa chère épouse qu'il aimait toujours beaucoup après deux ans de mariage. Il était aussi heureux dans son travail. Voici un extrait de sa lettre: «**Chérie, ne sois pas dans la peine. Ce n'est pas à cause de toi, car je t'aimais beaucoup. Il faut que je m'en aille; je ne puis faire autrement**».*

Un psychiatre dit qu'il y a des types suicidaires et qu'à un stage de leur vie, ils ne peuvent plus supporter le poids de la vie; alors, ils se suicident.

C'est donc une maladie mais, cependant, c'est un geste volontaire. Le Seigneur, qui est infiniment miséricordieux, ne lui en tient pas compte. Qu'en pensez-vous?

* * *

Vous dites que c'est une maladie et, en même temps, que c'est un geste volontaire. C'est fort possible, et la maladie n'enlève pas toujours la liberté des décisions; la volonté peut demeurer active.

Mais en est-il toujours ainsi? N'y a-t-il pas de ces maladies, de ces tendances morbides au suicide, qui privent de tout usage de la volonté, qui, du moins, la handicapent sérieusement? Connaissons-nous déjà tout ce qui cause les tendances suicidaires chez des jeunes qui, comme ce jeune homme, semblent posséder pourtant les ingrédients du bonheur? Les recherches sur les raisons du suicide doivent se poursuivre.

Évidemment, dans bien des cas, il y a suicide par peine d'amour, par échec, par difficultés financières, par un stress devenu insupportable.

Le Seigneur seul sait jusqu'à quel point le suicide qui, en soi, est faute sérieuse, doit être considéré comme un péché véritable. La personne qui attente à sa vie est-elle vraiment libre au moment où elle pose l'acte néfaste? Elle est souvent en état de crise intérieure; elle «*ne se possède plus*».

Déplorons le suicide, ce drame trop fréquent. Confions les personnes qui se suicident à la miséricorde sans fin du Seigneur. Renseignons-nous, dans les endroits spécialisés, sur ce que nous pouvons faire pour les aider.

LE SUICIDE ASSISTÉ N'EST-IL PAS LÉGITIME PARFOIS?

* * *

L'Église réprouve le suicide, l'acte délibéré de se donner la mort. De même, elle s'objecte au suicide assisté. L'aide au suicide consiste à fournir à quelqu'un l'information, l'aide ou les moyens qui lui permettraient de s'enlever la vie. Aussi l'Église interdit-elle d'aider une personne suicidaire en lui fournissant des médicaments néfastes, en lui administrant une injection mortelle. Même si cette personne souffre beaucoup.

Dieu seul est maître de la vie. La vie est ce don précieux et sacré qui vient de lui. La souffrance peut nous rapprocher de Dieu et devenir germe de gloire.

S'opposant à l'euthanasie et au suicide assisté, les évêques canadiens ont présenté un dossier à un comité du Sénat canadien. Alors
que les efforts se multiplient pour légaliser l'euthanasie et le suicide
assisté, il est bon d'aller au-delà des réactions émotives et souvent
mal fondées pour découvrir les enjeux et les conséquences pour
la société. Le problème est plus que strictement personnel.

Toutes les Églises membres du Conseil canadien des Églises
sont préoccupées. Depuis des siècles, elles assurent aux malades
et aux mourants les soins et le soutien nécessaires. Voici la déclaration de leur Commission Foi et Témoignage sur l'euthanasie et
l'aide au suicide:

*«... La vie nous est confiée par Dieu... Elle représente une
valeur dont l'individu n'a pas la «propriété»... Changer la loi et
la pratique actuelles pour permettre à un médecin, à un parent ou
à tout autre citoyen de prendre la vie d'autrui ou d'aider à son
suicide, ce serait miner le respect de la vie humaine elle-même et
créer de nouvelles victimes dans l'éventualité de situations complexes... La douleur et le désespoir sont certes réels, mais enlever
la vie n'est pas la solution. La réponse chrétienne réside toujours
dans l'espérance...»*

Après une telle légalisation, les malades et les personnes âgées
pourront-ils se fier au médecin qui les traite, même aux héritiers
éventuels? Pourront-ils résister à la contrainte plus ou moins évidente qui leur demande de céder leur place, car leur présence
devient encombrante et un poids financier trop lourd pour les
proches et la société?

D'année en année, la civilisation de la mort gagne du terrain
sur l'éthique de la vie. On parle de mourir dans la dignité, en se
méprenant sur ce qu'est la dignité humaine. Les enfants de Dieu
que nous sommes ne perdent pas leur dignité parce qu'ils souffrent de la maladie d'Alzheimer, qu'ils sont malades ou âgés, ou
parce qu'ils sont éprouvés et vont mourir. Nous demeurons toujours enfants de Dieu, même quand nous ressemblons au Christ
dans la souffrance...

Les lois de divers pays se libéralisent... Les lois civiles qui autorisent l'euthanasie et le suicide assisté ne peuvent remplacer les lois divines et le respect authentique de la personne, même malade, même en phase terminale.

Il y a des personnes qui accompagnent humainement et spirituellement les personnes faibles et âgées; elles sont nombreuses et méritent nos félicitations. Je signale le mouvement Albatros qui aide à vivre pleinement jusqu'au bout le dernier stade de la vie et apporte un soutien aux familles. Ce mouvement est composé de bénévoles. Il y a la Vie Montante dont il est question ailleurs dans ces pages; elle permet un enrichissement mutuel alors que la vie progresse. Il y a tant de foyers d'accueil, tant de générosité de la part de ceux qui hébergent, nourrissent et dorlotent un peu ceux et celles qui, autrement, vivraient dans la solitude et l'angoisse. Le respect et l'amour priment sur l'égoïsme.

EST-CE DE L'EUTHANASIE
QUE DE REFUSER LA CHIMIOTHÉRAPIE?

Une personne atteinte de cancer doit-elle accepter les traitements de radiothérapie ou de chimiothérapie?

Les refuser, est-ce de l'euthanasie? Le médecin ne se livre-t-il pas à un suicide assisté?

* * *

Il y a confusion des termes, euthanasie, acharnement thérapeutique, branchement sur les appareils... Tout est embrouillé, ce qui favorise la désinformation et suscite une fausse compassion dans le public.

L'Église s'est opposée de tout temps à l'euthanasie (du grec *eu*: bien, et *thanatos*: mort). Par euthanasie, il faut entendre toute méthode qui, volontairement, provoque la mort d'une personne, avec son consentement ou non, sous prétexte de mettre fin à la douleur. Causer la mort est le but de l'euthanasie.

Il s'agit, bien sûr, de l'euthanasie véritable. Il s'agit donc d'une action ou d'une omission qui procure la mort. Cette action peut être une injection mortelle. Cette omission consisterait à ne pas fournir, en telle situation, un moyen proportionné de survie, comme le refus de nourriture ou celui d'un traitement médical normal.

«*Quels qu'en soient les motifs et les moyens, l'euthanasie directe consiste à mettre fin à la vie de personnes handicapées, malades ou mourantes. Elle est moralement irrecevable*», nous enseigne le Catéchisme de l'Église catholique. C'est un acte meurtrier toujours à proscrire (2277).

Un monde matérialiste, où n'a de place que la rentabilité, cherche à légiférer en faveur de l'euthanasie, sous prétexte de condescendance pour les souffrants; demain, ce sera pour alléger le fardeau de la parenté et de la société.

Il ne faut pas conclure que la personne malade doive utiliser tous les moyens imaginables pour survivre, souvent au prix d'interminables douleurs. L'Église, si elle rejette l'euthanasie comme un crime, n'oblige personne à l'acharnement thérapeutique, à des traitements inutiles ou au coût exorbitant. Souvent il ne s'agit pas d'une vie prolongée, mais d'une mort prolongée. Déjà, en 1957, Pie XII parlait des problèmes religieux et moraux causés par la réanimation.

Il n'y a pas d'obligation de prendre des moyens ou des médicaments fort coûteux pour vivre plus longtemps. Si quelqu'un peut se permettre de tels remèdes utiles sans devenir un fardeau trop onéreux pour les siens, tant mieux! Mais rien ne l'y oblige. Ajoutons qu'il est permis de prendre des calmants, des analgésiques, même s'ils peuvent hâter la mort.

Pour ce qui est des traitements du cancer par radiothérapie ou chimiothérapie, ils ne sont pas de rigueur et de nécessité s'ils sont considérés comme des moyens inappropriés pour tel malade, dans la situation qu'est la sienne. Les effets secondaires sont parfois pénibles. En certains cas, ils n'offrent qu'un sursis relatif à la mort. Il est alors permis de refuser ou d'interrompre le traitement.

En d'autres cas, selon l'avis des médecins, ils fournissent une aide précieuse et peuvent guérir le malade; alors, sans qu'ils soient moralement obligatoires, il serait imprudent de ne pas les utiliser.

Quoi qu'il en soit, en ces moments de douleur, les soins palliatifs demeurent importants et bénéfiques, grâce au corps médical, aux parents et amis, à l'équipe pastorale.

- XIII -

LE CHEMINEMENT SPIRITUEL

Le vœu de chasteté,
les signes de progrès spirituel,
les défauts,
la confiance

MON VŒU DE CHASTETÉ PLAÎT-IL À DIEU?

Je suis restée célibataire par amour pour Jésus et j'ai fait le vœu de chasteté, toujours par amour pour lui. Croyez-vous que ma promesse est valable?

* * *

Pourquoi pas? Je suis même surpris que vous me posiez la question. D'autres ont peut-être contesté votre décision de demeurer célibataire par amour pour Jésus, de vivre le célibat pour le Royaume (cf Mt 19, 12). Même s'ils sont au courant de votre vœu de chasteté, ils n'en comprennent pas nécessairement la grandeur. Tous n'ont pas votre vocation.

Le Seigneur, j'en suis certain, se réjouit de cet amour total et exclusif que vous lui avez voué dans la générosité de votre cœur.

L'Église, fidèle au Seigneur et à sa Parole, a toujours enseigné la sublimité d'un tel don. Jésus disait: «*Tous ne comprennent pas ce langage, mais ceux-là à qui c'est donné*» (Mt 19, 11). Saint Paul parlait du mariage, de la similitude entre l'amour des conjoints l'un pour l'autre et l'amour que le Christ porte à son Église (Ep 5, 21-33); mais il ajoutait qu'il était bon de demeurer célibataire comme lui (cf I Co 7, 7-8).

Dès le début de l'Église, il y eut des martyrs, il y eut aussi des vierges. Puis, ces âmes d'élite qui, souvent vivaient en ermites, se sont groupées pour vivre une vie communautaire. Plusieurs anachorètes, vivant dans la solitude, devinrent cénobites, des moines qui partageaient la vie en commun. A commencé la vie monastique, en Orient avec l'influence de saints comme Basile, en Occident avec celle de Benoît. De saintes moniales furent nombreuses à se donner au Seigneur dans le célibat.

La vie monastique s'est perpétuée jusqu'à nos jours, vie contemplative, vie active, vie toujours apostolique. Se sont multipliés les Ordres et les Congrégations, en de multiples familles religieuses.

Au milieu du 20e siècle, le pape Pie XII approuvait les Instituts séculiers, ces hommes et ces femmes qui s'engagent à la suite du Christ vierge, pauvre et obéissant, en demeurant dans la condition de vie propre à leur état séculier. C'était, comme disait Jean-Paul II, l'affrontement courageux du défi des temps nouveaux, la sainteté au sein du monde.

Dernièrement, d'autres formes de vie consacrée ont surgi avec une variété de communautés nouvelles, alors que les Instituts plus anciens se rénovaient sous le souffle d'un même Esprit. La sainteté est possible dans tous les états de vie, même chez les personnes brisées par des drames.

Me vient à l'esprit «*Solitude Myriam*», cette communauté chrétienne composée de personnes séparées qui demeurent fidèles au Seigneur et à leur mariage brisé. Ces hommes et ces femmes s'engagent au célibat selon leur état de vie, dans la joie et la charité. De nombreux couples puisent, au sein de la communauté, l'aide précieuse qui fortifie leur union matrimoniale. «*Solitude Myriam*», fondée par Danielle Bourgeois, est une communauté nouvelle que l'Église reconnaît juridiquement comme «*Association privée de fidèles*». Voici l'adresse: Solitude-Myriam, 11120, route Arthur Sauvé, Mirabel (Sainte-Scholastique), Qc, J0N 1S0; tél.: (514) 258-4200.

Le 31 mai 1970, fut promulgué le nouveau Rituel de la Consécration des Vierges. L'Église a rétabli un rite qui concerne des femmes qui n'appartiennent pas à des Instituts de Vie consacrée. L'amour du Christ est la raison de leur vie, disait Jean-Paul II. Il ajoutait que l'état de virginité consacrée rend plus spontanée la louange au Christ, plus facile l'écoute de sa Parole, plus joyeux le service qui lui est rendu... Ce n'est pas un privilège mais bien un don de Dieu qui requiert la *sequela Christi*, un engagement à suivre le Christ et à aimer l'Église. Ces vierges sont comme Marie de Béthanie (cf Lc 10, 39). Elles ont souci des affaires du Seigneur (I Co 7, 34). Elles annoncent le Royaume à venir. Elles sont mères dans l'Esprit. Elles trouvent en la Vierge Marie leur modèle.

Oui, le Seigneur est heureux du don amoureux que vous lui faites.

QUELS SONT LES SIGNES DE PROGRÈS SPIRITUEL?

*Est-ce qu'il y a des signes pour nous prouver que nous avan-
çons sur le chemin de la sainteté? Ça nous encouragerait!*

* * *

Ça nous encouragerait? C'est admissible. Possible aussi qu'une
telle connaissance nous gonflerait d'amour-propre et de vanité, ...
ou bien, au contraire, l'absence de tels signes nous démoraliserait.

Il n'est pas bon de compter le nombre de nos pulsations spirituelles par minute pour savoir, dans une curiosité vaine, quel est le
tonus de notre vie d'enfant de Dieu. Contentons-nous de fortifier
notre organisme des stéroïdes légitimes de la prière et des sacrements.

Laissons à Dieu de se prononcer sur notre santé intérieure, de
juger du progrès que nous accomplissons. Pour nous, poursuivons
notre randonnée vers Dieu.

Jamais satisfaits!

Jamais découragés!

Disons, comme saint Paul: «*Oubliant le chemin parcouru, je
vais droit de l'avant, tendu de tout mon être, et je cours vers le
but, en vue du prix que Dieu nous appelle à recevoir là-haut,
dans le Christ Jésus... En attendant, quel que soit le point déjà
atteint, marchons toujours dans la même ligne*» (Ph 3, 13-14. 16).

Allons de l'avant à toute allure spirituelle, avec l'aide du Seigneur.

SUIS-JE VRAIMENT SUR LA ROUTE DU CIEL?

*Comment savoir ce que Dieu attend vraiment de moi? Je tra-
vaille dur à réussir en affaires et j'y consacre beaucoup de
temps. Il me reste parfois très peu de temps pour ma famille
que j'aime beaucoup. Je ne travaille pas le dimanche. Je prie
tous les jours, souvent le chapelet. J'essaie d'aimer le Seigneur
qui est amour et d'observer ses commandements. Que pense
Dieu de moi? Qui suis-je?*

* * *

Vous êtes un fidèle du Seigneur, un laïc qui marche consciencieusement sur la route de la vie éternelle, sur le chemin tracé de Dieu.

Continuez d'avancer en discernant le progrès à accomplir. Le travail vous accapare-t-il au détriment du temps à apporter à votre famille? Trop de papas pensent bien faire en travaillant d'arrache-pied, presque 24 heures par jour. À la maison, l'épouse s'ennuie. Et, comme dit la chanson: «*Quand je m'éveille, déjà tu n'es plus là; moi, je m'ennuie de toi. J'essuie mes yeux et je replie les draps; moi, je m'ennuie de toi... Tu n'as jamais vu sourire tes enfants; tu n'as pas le temps... On perd sa vie à vouloir la gagner, tu devrais y penser*». Trop d'époux ont marié leur travail... Aujourd'hui, peut-être aussi des épouses...

Sans doute avez-vous évité ce piège. Vous ne travaillez pas le jour du Seigneur, vous vous réservez du temps chaque jour pour la prière. Je crois vraiment que, à l'instar d'autres chrétiens généreux, vous plaisez au Seigneur.

Demandez parfois à votre épouse et à vos enfants si vous pouvez les rendre plus heureux. Progressez vers Dieu en communiant beaucoup aux sentiments de votre épouse. Réservez-vous des moments ensemble, des temps de réflexion paisible et de prière.

QUE FAUT-IL POUR UNE BONNE CONVERSION?

Je veux tout faire pour me rapprocher de Jésus et je veux tout mettre en œuvre pour lui prouver mon amour car il prend une grande place dans ma vie et je veux me convertir. Pensez-vous que le jeûne peut aider à la conversion et comment jeûner?

* * *

Pour une bonne conversion, il faut vous tourner vers le Seigneur et vous ouvrir à son amour. Lui agira en vous. Votre désir actuel de vous rapprocher de lui est déjà signe évident de sa présence en vous, signe de conversion. Il ne s'agit pas toujours de conversion initiale, d'une conversion de base, d'une conversion qui fait sortir d'une vie de péchés sérieux.

Dans votre cas, il me semble qu'il y a aspiration à vous convertir à un meilleur amour. Nous avons sans cesse besoin de nous transformer. Notre vie doit être une mutation continuelle, une metanoia, une adhésion à un meilleur amour.

«*Revenez à moi de tout votre cœur, dans le jeûne...*», clame Yahvé (Jl, 2, 12). Le jeûne, fréquent chez le peuple choisi, est toujours recommandé par l'Église, par le Seigneur aussi. Il nous en a donné l'exemple en jeûnant quarante jours avant de commencer sa vie publique (Mt 4, 2). Le jeûne qui plaît à Dieu, c'est celui qui nous ouvre à nos frères et sœurs dans la charité. Il nous dit: «*Le jeûne que je préfère:...n'est-ce pas partager ton pain avec l'affamé, héberger chez toi les pauvres sans abri,... ne pas te dérober devant celui qui est ta propre chair?*» (Is 58, 6-7).

Prière, jeûne, charité, demeurent des moyens privilégiés de conversion et de vie chrétienne fervente.

Confiez la direction de votre âme et de votre vie à un guide spirituel sage et expérimenté, homme ou femme de Dieu à la doctrine sûre.

JE VEUX DEVENIR SAINTE, MAIS J'AI DES DÉFAUTS

Je veux devenir sainte, mais j'ai des défauts tenaces que je ne viens pas à bout de faire partir. Que faire? Quoi faire pour atteindre la sainteté? Il me semble que c'est atteignable. Je n'en suis pas digne.

* * *

Réjouissez-vous, vous conserverez sans doute vos défauts tenaces.

Réjouissez-vous, vous ne serez jamais digne de la sainteté.

Réjouissez-vous, cette sainteté est atteignable.

Elle est atteignable par tous, quel que soit leur état de vie, quel que soit leur passé. C'est la vocation universelle, affirme le concile Vatican II (L.G., 5). «*Et voici quelle est la volonté de Dieu: c'est votre sanctification*», disait saint Paul (I Th 4, 3).

Tant mieux si vous réalisez que vous avez des défauts, même tenaces. Le chemin de la sainteté est celui de l'humilité. La grâce de Dieu vous suffit, car sa puissance se déploie dans votre faiblesse (2 Co 12, 9). Ce n'est pas vous le principal artisan de votre sainteté, c'est le Seigneur, c'est l'Esprit de sanctification. «*Laissez-vous mener par l'Esprit*» (Ga 5, 16).

Qu'il y ait dans votre cœur un désir ferme de marcher vers Dieu, vers la perfection de votre vie. «*Vous serez parfaits comme votre Père céleste est parfait*», dit Jésus (Mt 5, 48). Il ne nous aurait pas intimé cet ordre s'il était de réalisation impossible.

Nous sommes les enfants du bon Dieu, malgré notre indignité. Au moment de notre baptême, un germe a été déposé en nous, le germe de la sainteté. Dans la prière, avec Jésus comme modèle, avec Marie comme mère, la sainteté est *atteignable*. Y croyons-nous?

«*Oubliant le chemin parcouru*», courons de tout notre être vers Celui qui nous saisit pour nous transformer en lui (Ph 3, 13).

JE RETOMBE TOUJOURS

Je suis une catholique pratiquante et engagée, pourtant je retombe toujours dans les mêmes fautes. Pourquoi? Je prie et je demande l'aide du Seigneur et de maman Marie. Je voudrais être un exemple et c'est souvent le contraire. Que faire?

* * *

Saint Paul se plaint: «... *Quand je veux faire le bien: le mal seul se présente à moi... Malheureux homme que je suis!*» (Rm 7, 21. 24).

Il y a, en chacun de nous, des tendances bonnes et des inclinations mauvaises. À nous de lutter chaque jour, avec la grâce du Seigneur, pour dominer nos impulsions mauvaises et pour fortifier nos bonnes aspirations. Le combat spirituel est de tous les jours.

À saint Paul qui se lamente de ses difficultés, le Seigneur répond: «*Ma grâce te suffit: car la puissance se déploie dans la faiblesse*»

(2 Co 12, 9). Et saint Paul d'ajouter: «*Je puis tout en celui qui me rend fort*» (Ph 4, 13).

Poursuivez votre route avec générosité. Refusez la tiédeur. Surtout, ne vous découragez jamais dans votre marche vers Dieu. J'ai la joie de vous annoncer que vous demeurerez toujours imparfaite..., mais en route vers un meilleur amour, ce qui plaît au Seigneur. En lui seul notre noblesse.

Dans la vie spirituelle, il faut n'être jamais satisfait et ne pas se tâter le pouls avec anxiété, mais prier et aimer.

Comme la petite Thérèse de l'Enfant-Jésus qui cheminait dans l'abandon, avancez dans la voie de l'enfance spirituelle, les yeux fixés sur le Seigneur.

QUE PENSER DE CEUX QUI CHEMINENT MOINS VITE?

Ceux qui cheminent moins vite spirituellement vont-ils pouvoir se rapprocher un jour du Seigneur? Sera-ce par le purgatoire?

* * *

Peut-être, s'ils sont coupables de négligence. Nous ne pouvons les juger. Qui connaît le secret des cœurs, sinon Dieu (Ps 44, 22)? Nous, nous jugeons sur l'apparence; il n'en est pas ainsi du Seigneur.

Il y en a qui, semble-t-il, ne progressent guère spirituellement, mais en sommes-nous certains? Même s'il en est ainsi, ne peuvent-ils faire un bond vers Dieu au moment ultime de leur vie, comme fit le bon larron (Lc 23, 43)?

Efforçons-nous de bien profiter de notre court passage sur terre pour aimer le Seigneur de tout notre cœur, et le prochain comme nous-même. La vie est brève. «*Le temps se fait court*» (I Co 7, 29). «*Ne vous lassez pas de faire le bien*», nous recommande saint Paul (2 Th 3, 13).

N'ayons pas le regret d'arriver au ciel, sinon les mains sales, du moins les mains vides...

MANQUER DE CONFIANCE VEUT-IL DIRE DOUTER DE L'AMOUR DE DIEU?

* * *

En qui manquons-nous de confiance? En nous OU en Dieu? En nous ET en Dieu? Il n'est pas facile de distinguer. Nous manquons de confiance parce que nous nous regardons nous-même, au lieu de regarder Dieu. Nous manquons de confiance, parce que nous regardons en arrière, plutôt qu'en avant.

Nous voyons les péchés du passé, les faiblesses du présent, nous constatons notre anémie spirituelle et notre extrême fragilité. Et nous désespérons.

Notre confiance chrétienne ne repose pas sur notre santé, une cure de jeunesse, un heureux tempérament, une montée d'adrénaline, des succès inespérés...

Notre confiance chrétienne s'active si nous nous rappelons l'amour de Dieu, un amour infini et personnel, gratuit et fidèle. À cause de cet amour divin et miséricordieux, notre confiance ne saurait être trop grande, même si nous avons péché. Elle peut toujours s'intensifier.

Que la petite Thérèse de l'Enfant-Jésus nous serve de modèle, avec son esprit d'abandon, sa petite voie d'enfance spirituelle, sa confiance totale dans le Seigneur. Nous sommes, nous aussi, les enfants bien-aimés de notre Père du ciel.

Dieu habite en nous et agit en nous. Son Esprit nous aide par les dons qui vivifient. Si nous comprenons, nous sommes heureux, d'une joie profonde et intime, malgré les épreuves de la vie.

Que chacun-e se dise et se répète: «*Dieu m'aime, qui que je suis, quel que soit mon passé! Ma confiance en lui ne peut être excessive, car elle repose sur son amour sans bornes pour moi. Il est mort pour moi! Toujours, je serai son enfant*».

- XIV -

LA DIRECTION SPIRITUELLE, etc.

Le directeur spirituel,
l'hypnose,
l'ennéagramme,
les moyens de progrès

COMMENT TROUVER UN DIRECTEUR SPIRITUEL?

Les prêtres répondent d'aller à d'autres, car ils sont trop occupés.

* * *

Il n'est pas facile de trouver un prêtre qui soit un directeur spirituel qualifié et qui ait le temps de vous diriger. Ainsi va la vie où les activités pastorales abondent pour les prêtres surchargés, moins nombreux et vieillissants.

Dieu néglige-t-il pour autant les âmes qui veulent progresser spirituellement? Il n'est pas à court de moyens. Il suscite de plus en plus des centres de renouveau où s'exerce le discernement spirituel; aussi des communautés même nouvelles qui accompagnent une foule de laïcs associés à leur œuvre; enfin des laïcs qualifiés, souvent formés en théologie et en pastorale, qui agissent comme conseillers spirituels. Beaucoup d'agents et d'agentes de pastorale font de l'accompagnement spirituel, de nombreux travailleurs sociaux dépannent des gens en difficulté lors de problèmes particuliers même aigus.

S'il est besoin d'un prêtre, Dieu y verra, possiblement lors d'une retraite, d'une session, d'une confession, ou même pour une direction spirituelle plus approfondie et de longue haleine. À nous de prier, à nous de choisir. Avec humilité et confiance.

COMMENT SAVOIR SI UNE PERSONNE PEUT ÊTRE NOTRE GUIDE SPIRITUEL?

* * *

Vous pouvez vous fier à certains critères dans votre choix.

Dans la prière et, au besoin, tout en consultant, choisissez la personne, prêtre ou fidèle de bonne réputation et qualité, qui réponde le mieux à ces critères et aux nécessités de votre âme.

Que nous suggèrent les écrivains spirituels, les saints et les saintes? Un choix judicieux, la préférence pour une personne bien équilibrée, de bon jugement, qui croit à l'importance du progrès spirituel.

Tant mieux si cette personne est elle-même en démarche spirituelle, en quête d'un amour plus grand pour le Seigneur, en cheminement de croissance.

Choisissez une personne qui semble en amour avec Dieu, qui reflète une certaine sainteté de vie.

N'oubliez pas le critère si important, et trop vite négligé, d'une saine doctrine. La sainteté sans doctrine fait tomber aisément dans l'illuminisme, le sentimentalisme, une romance sans lendemain.

COMME LAÏC, AI-JE LE DROIT À UN GUIDE SPIRITUEL?

Quelle est la différence entre un guide spirituel, un directeur spirituel et un conseiller spirituel?

* * *

J'aimerais que vous remplaciez les mots «*Ai-je le droit*» par une expression comme «*Puis-je espérer un guide spirituel?*». Car c'est une grâce de trouver dans sa vie un bon guide spirituel. Il faut d'abord vouloir progresser dans les voies de Dieu. Un guide spirituel n'est pas un ornement dont on se glorifie. «*J'ai comme guide spirituel le fameux père X dont on parle tant!...*»

Guide, directeur, conseiller, accompagnateur spirituel, peu importe le titre. Il signifie à peu près la même chose, bien que chaque mot dénote une acception et une signification spéciales. Le directeur dirige; s'il le fait de façon trop autoritaire, on dit de façon péjorative qu'il est directif. Le guide, le conseiller, l'accompagnateur, tels sont des mots qui semblent mieux respecter la conscience de la personne convoyée dans sa marche vers Dieu. C'est à cette personne «*accompagnée*» de prendre les décisions qui conviennent. Elle ne doit pas se faire dicter sa conduite, comme des enfants se font enjoindre par leurs éducateurs leur code de vie.

Directeur, guide, conseiller, accompagnateur, doivent, dans la prière et l'écoute, faciliter à la personne dont ils s'occupent la découverte de l'action de Dieu dans sa vie, le discernement de l'Esprit Saint et de sa volonté.

Il faut choisir un directeur sans précipitation, dans la prière, et se référer à autre chose que sa satisfaction personnelle et les sentiments de la nature. Il y va d'une matière de grande importance pour le progrès spirituel. «*Il importe que l'on choisisse un directeur saint, expérimenté et docte*», disait sainte Thérèse de Jésus.

En ce temps où le nombre de prêtres est à la baisse, la découverte d'un guide spirituel chez les prêtres s'avère difficile. La direction spirituelle peut sembler aux prêtres une pêche à la ligne, alors que les filets débordent... Pourtant, «*un directeur qui conduit une âme qui t'est chère, Seigneur, dans la voie du salut gagne plus que s'il se mettait à la recherche de toutes les brebis perdues. C'est qu'une âme fidèle peut, par ses prières, convertir un nombre incalculable d'âmes*» (Vénérable Marie-Céleste, fondatrice des Moniales rédemptoristines).

LA DIRECTION SPIRITUELLE PEUT-ELLE SE FAIRE SOUS HYPNOSE?

Quelques personnes préconisent la direction spirituelle sous hypnose, sous prétexte que les progrès spirituels sont plus rapides. D'autres disent qu'il est impossible de concilier deux approches aussi contradictoires. Pourriez-vous m'éclairer?

* * *

L'Église est prudente au sujet de l'hypnose pour que personne n'abuse de ce pouvoir qui fait perdre l'usage de la conscience et de la liberté. L'hypnose est permise en cas de nécessité, pour guérir parfois telle maladie ou telle névrose... Ainsi, un médecin peut s'en servir comme anesthésique ou un psychiatre consciencieux pour traiter de certains désordres pathologiques. Que l'hypnotiseur soit compétent, honnête, discret, respectueux, et qu'il ait une raison valable pour l'hypnose; qu'il ait le consentement de la personne concernée ou de son gardien.

Je ne crois pas que l'hypnose, ce «*sommeil*» provoqué, doive servir pour la direction spirituelle telle quelle. La direction spirituelle sert à mieux orienter vers Dieu une personne qui veut croître en lui, ce qui requiert l'acquiescement de sa volonté, sa collaboration personnelle. L'hypnose crée la sujétion. Le directeur spirituel, que certains préfèrent désigner comme conseiller ou accompagnateur spirituel, n'est pas choisi pour dicter une ligne de conduite, pour se substituer à la conscience de la personne dirigée, mais pour mieux l'aider à discerner le plan de Dieu en sa vie, comment accomplir la volonté divine en telle période de son existence, en telle ou telle circonstance.

L'hypnose, en certaines conditions précises et avec les précautions et garanties déjà exprimées, peut aider la guérison d'une personne malade ou troublée dans son psychisme. Autre est la direction spirituelle qui requiert la conscience et la liberté d'action, sous l'influence de la foi.

J'admire l'œuvre de l'Association des psychothérapeutes du Canada (APPC), fondée en 1985 par Yvon Saint-Arnaud, O.M.I. Cette association veille à la compétence des psychothérapeutes et des conseillers pastoraux membres de l'Association pour éviter les dangers du charlatanisme. Ces psychothérapeutes pastoraux, dans la relation d'aide et le processus de croissance, ont souci d'un grand respect de la personne (L'Église canadienne, décembre 1996, p. 388).

QUE PENSER DE L'ENNÉAGRAMME?

Je travaille dans un bureau fédéral. Pour certains postes, la formation comprend un cours d'ennéagramme. Je sais que ce cours n'est pas en accord avec ma foi, mais j'aimerais avoir une explication claire afin de pouvoir refuser cette formation.

***

Peut-être vous sera-t-il difficile de refuser ce cours, s'il est obligatoire, sans compromettre votre emploi. Je ne crois pas qu'il y ait danger réel pour votre foi, du moment que vous savez discerner ce qu'il y a de bon et de faible dans un tel cours. Je présume que ce cours ne vous est pas présenté comme une science occulte.

Tous ne condamnent pas l'ennéagramme, même chez les catholiques. Au contraire, plusieurs centres chrétiens offrent un tel cours.

Le mot ennéagramme vient du grec et signifie *«neuf points»*. Aussi est-il représenté par une étoile à neuf pointes. Ce que l'ennéagramme présente, ce sont neuf types de personnalités et leurs relations. En d'autres mots, l'ennéagramme identifie neuf caractères principaux de la vie émotionnelle.

Il ne s'agit pas de tomber dans l'enivrement des sciences occultes auxquelles nous inclinent certains auteurs. L'ennéagramme peut s'en séparer. La psychologie dont il s'inspire n'en a pas besoin. L'ennéagramme cherche à améliorer la connaissance de notre moi pour aider notre action. Il nous aide aussi à mieux comprendre les autres. Pour le moment, rien de répréhensible. Est-il défendu de mieux connaître nos personnalités?

Qu'en est-il de ceux et de celles qui donnent un cours sur l'ennéagramme? Sont-ils bien équilibrés, font-ils appel à des notions douteuses? Faisons preuve de bon sens, de maturité, d'équilibre, pour profiter de ce qui est positif et, au besoin, rejeter ce qui ne l'est pas.

Le cours qu'on vous propose peut être utile; il n'est pas pour autant nécessaire. Vos connaissances de la psychologie peuvent s'améliorer, mais ne faisons pas de l'ennéagramme un absolu.

En utilisant l'ennéagramme, évitons le danger de tout cataloguer, en soi et chez les autres. La vie, qui se meut sans cesse, n'est pas un simple répertoire de personnalités figées et stéréotypées.

POURRIEZ-VOUS ME SUGGÉRER DE BONS LIVRES?

* * *

Il y a tant de livres religieux; choisissez les meilleurs.

Que, dans votre bibliothèque, la place d'honneur soit donnée à la Bible, une Bible dépoussiérée par la lecture méditée et priée.

Selon vos besoins spirituels et l'état de votre âme, vous choisirez les mets d'une lecture spirituelle appropriée. Lisez des vies de saints et de saintes bien écrites, puisque leur vie, c'est l'évangile vécu.

Lisez aussi, de préférence, des écrits de saints et de saintes. Leurs écrits sont approuvés par l'Église et contiennent des pages inspirantes. Lisez des livres sur la vie spirituelle, la prière et la méditation.

Puis-je vous inviter à lire aussi des revues religieuses bien choisies. Je dis «*bien choisies*», car toutes les revues religieuses ne sont pas de même qualité. Une bonne revue, ou un bon journal catholique, vous renseigneront sur la foi et la vie de l'Église et vous stimuleront dans votre existence chrétienne.

Pourquoi ne pas vous enquérir au sujet des documents qui nous viennent de Rome et de nos évêques, la pensée officielle de l'Église? Pourquoi ne pas vous renseigner sans cesse dans le Catéchisme de l'Église catholique?

Avec les années, votre goût se raffinera et vous découvrirez les meilleurs livres qui nourrissent l'amour de Dieu et du prochain.

QU'APPELLE-T-ON L'HÉDONISME?

C'est quoi l'hédonisme, l'hédonisme matériel, l'hédonisme spirituel?

* * *

Voyons la définition du dictionnaire: «*L'hédonisme est le système moral qui fait du plaisir le principe ou le but de la vie*».

C'est là l'hédonisme. L'hédonisme ne voit dans la vie que le plaisir et la recherche du plaisir. Il recherche, sans accepter qu'il y ait contrainte, tout ce qui plaît; il favorise un sensualisme sans frein. L'hédonisme est l'équivalent de l'épicurisme; il n'a de pensée que pour le plaisir et la sensualité. Tout ce qui est charnel, érotique, lascif, a droit de cité. Malheur à qui met entrave; il est accusé de brimer la liberté. Mais quelle liberté?

Ne pouvons-nous dire qu'il existe également un hédonisme spirituel, un désir de ne vivre qu'au sein des consolations divines. C'est un refus implicite de porter sa croix à la suite du Christ (Mt 16, 24). La lecture de l'évangile se limite exclusivement aux pages qui plaisent. Par recherche inconsciente de popularité, certains prédicateurs prêcheront un évangile édulcoré, mitigé.

Ce qui ne veut pas dire qu'il faille revenir au rigorisme et au jansénisme d'autrefois, oublier le message central de l'évangile qui en est un de bonté, d'amour et de miséricorde.

Mais, la tendance existe à un hédonisme spirituel, à la fuite de la croix, à une recherche d'une vie chrétienne... païenne, sans effort, sans vertu.

L'évangile perd alors son radicalisme. Il devient un évangile sucré.

Trop souffrent de diabète spirituel.

PUIS-JE FAIRE DE L'EXERCICE AÉROBIQUE?

Puisque mon corps est le temple de Dieu, je veux en prendre soin. Je ne fume plus depuis un an et demi, je surveille les aliments que je consomme, je fais aussi de l'exercice aérobique avec l'aide d'une cassette vidéo. Je reçois des massages. Est-ce correct pour une chrétienne de faire ce genre d'exercice? J'aime cela, mais je veux plaire à Dieu.

* * *

Je ne vois pas de problèmes, pourvu que la dignité soit respectée. Je loue votre désir de prendre bien soin de votre corps, surtout parce qu'il est le temple de Dieu.

Les exercices aérobiques aident ... l'aération de votre corps; ils facilitent la respiration. Cette technique de relaxation, surtout si elle est utilisée régulièrement, réduit l'accélération du rythme cardiaque, l'hypertension, les risques de maladie cardio-vasculaire. Il faut y joindre, évidemment, d'autres éléments: une saine alimentation, l'absence ou le contrôle de la boisson et du fumage, une vie équilibrée. Les exercices aérobiques sont hautement recommandés, tels que la marche, le jogging, la course, la natation, le ski de fond, etc.. Rien de nocif, au contraire! De quoi vous aider à mieux vivre, à dominer le stress, à vous conditionner physiquement. D'autres sports, non aérobiques, sont peut-être plus exigeants, tout en étant souvent bénéfiques, comme le tennis. Pourquoi ne pas consulter votre médecin à ce sujet, même pour les exercices aérobiques? Il vous établira un programme d'exercices. Il faut éviter les abus.

Ce qui serait répréhensible, ce serait un culte intempestif de votre corps, au détriment de votre âme.

En certains endroits, la gymnastique et le culte du corps s'accompagnent d'enseignements païens par les praticiens et praticiennes. Le vocable utilisé donne l'impression d'être savant, utilise des données ésotériques qui suintent le Nouvel Âge. On fait usage de thérapies aux noms barbares, obscurs, étranges pour le commun des mortels que nous sommes. Ne soyons pas dupes et ne contaminons pas notre foi, ne gaspillons pas notre argent...

Quant aux massages, massages prescrits par les médecins ou massages de beauté qu'offrent les studios, ils peuvent être utiles pour fortifier des membres affaiblis, assurer la souplesse du corps et embellir les personnes qui en sentent le besoin... De même les salons de bronzage. Les massages peuvent aussi être lubriques et donnés dans un but nettement lascif.

Évitant ces écarts, ne méprisez pas un soin normal et sage de votre corps pour une santé holistique, en autant que vous le pouvez et que Dieu le voudra.

- XV -

ARIDITÉ SPIRITUELLE
ET ÉPREUVES

Le désert spirituel,
la souffrance,
les épreuves,
la maladie

EXPLIQUEZ-NOUS LE DÉSERT SPIRITUEL

* * *

Ce désert spirituel est une image. Cette comparaison nous fait comprendre que, sur le chemin de la vie spirituelle, nous avons souvent à traverser un désert, une période de sécheresse, un espace d'aridité qui nous laisse assoiffés pour quelque chose de mieux, pour des consolations, pour une expérience sensible de Dieu.

Dans la vie surnaturelle, dans notre vie chrétienne, tout n'est pas oasis de verdure, avec eau de source limpide et ombrage rafraîchissant.

Trop de chrétiens s'étonnent quand, dans leur prière et leur marche vers Dieu, ils ne ressentent plus de joie et que tout devient sec. Si ces désolations ne sont pas causées par la tiédeur volontaire et le péché, qu'ils poursuivent leur marche dans la foi pure, qu'ils continuent de prier.

Cette expérience de désert n'est pas un temps de recul, elle peut devenir un moment de progrès spirituel et fournir la preuve d'un amour véritable pour le Seigneur.

Au bout du désert, il y a la Terre promise, celle où ruissellent le lait et le miel (Jr 11, 5), où brille le ciel de Dieu qui sera nôtre un jour.

QUE FAIRE AU TEMPS DE LA SÉCHERESSE SPIRITUELLE?

Que pouvons-nous faire quand nous traversons une période sèche, qu'on n'a plus le goût de la prière, qu'on se sent seul, qu'on piétine sur place et qu'on ne ressent plus les inspirations d'autrefois? Que peut-on faire pour sortir d'une sécheresse spirituelle?

* * *

Le sentiment connaît ses hauts et ses bas, sans dépendre nécessairement de nous, de nos bonnes dispositions. Il faut persister dans la foi pure. La foi nous redit que Dieu nous aime, qu'il nous habite, qu'il opère en nous.

Évidemment, si notre sécheresse est causée par des fautes délibérées, par une tiédeur volontaire, nous sommes exhortés à nous ressaisir, à recouvrer notre ferveur d'antan (Ap 2, 4). Mais il est possible aussi que cette aridité spirituelle soit indépendante de notre bon vouloir; elle devient un temps de croissance malgré les apparences. Il n'est pas sûr alors que nous piétinions sur place.

La sécheresse spirituelle est normale pour les saints et les saintes de Dieu comme pour chacun et chacune de nous qui nous efforçons d'avancer sur le chemin du Seigneur. Sécheresse, nuit des sens et nuit de l'esprit, voilà ce dont nous parlent les auteurs de la vie ascétique et mystique.

Quoi faire, sinon demeurer fidèles au Seigneur, à la prière même aride, sans consolations sensibles? Ce ne sont pas les consolations que nous devons chercher, mais Dieu et son amour. Demeurons en sa présence, dans un climat de prière confiante, même si nous avons l'impression d'être devenus des statues froides et immobiles.

Les statues ornent l'Église de Dieu...

COMMENT AGIR
AVEC DES PERSONNES IMPATIENTES?

Comment agir avec des personnes impatientes et souvent de mauvaise humeur?

* * *

En vous rappelant vos propres impatiences et sautes d'humeur.

Certains sont grincheux de nature, prompts et soupe au lait. Ils se hérissent rapidement de dards épineux et venimeux. On passe près de telles personnes sur la pointe des pieds pour ne pas être remarqué; on leur glisse un sourire figé et de circonstance; on s'excuse simplement d'être là sur leur chemin. Puis, une fois le personnage derrière soi, on se reprend à respirer normalement et à siffloter.

Mais c'est là l'exception. La plupart du temps, les personnes sont gentilles, si vous faites preuve de gentillesse. Elles sourient si vous leur souriez. Elles échangent de bons propos si elles ne se sentent pas menacées par votre présence.

L'impatience et les sautes d'humeur, cependant, sont toujours d'actualité, qu'elles soient celles de votre conjoint, de votre collègue de travail, de qui que ce soit, qu'elles soient... les vôtres. Un jour, chacun et chacune peuvent mal digérer, souffrir d'un inconvénient, vivre dans l'angoisse ou bailler mélancoliquement après une nuit blanche.

Il faut se résigner aux impatiences et aux sautes d'humeur, essayer de garder son calme, offrir le tout au Seigneur comme une prière. En même temps, efforçons-nous de demeurer d'humeur égale envers tous, même envers les personnes qui nous tombent sur les nerfs.

Nous sommes de même race et nous avons tous nos limites de tempérament et de caractère. Sachons nous accepter et accepter les autres avec humilité, charité et un brin d'humour.

Vive le bon Dieu et les patates!

_____

PARLEZ-NOUS DE LA SOUFFRANCE

Aide-t-elle la croissance personnelle?

* * *

Nous pouvons nous révolter devant la souffrance. C'est d'ailleurs une première réaction normale quand elle surgit dans notre vie, souvent à l'improviste. La nature ne veut pas souffrir, elle rejette l'idée de la souffrance, elle se révolte même. Le Seigneur comprend notre réaction, une réaction contrôlée par notre foi.

Graduellement, nous nous apaisons, nous nous résignons, nous acceptons la volonté de Dieu dans notre vie, nous portons notre croix à la suite du Sauveur.

La souffrance peut aider la croissance personnelle; elle le doit. Tout est grâce, même les souffrances endurées par malice humaine. «*C'est une grâce que de supporter, par égard pour Dieu, des peines que l'on souffre injustement*», affirme saint Pierre (I P 2, 19). Tout sert au bien de qui aime Dieu (Rm 8, 28).

Ne gaspillons pas le trésor de la souffrance. Car la souffrance, si nous l'unissons à la souffrance du Christ Jésus, devient source de bonheur éternel et sert au bien de toute l'Église. «*Nous souffrons avec lui pour être aussi glorifiés avec lui*» (Rm 8, 17).

Le chemin de la souffrance est une route pavée vers Dieu et son Royaume, lorsqu'elle est assumée dans la foi. C'est la route royale suivie par Jésus.

LES ÉPREUVES SONT-ELLES UNE PUNITION?

Est-ce que c'est vrai que lorsqu'on a des épreuves, c'est pour nous punir et parce qu'on le mérite?

* * *

Ce serait un Dieu étrange, vengeur, cruel, qu'un tel Dieu. Il ne serait pas le Dieu de Jésus Christ, celui qu'il nous a révélé. «*Moi et le Père nous sommes un*» (Jn 10, 30). Et Jésus s'est révélé plein de tendresse.

Dieu ne veut que notre bien. S'il lui arrivait de permettre des épreuves, ce serait pour nous attirer à lui, pour nous conduire sur le chemin du bonheur.

Il ne faut pas craindre un tel Dieu.

Il ne faut pas non plus attribuer à ce Dieu que nous nommons à bon droit «*le bon Dieu*» nos souffrances et nos épreuves. Il est venu nous libérer de l'emprise du mal et de la mort. Si notre condition humaine nous fait souffrir, nous gardons l'espoir de ressusciter un jour à la vraie vie, à la vie bienheureuse, au bonheur éternel.

Ne cherchons pas à expliquer nos peines et nos épreuves par l'existence d'un Dieu qui désire nous punir de nos faiblesses et de nos péchés. Profitons de nos souffrances pour jeter sur lui un regard d'amour. Il veut tant nous secourir et nous procurer sa gloire. Lui-même a enduré le crucifiement par amour pour nous.

DE QUI VIENT LA MALADIE?

Quand une maladie se prolonge, que faire pour savoir si c'est une maladie voulue par Dieu, ou un esprit mauvais qui nous tient sous son emprise? Jésus a déjà chassé des esprits de malades.

* * *

Notre corps mortel est sujet aux maladies. Nous ne sommes pas immunisés contre les faiblesses inhérentes à notre vie terrestre. Dieu, sans les vouloir, permet ces souffrances humaines, ou toutes autres épreuves, pour notre plus grand bien. Saint Paul nous console par ces paroles: *«J'estime en effet que les souffrances du temps présent ne sont pas à comparer à la gloire qui doit se révéler en nous»* (Rm 8, 18).

Peu importe de savoir – et d'ailleurs, le pouvons-nous? – s'il y a une origine surnaturelle à telle ou telle souffrance. Le principal n'est-il pas d'offrir cette épreuve en union avec celles de Jésus à la façon de saint Paul: *«Je complète en ma chair ce qui manque aux épreuves du Christ pour son Corps, qui est l'Église»* (Col 1, 24).

Malade, consultez le médecin. Comme le dit la Bible: *«Au médecin rends les honneurs qui lui sont dus... Aie recours au médecin...»* (Si 38, 1.12).

En proie à la maladie, et en toute épreuve, priez. *«Quelqu'un parmi vous souffre-t-il? Qu'il prie»*, suggère saint Jacques (5, 13). Au Seigneur d'accorder, s'il le juge à propos, une guérison, une consolation, une force! En même temps, il interviendra en notre âme pour que soit chassée toute influence nocive, pour éloigner tout esprit mauvais...

COMMENT ACCEPTER UNE MALADIE DE LONGUE DURÉE?

Je viens d'avoir une grosse épreuve. Comment l'accepter? Une maladie de longue durée, c'est pire que la mort. Priez pour moi.

* * *

Dieu, certifie la Bible, est secourable en toute épreuve, que cette épreuve soit la maladie, la perte d'un être cher, l'échec du mariage, l'égarement d'un enfant, ou des pertes financières.

Cette épreuve peut sembler interminable, comme dans votre cas. Elle ronge les réserves de bonne volonté et d'énergie. Elle éprouve votre confiance en Dieu que vous suppliez jour après jour.

Je ne veux pas vous donner des conseils comme si j'étais plus fort que vous face à l'épreuve. Ne nous illusionnons pas quand tout marche à souhait. Notre force est dans notre foi au Seigneur. C'est en sa Providence que nous nous réfugions.

Quand surgit l'épreuve, quand la maladie devient lancinante et vous obsède nuit et jour, contemplez l'image de Marie, regardez le crucifix, répétez la prière de Jésus au Jardin de Gethsémani: «*Mon âme est triste à en mourir... Mon Père, s'il est possible, que cette coupe passe loin de moi! Cependant, non pas comme je veux, mais comme tu veux*» (Mt 26, 38-39). Que votre prière jaillisse de votre cœur. Votre prière sera peut-être un seul regard vers le Christ ou Marie.

Votre prière au sein de la maladie rend votre souffrance méritoire, elle devient source de progrès spirituel, elle alimente la croissance du Corps du Christ, l'Église (Col 1, 24). Le pape rappelle que la maladie et la souffrance peuvent devenir «*des moments privilégiés de croissance de la foi*». Aussi a-t-il institué en 1992 la Journée mondiale des malades à souligner chaque année, le 11 février.

Soyez «*constants dans la tribulation*», dit saint Paul (Rm 12, 12).

- XVI -

LA PRIÈRE

Pourquoi et comment prier,
le «Notre Père»,
les prières répétitives,
le jeûne

IL FAUT SAVOIR PRENDRE DU TEMPS AVEC JÉSUS

Parlez-nous de l'importance de laisser de côté les affaires (ex. l'argent, le travail) pour prendre du temps avec Jésus et nous rapprocher de lui.

* * *

«*Sapere ad sobrietatem*», «*Soyez sages... avec sobriété*». «*Qui fait l'ange fait la bête*». Rappelons-nous ces dictons afin d'éviter les excès.

C'est bien d'affirmer l'importance de laisser de côté les affaires (argent, travail, etc.) pour prendre du temps avec Jésus et nous rapprocher de lui. C'est vrai, c'est très vrai! Je ne saurais trop vous approuver. Dieu est souvent relégué aux oubliettes, mis sur les tablettes, négligé même par les chrétiens et chrétiennes que nous sommes. Nous *enciélons* Dieu après notre messe du dimanche. Nous devenons ensorcelés par les bagatelles de la vie, nous tombons dans un activisme qui nous plaît. Nous ne sommes pas mauvais, mais nos options préférentielles sont d'ordre matériel plutôt que spirituel. Dieu n'est plus premier servi.

Ce qui ne signifie pas que nous devrions négliger les nécessités de la vie, surtout notre devoir d'état et nos responsabilités parentales. Négliger nos obligations, ne pas prévoir l'avenir pour nous et les nôtres, n'est pas sagesse, mais imprévoyance. Je ne crois pas que ce soit la volonté du Seigneur.

Saint Paul disait aux chrétiens de Thessalonique: «*Si quelqu'un ne veut pas travailler, qu'il ne mange pas non plus*» (2 Th 3, 10).

Pourtant, après cette mise en garde, je me dis que vous avez raison, surtout en notre monde nerveux qui oublie Dieu si allègrement. Réservons-lui généreusement des moments d'arrêt chaque jour, surtout le dimanche qui lui est consacré, le jour du Seigneur, jour du repos et de la prière, spécialement celle de l'Eucharistie, avec toute la famille des enfants de Dieu groupés près de l'autel.

POURQUOI ET COMMENT PRIER?

J'aimerais comprendre pourquoi et comment nous devons prier le Seigneur, la Sainte-Vierge et les saints. Je suis peinée de ne pas savoir pourquoi et comment prier. Je suis certaine que d'autres sont comme moi.

* * *

Votre question me semble fondamentale. Elle paraîtra simpliste aux personnes qui prient comme naturellement, alors qu'ils saisissent la nécessité d'entrer en communication avec le Seigneur pour obtenir son aide.

La prière est un dialogue avec la Trinité, avec notre Père du ciel, le Seigneur Jésus et l'Esprit Saint, avec aussi la Vierge Marie et les amis de Dieu que sont les saints et les saintes. La prière doit jaillir d'un cœur humble, confiant et sincère. Elle doit être persévérante. Jésus n'a-t-il pas dit dans la Sainte-Écriture qu'il faut toujours prier sans jamais se décourager (Lc 1, 18)? Paul répète le même enseignement (Rm 12, 12).

Toute la Bible inculque la prière et fournit des exemples de prière, les psaumes surtout. Jésus enseigna à ses disciples comment prier (Mt 6, 5ss; Lc 11, 1ss). La prière, pour tout chrétien et chrétienne, accompagne l'action et la vivifie.

Le Christ lui-même nous donne l'exemple de la prière. Il passe des nuits à prier (Lc 6, 12). À tous les moments importants de sa vie, Jésus prie. Il prie dans le temple et dans la synagogue; il prie seul et avec ses disciples.

La prière est multiforme. Il y a la grande prière liturgique, celle de l'Église dans l'Office divin, les sacrements, l'Eucharistie surtout; il y a aussi la prière privée, individuelle ou communautaire.

Nous sommes des enfants de Dieu, mais faibles. Il nous faut obtenir l'aide du Seigneur. Aussi nous enjoint-il de prier: «*Demandez et l'on vous donnera*» (Mt 7, 7ss).

La prière est la respiration de l'âme, à l'église, à la maison, au travail. La prière nous permet d'adorer Dieu, de le louer, de le remercier, de lui demander pardon, d'obtenir son aide. Qui n'a pas besoin de la prière pour rendre un culte à Dieu et vivre de sa vie?

Nous nous tournons vers la Vierge Marie, vers sainte Anne, vers d'autres saints, pour qu'ils intercèdent pour nous, pour qu'ils joignent leurs supplications aux nôtres.

JE NE PRIE PEUT-ÊTRE PAS ASSEZ

Je vais à la messe tous les samedis soirs ou presque. Je participe au groupe de prière, mais, cet hiver, j'ai délaissé cela un peu; il y avait toujours une raison. Je voudrais me rapprocher de Dieu davantage. Que faire lorsque ça tire de tous les bords?

* * *

Il faut faire des choix, opter pour ce qui semble primordial. Plus que jamais, la vie trépidante vous présente différentes alternatives qui entravent l'emploi judicieux du temps.

Toujours il faudra respecter votre devoir d'état, votre présence auprès de votre conjoint ou conjointe, celle auprès de vos enfants.

Dieu, à travers vos activités, doit occuper la première place dans votre pensée et votre cœur. Réservez-lui de bons moments de prière chaque jour, des arrêts pour attiser la flamme de votre amour pour lui. Pendant le reste de la journée, jailliront vers lui les étincelles de ce feu allumé et entretenu en vous.

Qu'il y ait dans votre cœur, sinon dans votre maison, des katimaviks de silence et de prière.

Demeurez fidèle à la grande prière de l'Eucharistie le jour du Seigneur, que ce soit le samedi soir ou le dimanche. C'est la rencontre précieuse avec lui et avec toute l'Église, notre famille.

BEAUCOUP D'ACTIONS, PAS ASSEZ DE PRIÈRE

Un aspect est oublié dans notre monde de croyants: c'est la prière. Il y a beaucoup d'actions, presque trop d'organismes.

* * *

Vous avez raison d'insister sur la prière; nous ne pourrons revenir trop souvent sur sa nécessité vitale et primordiale. «*Si Yahvé ne bâtit la maison, en vain peinent les bâtisseurs*» (Ps 127, 1). Nous devons obtenir l'aide du Seigneur, il faut l'en prier. «*Demandez et l'on vous donnera*», dit Jésus (Mt 7, 7).

Ce qui n'exclut pas l'action ni les organismes. «*Ce n'est pas en me disant: ‹Seigneur, Seigneur›, qu'on entrera dans le Royaume des Cieux, mais c'est en faisant la volonté de mon Père qui est dans les cieux*» (Mt 7, 21). Il ne suffit pas de dire «*Seigneur*» si nos frères et sœurs sont dans le besoin, s'ils nous crient en vain leurs souffrances. Le Synode des Amériques insiste à bon droit sur la solidarité avec les pauvres et les pays du tiers-monde.

Mais, oui, je crois avec vous que la prière pourrait devenir davantage ingrédient nécessaire de notre vie, ferment de notre apostolat, âme de nos œuvres.

Je crois même qu'il devrait y avoir dans nos vies une prière gratuite, celle de l'adoration, de la contemplation et d'un amour silencieux.

J'AI DE LA DIFFICULTÉ À DIRE LE «NOTRE PÈRE», CAR J'AI DE LA HAINE

Vers la fin, on dit: «Pardonne-nous nos péchés, comme nous pardonnons à ceux qui nous ont offensés...»

Depuis trois ans, des compagnons de travail m'ont attaqué par des accusations. Depuis ce temps, j'entretiens une haine envers ces gens.

Suis-je normal? Suis-je méchant? Dieu me pardonne-t-il?

* * *

La volonté du Seigneur est manifeste. Vous voulez l'observer, mais la récitation du Notre Père n'en demeure pas moins pénible. Elle vous trouble, car votre cœur est encore blessé; cette blessure n'est pas encore cicatrisée et saigne toujours.

Il y a de ces meurtrissures qui ne guérissent pas vite; il faut patienter et espérer. Les mauvais propos de vos compagnons de travail retentissent encore à vos oreilles; leurs calomnies ont détruit votre bonne réputation.

Dans la prière, et face au crucifix, dépassez vos sentiments et vos émotions pour faire appel à votre foi. Vous le pouvez. Le regard sur le Christ en croix, vous vous rappellerez les paroles de Jésus: «*Père, pardonne-leur: ils ne savent ce qu'ils font*» (Lc 23, 34). Graduellement, la paix gagnera du terrain en vous. Le soleil repoussera l'ombre.

Le pardon de votre volonté est plus profond que la souffrance de votre mémoire. Le pardon de votre volonté dépend de vous et de votre foi; la souffrance de votre mémoire ne dépend pas de vous, sinon indirectement. Croyez en la guérison, même si elle prend du temps.

Redites le Notre Père, même si les sentiments ne semblent pas correspondre aux paroles que vous prononcez dans votre cœur. Peu à peu, votre pardon glissera plus aisément sur le terrain cahoteux de vos peines.

FAUT-IL PRIER DANS SA CHAMBRE OU À DEUX?

*Jésus nous dit: «**Pour toi, quand tu pries, retire-toi dans ta chambre, ferme sur toi la porte, et prie ton Père qui est là, dans le secret; et ton Père, qui voit dans le secret, te le rendra**» (Mt 6, 6). Dans un autre endroit de l'Écriture Sainte, parlant toujours de la prière, Jésus dit: «**Que deux ou trois, en effet, soient réunis en mon nom, je suis là au milieu d'eux**» (Mt 18, 20). N'y a-t-il pas contradiction? Beaucoup se posent cette question. J'aimerais de vous une réponse claire.*

* * *

Il n'y a pas contradiction; il y a complémentarité. Chaque passage de la Bible doit se comprendre à la lumière du contexte, selon l'éclairage de toute la Parole.

En tel endroit, Jésus s'oppose aux pharisiens hypocrites et ne veut pas que l'on joue au trompe-l'œil; il insiste sur l'humilité de la prière que Dieu écoute même dans l'intimité de notre chambre (Mt 6, 6). En tel autre endroit, le Seigneur souligne l'importance de l'harmonie fraternelle et apostolique; il affirme sa présence quand deux ou trois sont réunis en son nom (Mt 18, 20).

La prière est multiforme. La Parole de Dieu abonde en textes qui traitent de la prière, du dialogue avec Dieu. L'Écriture Sainte suggère la prière de bénédiction et de louange, la prière d'intercession, la prière de confession, la prière de supplication, la prière d'action de grâces. Jésus a enseigné la prière par l'exemple et la parole. Il a prié, seul, dans la montagne; il a prié avec ses apôtres; il se rendait à la synagogue le jour du Sabbat, *«selon sa coutume»* (Lc 4, 16); il se joignait au peuple pèlerin et le rejoignait au temple.

Jésus a mis en relief la prière humble, confiante et persévérante. Il a loué la prière du publicain, celle de la cananéenne, celle aussi de l'ami importun.

Il a voulu que notre prière ne cesse pas.

Il a enseigné la prière des enfants de Dieu, celle du Notre Père.

Il nous a laissé la prière liturgique, la grande prière de l'Église, celle surtout qui est par excellence la source et le sommet de notre vie chrétienne, l'Eucharistie, la messe, la Fraction du Pain.

La prière a des effets bénéfiques, même au point de vue santé comme le signalait le magazine américain *Time*; elle agit positivement sur l'adrénaline et sur les hormones du stress. Nous savons, nous qui avons la foi, qu'elle fait mieux encore: elle nous fait rendre nos hommages au Seigneur; elle nous obtient ses bienfaits, surtout spirituels.

JE N'AIME PAS LES PRIÈRES RÉPÉTITIVES

J'ai beaucoup de difficultés à prier avec des prières répétitives, comme le Je vous salue, Marie. Les textes de Jules Beaulac m'inspirent autant, sinon plus. Suis-je bien ou est-ce que j'ignore les bienfaits du chapelet?

* * *

Je respecte votre façon de prier; elle plaît au Seigneur. Il ne s'agit pas de mépriser diverses possibilités de prière. L'évangile nous présente Jésus priant dans le temple, dans la synagogue, à l'écart, dans la montagne, avec ses disciples...

Mais chacun et chacune peuvent trouver l'approche qui lui convient le mieux. La vie évolue. Un jour, nous modifions notre prière. Nous découvrons un autre rythme spirituel. Soyons dociles entre les mains de l'Esprit.

Pour le moment, des textes méditatifs et variés nourrissent vos oraisons. Tant mieux! Les prières répétitives vous plaisent moins.

Jésus dit: «*Dans vos prières, ne rabâchez pas comme les païens: ils s'imaginent qu'en parlant beaucoup ils se feront mieux écouter. N'allez pas faire comme eux; car votre Père sait bien ce qu'il vous faut, avant que vous le lui demandiez*» (Mt 6, 7-8).

Le Seigneur ne veut pas seulement le remuement des lèvres et des prières répétitives plus ou moins distraites. Il veut que le cœur prie.

Il n'en demeure pas moins que lui répéter nos nécessités d'enfant le touchent, que lui redire sans cesse notre amour lui plaît. L'Ave Maria est cette prière que nous égrenons sur le chapelet pour redire à Marie notre confiance et notre amour, pour lui souligner nos demandes.

«*Je vous salue, Marie...*» Un amoureux se fatigue-t-il de soupirer à l'être aimé: «*Je t'aime! Je t'aime!*»

«*Prie pour nous, maintenant et à l'heure de notre mort...*» N'est-ce pas là une demande vitale, essentielle, le désir fondamental d'être secouru, maintenant et quand viendra l'heure finale?

La répétition de la prière n'est pas nécessairement routine. C'est ainsi que l'ont compris les saints, les papes, les amoureux de Jésus et de Marie. Aussi recommandent-ils de leurs paroles et de leur exemple la récitation quotidienne du chapelet.

EN QUOI CONSISTE LE JEÛNE?

* * *

Nous sommes tous tenus de faire pénitence, chacun à sa façon. *«Sont liés par la loi du jeûne tous les fidèles majeurs jusqu'à la soixantième année commencée»* (Can. 1249; 1252).

«Le jeûne», dit le pape, *«comporte une sobriété spéciale dans la prise de nourriture, étant saufs les besoins de notre organisme. Il s'agit d'une forme traditionnelle de pénitence qui n'a rien perdu de sa signification... Le jeûne pénitentiel est très différent des diètes thérapeutiques. On peut y voir comme une thérapie de l'âme. En effet, pratiqué en signe de conversion, il facilite l'effort intérieur pour se mettre à l'écoute de Dieu... L'effort de modération dans la nourriture s'étend aussi à d'autres choses... Sobriété, recueillement et prière vont de pair»* (10 mars 1996).

Rappelons-nous le but du jeûne, pratique séculaire dans l'Église: mortifier nos tendances mauvaises, expier nos fautes, plaire à Dieu. Le jeûne libère l'âme; il nous détache de tout ce qui n'est pas Dieu.

L'Ancien Testament invitait souvent au jeûne le peuple choisi. La situation n'évolua pas avec la venue de Jésus qui, lui-même, jeûna quarante jours au désert (Mt 4, 2). Le jeûne demeure une démarche de foi et de pénitence qui plaît à Dieu. Pourvu que tout se passe dans l'humilité, le regret des péchés et un désir d'aimer le Seigneur. Prière, jeûne et charité sont inséparables.

Le jeûne peut fort bien s'étendre à une restriction dans l'usage de la boisson alcoolisée, de la cigarette et des gâteries de la vie.

Jean-Paul II précisait qu'un jeûne opportun consiste dans l'usage modéré des moyens de communication. Il déclarait: *«Ils ont une utilité indiscutable mais ils ne doivent pas devenir les ‹maîtres› de notre vie. Dans combien de familles le téléviseur semble remplacer le dialogue. Un certain ‹jeûne›, dans ce domaine aussi, peut être salutaire, soit pour consacrer davantage de temps à la réflexion et à la prière, soit pour cultiver les rapports humains».*

La télévision et l'internet sur ordinateur peuvent diffuser la pornographie et la violence; les parents doivent protéger et éduquer leurs enfants; ils utiliseront des logiciels de filtrage. Ils s'abstiendront eux-mêmes d'un usage immodéré de l'audio-visuel et choisiront des divertissements appropriés.

Ce qui compte plus que le jeûne de nourriture et de boisson, c'est le jeûne du cœur. Aussi, le Seigneur nous dit-il: «*Déchirez votre cœur, et non vos vêtements*» (Jl 2, 13). Que notre pénitence, avant d'être extérieure, soit intérieure.

- XVII -

LES CHARISMES, etc.

Le Renouveau charismatique,
la prière charismatique,
les dons,
la Bénédiction de Toronto,
la guérison,
l'imposition des mains

QUE PENSER DU RENOUVEAU CHARISMATIQUE?

Il y a des prêtres et des religieux qui étouffent le «charisma-tique».

* * *

Le mot «*étouffer*» est peut-être un peu fort, du moins il n'est pas de mise en tous les cas. La réticence de certains prêtres face au Renouveau charismatique ne va pas jusqu'à l'étranglement... Il est vrai que beaucoup sont allergiques à ce renouveau.

Pourquoi? Ils y voient uniquement l'élément culturel qui entoure l'ouverture à l'Esprit Saint. Ils ne sont conscients que de certains charismes d'allure plus sensationnelle. Ils n'écoutent que des clameurs de guérisons spectaculaires. Pour dire vrai, ils ne discernent pas toujours entre ce qui est le propre d'un individu ou d'un groupe dont la doctrine est parfois embryonnaire et cette merveilleuse intervention de l'Esprit pour rénover l'Église et lui insuffler une vie nouvelle.

Les charismes font-ils peur? Pourtant, ne les trouve-t-on pas bien énumérés, du moins certains d'entre eux, dans l'Écriture Sainte, dans la Parole inspirée? À la base de notre foi, n'y a-t-il pas la croyance en la Trinité, et donc en l'Esprit qui sanctifie et nous meut de ses dons spirituels?

Ne serait-il pas sage d'adhérer à la prise de position des papes Paul VI et Jean-Paul II, à celle aussi de tant de nos pasteurs? Pour eux, à bon droit, ils voient dans le Renouveau charismatique une «*chance*» pour l'Église. Tant de chrétiens et de chrétiennes sont demeurés fidèles à l'Église catholique, lui sont revenus, grâce à ce renouveau dans l'Esprit! Tant de catholiques sont devenus enthousiastes dans leur foi, ont réanimé la vie liturgique et sacramentelle, sont devenus évangélisateurs, contagieux de la Bonne Nouvelle, en adhérant au Renouveau charismatique!

La plupart d'entre eux, malgré leur joie, évitent une attitude de chrétiens et de chrétiennes de première classe, une certaine condescendance vis-à-vis ceux et celles qui n'adoptent pas leur façon de penser et d'agir.

Car il y a moyen de se sanctifier, de s'ouvrir à l'Esprit et à ses dons, sans pour autant faire partie du Renouveau charismatique. Le Seigneur nous comble de grâces multiples et diversifiées.

Néammoins, je crois que c'est une faveur insigne d'appartenir au Renouveau charismatique, pourvu que ce soit dans l'humilité et une véritable ouverture à l'Esprit.

Je résume... Le Renouveau charismatique a ramené au Seigneur bien des chrétiens égarés ou attiédis; il a revigoré les faibles et soutenu les forts. Il a procuré la gloire de Dieu, ranimé la vie liturgique et ecclésiale, créé des communautés chaleureuses, fraternelles et joyeuses. Ne sont-ce pas là de bons fruits?

Y A-T-IL AVANTAGE À RECONNAÎTRE NOS CHARISMES?

* * *

Si c'est pour nous en glorifier, certes non. La reconnaissance de nos charismes ne doit pas aboutir à un orgueil stupide. Les charismes ne sont pas des bijoux à porter avec vanité, mais des talents à utiliser pour servir le prochain et l'Église.

Si c'est pour mieux les utiliser, oui, bien sûr! Pour mieux les discerner, il nous faut souvent l'opinion de personnes avisées. Ce sont les autres qui découvrent le mieux quels sont nos charismes. L'illusion n'est pas rare, surtout pour certains charismes d'allure plus sensationnelle, aussi pour certains phénomènes qui peuvent les accompagner.

Des charismes, nous en avons tous: charismes de sagesse, de science, de foi, de guérisons, de miracles, de prophétie, de discernement des esprits, de langues, d'interprétation, selon une liste de saint Paul qui n'est pas exhaustive (I Co 12, 4-11).

À nous de perfectionner nos charismes, ...en les utilisant. À nous d'aspirer aux charismes supérieurs, comme l'écrit saint Paul (I Co 12, 31). Les charismes supérieurs sont ceux qui servent davantage au bien de nos frères et sœurs, qui construisent fortement l'Église du Christ.

Par-dessus tout, rappelons-nous le grand chemin de l'amour, la voie de la charité (I Co 13, 1ss).

Y A-T-IL UNE MARCHE À SUIVRE POUR UNE RÉUNION DE PRIÈRE CHARISMATIQUE?

* * *

Sœur Jeanne-Mance Rousseau, dans Selon sa Parole, répond à cette question.

Une réunion charismatique, écrit-elle, groupe des personnes *«qui viennent prier spontanément, à partir de la Parole de Dieu, se laissant conduire par l'Esprit Saint... Il n'existe pas de prototype de la réunion de prière charismatique... La prière de l'assemblée s'édifie autour de la Parole avec les différents modes d'expression que sont le chant, la musique, la parole prophétique, le chant en langues, etc. Seul le feu de l'Esprit peut allumer la flamme de la prière charismatique».*

La prière est précédée de l'accueil chaleureux et fraternel de nos sœurs et frères, quels qu'ils soient, surtout des nouveaux venus. Qu'il y ait union des cœurs; nous sommes tous les humbles enfants du bon Dieu. Au début de la réunion, la personne qui anime souhaite la bienvenue, invite à la prière à laquelle disposent musique et chants. Qu'il y ait souplesse à l'Esprit, spontanéité, et bon ordre comme le veut saint Paul.

Écoutons l'Apôtre: *«Lorsque vous vous assemblez, chacun peut avoir un cantique, un enseignement, une révélation, un discours en langue, une interprétation. Que tout se passe de manière à édifier... Aspirez au don de prophétie, et n'empêchez pas de parler en langues. Mais que tout se passe dignement et dans l'ordre»* (I Co 14, 26. 39-40).

J'AI HÂTE DE RECEVOIR LE DON DE GUÉRISON ET DES LANGUES

Quand quelqu'un peut-il recevoir le don de guérison, celui des langues et tant d'autres dons? J'ai hâte de les avoir.

* * *

Un don demeure un don, quelque chose de gratuit, non la réponse à un droit. Le don de guérison et celui des langues viennent du divin Donateur toujours libre dans ses gestes de libéralité. Nous ne pouvons exiger de lui tel ou tel don. D'ailleurs, il sait mieux que nous ce dont nous avons besoin. Ne lui forçons pas la main.

Les dons de guérison, des langues, etc., les phénomènes spirituels aussi, peuvent s'accompagner de l'orgueil le plus dangereux parce que le plus subtil, l'orgueil spirituel. Aussi faut-il les demander dans une grande soumission au Seigneur.

La vénérable Marie-Céleste Crostarosa, cette grande mystique du 18e siècle, fondatrice des Moniales rédemptoristines, reçut ce message du Seigneur: «*Sache, ma fille, que, dans le monde, il y a beaucoup d'âmes qui me sont chères et fidèles, et auxquelles je n'ai pas conféré ces faveurs et ces dons surnaturels... J'aime plus une once d'amour pur dans une âme que toutes les grâces extraordinaires dont elle pourrait être ornée. Ces faveurs, je les aime sans doute comme des richesses dans les âmes... Mais de celles à qui je n'ai pas accordé ces faveurs et qui m'aiment de cœur, je reçois autant de gloire... Aussi, au ciel les âmes seront glorifiées selon la mesure de leur amour et non de ces dons... Dans mon royaume, beaucoup d'âmes, qui ont marché dans les voies ordinaires, auront une place plus élevée que celles favorisées de dons surnaturels rares*».

Si nous croyons que tel don puisse nous être particulièrement utile, nous pouvons bien humblement le demander dans la prière. Il ne faut pas hésiter.

QU'EST-CE QUE LE DON DES LARMES?

Je suis souvent émue quand je suis à l'église; parfois, les larmes me viennent aux yeux. Je ne suis pas triste, au contraire. J'ai un grand désir d'aimer et de servir Dieu. J'ai grandi dans le Renouveau charismatique. Serait-ce le don des larmes? C'est quoi au juste ce don? Quelle est sa raison d'être? Comment discerner le don des larmes?

* * *

Le missel d'autrefois comprenait une oraison pour obtenir le don des larmes, un don de commisération, un don de compassion, un don de gratitude pour tant de bonté de la part du Seigneur.

Votre émotion à l'église et vos larmes ne sont pas une simple tristesse naturelle; elles s'accompagnent d'un grand désir d'aimer et de servir Dieu. Je conclus qu'il se peut fort bien que ce soit un don du Seigneur, le don des larmes comme vous le dites, et auquel croit l'Église.

Si cette émotivité s'accompagnait d'une recherche plus ou moins consciente d'attention, et non d'un désir de mieux aimer le Seigneur et le prochain, j'éprouverais des doutes quant à son origine. Tout pourrait venir d'un simple attendrissement naturel, fréquent chez certaines personnes.

Le don des larmes, lorsqu'il est authentique, porte à mieux aimer le Seigneur, à l'aimer avec plus de délicatesse; un tel amour dispose au service du prochain. Le don des larmes, comme tout don, est un don destiné à accroître l'amour.

QUE PENSER DE LA BÉNÉDICTION DE TORONTO?

Que pensez-vous de Vineyard et de la bénédiction de Toronto?

Y a-t-il de bons critères pour reconnaître l'action de l'Esprit Saint? La bénédiction de Toronto est-elle une singerie de l'Esprit Saint?

* * *

Les opinions divergent au sujet de l'expérience religieuse qui se vit près de l'aéroport Lester B. Pearson, à Toronto. Certains affichent un enthousiasme sans réserves: ce qui s'y passe serait l'œuvre authentique de l'Esprit Saint. D'autres, sceptiques, s'y opposent avec non moins d'ardeur: ce qui s'y déroule ne serait qu'une parodie de l'action de l'Esprit. Enfin, plusieurs refusent une approche qui leur semblerait simpliste et ils nuancent leur appréciation; sans se faire les protagonistes des activités appelées la *Bénédiction de Toronto (Toronto Blessing)*, ils demeurent attentifs au souffle imprévisible du Seigneur. Saurons-nous un jour avec certitude quelle est l'origine de tels événements?

Qu'est-ce donc que la *Bénédiction de Toronto*?

Un jour, le 20 janvier 1994, John Arnott, pasteur d'une petite paroisse évangélique de Toronto, *Toronto Airport Vineyard*, invite un évangéliste américain à venir prêcher. Disons qu'il existe quelques centaines d'églises Vineyard aux États-Unis. Voilà qu'à Toronto, lors de la venue de l'évangéliste américain, d'étonnants phénomènes surviennent; ils sont vite considérés comme un puissant mouvement nouveau de l'Esprit Saint. Non seulement se manifestent le repos dans l'Esprit, le chant en langues, les pleurs et la joie, mais aussi des phénomènes inédits: rires prolongés incontrôlables, mouvements corporels saccadés, cris d'animaux... À travers cette liberté d'expression déroutante que plusieurs considèrent comme souplesse entre les mains de l'Esprit, nombreux ceux qui se tournent vers Jésus dans un renouveau de ferveur. Est-ce vraiment dans la lignée du Renouveau charismatique, s'agit-il d'un renouveau du Renouveau?

Le saint rire – serait-ce là l'ivresse spirituelle dont furent remplis les apôtres le jour de la Pentecôte (Ac 2, 13-15)? Il y a aussi les mouvements brusques, les secousses et les tremblements; ils caractérisent extérieurement l'action supposée de l'Esprit en ce hangar qu'utilise la paroisse évangélique pour accommoder la foule grandissante. Car la foule accourt en grand nombre pour participer aux réunions de prière chaque soir et même durant la journée pour s'enrichir de ministères et d'évangélisation. Les gens viennent de partout, de lointains pays. Parmi eux, se trouvent un bon nombre de catholiques et beaucoup de jeunes.

La question se pose: ce renouveau et ces phénomènes sont-ils vraiment d'origine surnaturelle? S'agit-il d'un souffle nouveau, d'une attente joyeuse du Seigneur? La controverse continue...

En ce cas, et en d'autres analogues, il importera toujours de discerner l'action de l'Esprit sans l'étouffer. *« Vérifiez tout: ce qui est bon, retenez-le»* (I Th 5, 21). Il faut discerner, car l'Esprit Saint ne condamne pas l'usage de l'intelligence, don du Seigneur. L'abus est possible des deux côtés, dans l'intellectualisme qui se moque du surnaturel et des *signes* que Dieu nous donne sans cesse, dans le fidéisme qui rejette les données de la foi, l'Écriture, la Tradition, le Magistère.

L'histoire fait mention de semblables renouveaux, de réveils religieux, de *revivals*: Quakers, Shakers, Jumpers, Rollers..., dont la force chrétienne n'était pas les manifestations extérieures, mais un ressourcement spirituel.

Il faudra juger selon les critères traditionnels, apprécier l'arbre selon ses fruits, des fruits durables, des fruits de sainteté, et non de simples expériences extérieures d'ailleurs fort ambiguës. Ce qui se produit est-il l'œuvre de l'Esprit, du Malin ou de l'humain? Ne classifions pas trop vite. Il peut y avoir diverses influences simultanées. Il y a là des gens qui prient le Seigneur Jésus, qui s'ouvrent à l'Esprit, et je m'en réjouis. Mais il y a aussi une préparation des esprits par une musique de plus en plus envoûtante, une musique rock qui peut jouer le rôle d'un stimulant à des réactions émotives. Certains semblent revenir sans cesse à de tels stimulants, vouloir éprouver des émotions fortes, se gaver d'expériences et de phénomènes; est-ce le chemin vers les sommets? Sommes-nous dupes de vagues d'énergie, d'un certain magnétisme? S'agit-il de dons charismatiques?

Une visite en un tel endroit doit s'accomplir dans le respect. Dieu agit de multiples façons. Il faut beaucoup de prudence pour discerner et retenir ce qui est bon. L'Esprit Saint a des approches déroutantes parfois pour nos raisonnements humains. Gardons l'humilité qui préserve de jugements primesautiers. Évitons par ailleurs de semer la confusion dans les esprits. Un bien apparent qui en fascine plusieurs peut aussi avoir comme conséquence de diviser les esprits.

Il faut que la semence pousse pour pouvoir mieux l'identifier. Vouloir enlever l'ivraie prématurément risque de détruire le bon grain. Il est vrai que l'humain se mêle au divin en beaucoup d'expériences religieuses. Si certains sont repoussés par une culture qui n'est pas la leur, d'autres peuvent faire une rencontre du Seigneur qui transforme leur vie.

Il ne faut pas pour autant devenir crédules à l'excès. Certains crieront: «*Voici: le Christ est ici!, Voici: il est là, n'en croyez rien*», dit Jésus (Mc 13, 21). Dans cette paroisse de Toronto où se passent des événements hors de l'ordinaire, où se fait l'appel au repentir et au salut en Jésus Christ, nous, catholiques, pouvons apprécier l'accent mis sur le Christ Jésus, mais déplorer l'absence de nos grandes richesses d'Église: l'absence de pasteurs successeurs des apôtres à qui il appartient de discerner, l'absence des sacrements qui font vivre et sanctifient, l'absence de l'Eucharistie, de la dévotion mariale, etc. L'Esprit Saint nous ont donné; l'Église aussi

Y met-on suffisamment le souci de la croix à porter à la suite du Christ, celui d'un engagement au service de nos frères et sœurs, et pas seulement d'une expérience personnelle? L'expérience sera-t-elle suivie d'un lendemain de croissance spirituelle? L'évangélisme fera-t-il place à l'évangélisation? Dans une croissance continue de l'amour de Dieu et du prochain?

Plusieurs leaders du Renouveau charismatique croient à l'origine surnaturelle de la Bénédiction de Toronto: ils y voient manifestés, sans respect humain, un plus grand attachement au Seigneur Jésus, le goût de la Parole, la joie de le suivre, une source de guérisons spirituelles; tous, cependant, ne sont pas convaincus. Certains n'y voient qu'une aberration, un manque de dignité humaine, une hystérie collective encouragée par les responsables locaux qui suggèrent de se laisser-aller dans un certain dramatisme; pour eux, c'est un cirque.

L'attrait vers la Bénédiction de Toronto diminue... D'autres phénomènes surgiront... Quoi qu'il en soit de l'avenir, n'oublions pas que la vie de disciple du Christ ne consiste pas en l'expérience de phénomènes, mais dans une montée pascale avec lui. Cependant, le Seigneur peut attirer à lui par des phénomènes extraordinaires et des manifestations sensibles. Il nous restera ensuite de cheminer dans le discernement, avec l'aide de l'Église.

Donc une ouverture prudente, mais aussi de sérieuses réserves.

«ILS FURENT TOUS GUÉRIS»

Que penser de cette parole de Dieu: «Ils furent tous guéris» (Mt 15, 29-31)?

* * *

C'est ainsi qu'est décrit l'apostolat de Jésus. Cette affirmation, nous la trouvons aussi en Matthieu, 4, 23; 12, 15... Jésus proclame la Bonne Nouvelle, guérit et chasse les démons. Il annonce ainsi la venue de son Règne. Témoin de ces prodiges, la foule se tourne vers lui et acclame Dieu: *«ils rendirent gloire au Dieu d'Israël»* (Mt 15, 31).

Il ne faudrait pas conclure que le Seigneur Jésus soit venu supprimer toute affliction de la terre. Lui-même s'est chargé de la croix et atroce fut sa peine en voyant souffrir sa propre Mère.

Certains chrétiens croient la guérison automatique s'ils la demandent dans la prière. S'ils ne sont pas exaucés, ils rejettent Dieu ou se croient indignes d'être exaucés. Que notre disposition fondamentale soit toujours celle de la soumission à la volonté de Dieu, à sa sagesse et à son amour. Faisons nôtre la supplication du Seigneur en proie à l'agonie: *«Mon Père, si cette coupe (cette souffrance) ne peut passer sans que je la boive, que ta volonté soit faite»* (Mt 26, 42).

Jésus guérissait et continue de guérir. Nous pouvons le prier, mais demeurons dociles à accomplir sa volonté. La terre n'est pas le ciel. La guérison principale est celle de notre cœur. La guérison définitive s'accomplira lors de notre passage de cette vie souffrante à la Vie de gloire éternelle.

L'IMPOSITION DES MAINS

Des gens s'évanouissent lors de l'imposition des mains. Quels sont les mérites de l'imposition des mains? Pourquoi des personnes s'évanouissent-elles alors que d'autres ne sont pas affectées? Ne peut-on comparer cela à de l'hypnotisme qui doit être rejeté?

* * *

La Bible nous parle de l'imposition des mains (He 6, 2). Ce geste, posé dans la foi et accompli comme une prière, sert de bénédiction (Dt 34, 9).

L'imposition des mains est aussi un geste de réconfort et une action de guérison. Nous voyons le Seigneur Jésus imposer les mains pour guérir les malades. Les Apôtres font de même (Mt 8, 3. 15; 9, 18; 19, 13; Lc 4, 40; Ac 28, 8; etc.).

Ils utilisent l'imposition des mains pour transmettre le ministère apostolique aux futurs pasteurs, aux diacres aussi (Ac 6, 6). De même fait-on usage de l'imposition des mains pour l'envoi en mission (Ac 13, 3), pour obtenir l'effusion de l'Esprit Saint (Ac 8, 17; 19, 6). Je ne fais que citer quelques passages bibliques.

Aujourd'hui, l'évêque impose les mains aux ordinands, aux futurs prêtres et diacres. Le prêtre impose les mains pour bénir, que ce soit pendant l'Eucharistie, au moment du baptême, en d'autres circonstances.

Au cours des réunions de prière charismatique, le rite de l'imposition des mains est souvent utilisé comme une prière, selon la pratique de l'Écriture Sainte et la Tradition de l'Église, soit pour bénir, soit pour guérir, soit pour susciter l'effusion de l'Esprit.

Il arrive que certaines personnes éprouvent alors le repos dans l'Esprit. S'il est authentique, ce repos dans l'Esprit procure une paix profonde, un amour plus grand pour le Seigneur, parfois même la guérison, sinon physique, du moins spirituelle. Ce n'est pas là de l'hypnotisme, du moins pas au cours d'une véritable réunion de prière. En certains cas, il est évident que certaines gens sont plus sensibles, sinon plus fragiles.

D'autres se font imposer les mains sans tomber à la renverse et sans goûter au repos dans l'Esprit. Que ces personnes n'éprouvent aucune réaction physique visible ne signifie pas qu'elles ne reçoivent pas l'aide de l'Esprit Saint. Le Seigneur agit comme bon lui semble. La réaction physique peut parfois tromper sur la profondeur de la rencontre avec le Seigneur. Ce qui compte pour Dieu, c'est l'ouverture à la grâce, c'est la docilité à son action.

JE PORTE UNE SOUFFRANCE PHYSIQUE POUR QUELQU'UN ALORS QUE J'INTERCÈDE POUR LUI

De quelle façon dois-je alors prier?

* * *

Si je comprends bien, vous éprouvez une souffrance physique alors que vous priez sur quelqu'un. Cette souffrance ressemble à la souffrance de cette personne pour qui vous intercédez.

C'est là un phénomène ressenti assez souvent. Est-il toujours authentique ou le résultat de l'imagination, je ne sais. Quoi qu'il en soit, rien n'empêche qu'il inspire votre prière.

Mais que cette prière ne s'y limite pas. Ne vous enfermez pas dans un problème, ne vous confinez pas à telle épreuve, ne vous laissez pas hypnotiser par telle souffrance. Votre prière doit rejoindre toute cette personne pour qu'elle soit bénite de Dieu, envahie par son Esprit et connaisse non seulement un mieux-être corporel, mais aussi une croissance dans l'amour, un progrès spirituel. N'oubliez jamais l'essentiel.

Il sera toujours possible de dépasser cet aspect particulier d'une prière pour telle guérison physique et de vous élever à des intentions spirituelles. Suggérez l'acceptation de la volonté de Dieu, élargissez la prière personnelle aux besoins de l'Église et du monde.

Comme fit le Christ! Du haut de la croix, il a dépassé sa douleur, il s'est soucié du bon larron, de sa mère, il a pardonné à ses bourreaux.

Il ne s'agit pas de négliger les besoins concrets de celui ou de celle qui est là, en attente, dans la douleur et l'angoisse. Mais il ne faut pas non plus séquestrer la personne dans la prison de ses soucis et de son mal, sans lui montrer la porte qui libère, sans l'ouvrir aux dimensions de l'amour.

- XVIII -

LES PHÉNOMÈNES

Les phénomènes extraordinaires,
leur discernement,
les stigmates,
Vassula Ryden,
l'odeur de parfums

QUE PENSER DES PHÉNOMÈNES EXTRAORDINAIRES?

* * *

Qu'entendez-vous par phénomènes extraordinaires? Une vision, une apparition, un bruit insolite, une chaleur ressentie, une lumière inexplicable?

Il existe des phénomènes extraordinaires, mais discernons. Ne tombons pas dans la crédulité; ne nous laissons pas berner.

L'Église croit à la possibilité de phénomènes extraordinaires. Mais il faut *«discerner les esprits»*. Les phénomènes sont-ils d'origine divine, satanique ou simplement humaine? Avant de leur attribuer une origine surnaturelle, voyons s'ils n'ont pas une source tout simplement humaine. Beaucoup de personnes sont jouets de leur imagination et de leur subconscient, sensibles aux émotions, peut-être victimes de névrose sinon de psychose. Quel est leur équilibre psychique? L'imagination peut devenir enfiévrée et s'illusionner.

Il y a souvent impossibilité physique de connaître l'origine ou l'authenticité de tel ou tel phénomène. Jugeons par les fruits qui en résultent.

Quand une personne me parle d'un phénomène extraordinaire que je ne puis vérifier, je ne nie pas la possibilité d'un tel phénomène. Je ne manifeste pas, non plus, un vif intérêt qui pourrait pousser la personne à grossir l'importance du prétendu phénomène. J'invite à ne pas attacher trop d'importance à ce phénomène, car notre vie chrétienne n'est pas faite de tels phénomènes; elle se base plutôt sur la foi. Je lui demande, ordinairement, de ne pas en parler. Je l'invite à profiter de ce phénomène, s'il la porte à mieux aimer Dieu et le prochain. Si ce phénomène la trouble, qu'elle l'oublie; le trouble ne vient pas de Dieu. Si elle cherche une explication, je lui conseille de demeurer en paix; s'il y a une explication à recevoir, Dieu y verra.

Face aux phénomènes, l'Église fait preuve de prudence et de sagesse.

COMMENT DISCERNER
LES PHÉNOMÈNES MYSTIQUES?

Dans le cas de phénomènes mystiques, comment discerner l'action de Dieu?

* * *

Ce n'est pas toujours facile; ce n'est pas toujours nécessaire.

Bien qu'ils soient authentiques, les phénomènes peuvent détacher de l'essentiel et ralentir la vraie marche vers Dieu. Trop s'y laissent prendre, hypnotisés par ces expériences. Certains guides spirituels identifient trop rapidement phénomènes mystiques et vie mystique.

L'Église, dans son expérience et sa sagesse, ne se prononce pas à la légère et de façon rapide, ce qui crée un sentiment d'impatience chez certains chrétiens. La vie pseudo-mystique peut ressembler étrangement à la vie mystique. Une mince faille dans la doctrine ou l'édifice spirituel de telle personne, de tel groupe, n'est parfois discernable que par des yeux avertis. La faille devient fissure et l'édifice lézardé finit par s'écrouler.

Je profite de votre question pour glisser cette recommandation. Prenons garde à ceux qui voudraient nous entraîner loin de l'Église, en toutes sortes de direction, sous prétexte qu'ils ont reçu une illumination particulière. «*Si quelqu'un vous dit: ‹Voici : le Christ est ici!›, ‹Voici: il est là!›, n'en croyez rien. Il surgira, en effet, des faux Christs et des faux prophètes qui opéreront des signes et des prodiges pour abuser, s'il était possible, les élus*» (Mc 13, 21-22).

Comment discerner l'action de Dieu? Comme disait Jean Guitton, il sera parfois, souvent même, impossible d'identifier avec certitude l'origine de tel ou tel phénomène, de telle ou telle vision. Cependant, les critères de discernement, même s'ils ne sont pas toujours facilement vérifiables, existent.

Il y a d'abord celui de la vraie charité. Un vrai phénomème mystique ne doit pas nuire à la vraie charité, mais doit porter l'âme à grandir en amour de Dieu et du prochain.

Tout phénomène mystique qui contredirait l'enseignement du Christ et de l'Église serait à remiser dans l'oubli. Tout ce qui serait excessif, ridicule et inconvenant, ne serait pas d'origine divine, soutient saint François de Sales, le saint de la sagesse aimable et souriante dans la vie dévote. Le Malin a de ces déséquilibres...

Ce phénomène mystique porte-t-il de bons fruits? Incline-t-il la personne qui en jouit à une meilleure vie chrétienne, pétrie de charité?

Prenons garde aux fruits spontanés qui pourrissent tôt. Ces fruits apparents sont aisément trompeurs. Les bons fruits, critères de notre jugement, ne mûrissent pas sous la poussée d'un moment. Le discernement peut prendre un certain temps.

Enfin, le phénomène mystique produit-il le fruit de l'Esprit dont parle saint Paul aux Galates, la charité, la joie, la paix, la longanimité, la serviabilité... (Ga 5, 22)? Ce fruit peut s'accompagner de répugnance et de souffrances.

RÊVER DE CONTEMPLATION

Que penser des rêves où on se voit en contemplation ou en train de prier?

* * *

Que votre rêve se transforme en réalité!

La prière joue un rôle tellement important dans notre vie, humaine et chrétienne.

La contemplation est facilement oubliée. On lui substitue l'action, une action qui dégénère en activisme humain et fébrile. Pourtant, la contemplation demeure notre premier devoir, la contemplation de Dieu qui se prolonge en adoration et engendre l'amour.

Les constituants principaux de la vie chrétienne se nomment contemplation et action. La contemplation a préséance sur l'action.

Que votre rêve devienne contemplation priante. Que votre rêve ne soit pas que rêve.

CROYEZ-VOUS AUX STIGMATES INVISIBLES?

Croyez-vous aux stigmates invisibles reçus lors de révélations privées?

* * *

L'Église enseigne et l'histoire atteste la possibilité de visions et de phénomènes mystiques. Loin de moi de les récuser.

Mais, au sujet de ce que vous m'écrivez, j'ai beaucoup de réticences. En de tels domaines, il est facile de devenir la victime d'hallucinations. Aujourd'hui, faute de doctrine et une certaine mode aidant, beaucoup se réclament de visions et de phénomènes. Ils sont sincères, sans doute, mais ils peuvent aussi s'auto-suggestionner et se mystifier par réflexe involontaire. Surtout, quand il s'agit d'expériences impossibles à vérifier, comme seraient des stigmates invisibles.

De qui vient la connaissance de ces stigmates invisibles, sinon de la personne qui en serait la bénéficiaire? Pourquoi révèle-t-elle qu'elle a reçu les stigmates? Quelle est sa crédibilité, son équilibre humain et spirituel?

À moins d'autres preuves – et quelles seraient-elles? –, rien n'oblige à croire ce qu'affirme cette personne.

L'aberration de l'imagination est fréquente chez certaines personnes pieuses et bien intentionnées. Elles peuvent évoquer un tel phénomène mystique sans être coupables de supercherie; ce qui ne signifie pas pour autant que leur prétention soit fondée.

La personne qui croirait bénéficier de stigmates invisibles ne devrait pas ébruiter plus ou moins vaniteusement leur existence. Tout au plus, elle pourrait aviser son directeur spirituel de ce qu'elle ressent. Lui ne tombera pas en extase devant elle, mais saura la faire progresser. Elle manifestera une obéissance responsable et sincère.

Notre vie est une vie de foi, à racines d'humilité. Notre croissance spirituelle n'a pas besoin de tels phénomènes pour s'accentuer. De tels prodiges ou expériences peuvent nous détourner dans notre montée vers Dieu et nourrir une vanité de plus en plus subtile.

C'est la pensée de l'Église, des saints et des saintes de Dieu. Rien là qui puisse nous attrister, car l'amour de Dieu et du prochain demeure et s'épure.

POURQUOI JÉSUS ET MARIE PLEURENT-ILS?

Au ciel, tout est parfait grâce à la résurrection. Jésus et Marie ne devraient plus souffrir et pleurer. Comment expliquer leurs larmes? Est-ce que les saints souffrent aussi?

* * *

Dans le ciel, il n'y a pas de pleur, de cri et de peine (Ap 21, 4), il n'y a plus de souffrances.

Si, lors de certaines apparitions, Jésus, la Vierge ou les saints pleurent, ce n'est pas qu'ils souffrent vraiment, c'est pour nous prémunir contre les malheurs que se préparent ceux et celles qui vivent dans l'oubli de Dieu et de sa loi, ceux et celles qui préfèrent une vie de péchés à une vie de vertus.

Jésus, Marie et les saints nous incitent à la conversion, nous pressent de mieux aimer.

LE SEIGNEUR S'EST PRÉSENTÉ À MOI

Pourquoi un Vendredi Saint, quelques minutes avant 15h, le Seigneur s'est-il présenté à moi portant sa croix? Dès que j'ai voulu lui poser une question, il est disparu. Je n'ai jamais pu trouver la personne à qui en parler. Même en ce moment, j'ai de la difficulté. J'ai eu beaucoup d'autres signes après cette apparition.

* * *

Je ne veux pas nier le phénomène. Venait-il du Seigneur ou de votre imagination, de l'autosuggestion inconsciente? Je ne sais. Il est difficile, sinon impossible de juger l'origine de ce phénomène. Beaucoup de personnes, surtout en ces temps où plusieurs cherchent à s'accrocher à Dieu, à des signes tangibles de sa présence, beaucoup, dis-je, ont tendance à voir partout des signes surnaturels: visions, apparitions, messages... Tout est possible, mais il faut discerner.

L'apparition dont vous parlez portait sur le Christ Rédempteur un Vendredi Saint. Elle ne pouvait que vous stimuler à mieux l'aimer, à l'imiter aussi. Elle ne pouvait que porter de bons fruits.

Dans votre cas, et en d'autres cas, l'implication est personnelle. Si tel phénomène vous aide à mieux vivre pour le Seigneur dans la joie, profitez-en. Si, au contraire, le phénomène vous trouble, mettez-le de côté.

Quoi qu'il en soit de l'authenticité du phénomène dont vous parlez, gardez conscience qu'il n'a d'importance que s'il vous porte à mieux aimer et servir le Seigneur. Demeurez dans la paix.

ELLES TRANSMETTENT
DES ÉNERGIES DANS LES MASSAGES

Que pensez-vous des personnes qui transmettent des énergies à travers les massages, spécialement dans les milieux hospitaliers?

* * *

Partout, on annonce des thérapies, la transmission d'énergies de mieux-être. Les mediums se multiplient.

Je ne nie pas le transfert d'énergies, la passation d'influences physiques, et aussi psychologiques... Il est possible que de telles énergies se transmettent à travers les massages, que ce soit dans les milieux hospitaliers ou non.

Mais n'oublions pas que l'imagination et l'auto-suggestion sont des lieux fertiles et que des esprits forts peuvent nous influencer. Les théories du Nouvel Âge s'infiltrent dans des esprits crédules, et, à leur insu, dans des intelligences par ailleurs bien outillées. Ne soyons pas dupes. La crédulité fait de grands ravages en trop d'esprits, pour la joie de ceux qui font commerce et s'enrichissent à même cette crédulité simpliste.

Si des énergies sont à l'œuvre, demeurons maîtres de nous-mêmes pour ne pas en devenir esclaves. Que notre foi assure l'équilibre de notre intelligence et la liberté de notre volonté.

N'assimilons pas la grâce de Dieu à des *«énergies psychiques»*. Dieu nous communique sa grâce comme principe de vie surnaturelle. De cette grâce habituelle découlent les vertus infuses et les dons du Saint-Esprit. Il nous accorde aussi des grâces actuelles qui nous aident à agir surnaturellement. Cette vie de la grâce transforme et divinise notre vie naturelle. La grâce nous rend participants de la nature divine. Elle nous prépare à la vision béatifique.

QUE PENSER DU PHÉNOMÈNE «HOUSING»?

Mon amie me dit jouir d'un phénomène qu'elle appelle «housing». Elle dit que différents saints, notre Mère Marie, saint Pierre, saint Paul, padre Pio, et beaucoup d'autres saints, viennent habiter son corps pendant qu'elle-même se rend au ciel converser avec saint Jean-Baptiste. Est-ce que vous y connaissez quelque chose?

* * *

Se multiplient aujourd'hui les récits de phénomènes. Certains sont inusités, pour ne pas dire saugrenus. Tel me semble celui que vous rapportez et que votre amie appelle *«housing»*.

Je vous suggère de ne pas porter attention à ce qu'elle affirme, à ce phénomène qui ne me semble pas utile à la vie chrétienne et spirituelle.

La naïveté a beau jeu. L'imagination aussi. Un encouragement même tacite enracine la conviction que ce «*housing*» est réel. Orgueil inconscient, autosuggestion, névrose? Peu importe. Je suggère de n'y attacher aucune importance. Ne manifestez aucun intérêt pour en savoir davantage. Si elle vous en parle, dites-lui tout bonnement d'en parler à un directeur spirituel.

QUE PENSEZ-VOUS DE VASSULA?

Que pensez-vous de Vassula, celle qui est supposée recevoir des messages du Sacré-Cœur? Qu'en pense sa Sainteté le pape?

* * *

La déclaration de la Congrégation pour la Doctrine de la Foi, en date du mois d'octobre 1995, a peiné bien des admirateurs de Vassula Ryden. Elle leur a semblé une décision non motivée, sans interview avec l'intéressée, sans consultation des experts qui l'appuyaient. L'anonymat de la condamnation a aussi provoqué des remous de surprise et même d'indignation.

Voici la teneur de cette déclaration au sujet des écrits de Vassula:

«*Un examen attentif et serein de toute la question... a relevé – à côté d'aspects positifs - un ensemble d'éléments fondamentaux qui doivent être considérés comme négatifs à la lumière de la doctrine catholique... Il faut souligner certaines erreurs doctrinales...*

On utilise un langage ambigu à propos des Personnes de la Très Sainte Trinité, allant même jusqu'à confondre les noms et les fonctions spécifiques des Personnes divines... En outre, est également prévue la venue prochaine d'une Église qui serait une sorte de communauté pan-chrétienne, en opposition avec la doctrine chrétienne.

(La Congrégation) sollicite l'intervention des évêques afin qu'ils informent... Elle invite enfin tous les fidèles à ne pas considérer comme surnaturels les écrits et les interventions de Mme Vassula Ryden...»

Le cardinal Joseph Ratzinger, préfet de la Congrégation pour la Doctrine de la Foi, conscient des conversions que les livres de Vassula ont occasionnées, aurait déclaré dans la suite, à Guadalajara, au Mexique, qu'il est permis de lire et de promouvoir les écrits de Vassula du moment qu'on le fait «*avec discernement*». L'Église étudie certains points de sa doctrine pour mieux les éclaircir. Elle croit, «*pour le moment*», que ses écrits ne sont que des méditations personnelles.

Le 29 novembre 1996, paraissait un Communiqué de la Congrégation pour la Doctrine de la Foi:

«*... La Notification (du 6 octobre 1995) adressée aux pasteurs et fidèles de l'Église catholique conserve toute sa vigueur. Elle a été approuvée par les autorités compétentes...»*

Le Communiqué stipule de nouveau

a) que «*les fidèles ne doivent pas considérer les messages de Mme Vassula Ryden comme des révélations divines, mais seulement comme des méditations personnelles*;

b) *comme le précisait déjà la Notification, on trouve dans ces méditations, au côté d'aspects positifs, des éléments qui, à la lumière de la doctrine catholique, sont négatifs*;

c) *ceci étant, les pasteurs et les fidèles sont invités à ce propos à un sérieux discernement spirituel et à conserver la pureté de la foi, des mœurs et de la vie spirituelle sans s'appuyer sur des prétendues révélations. Ils sont invités à suivre la Parole de Dieu révélée ainsi que les directives du Magistère de l'Église*».

Telle est la réponse officielle de l'Église. Retenons la mise en garde qui concerne tout livre religieux et toute publication, ainsi que la suggestion de faire preuve de discernement spirituel.

Pour le reste, n'hésitons pas à nous nourrir, d'abord de la Parole de Dieu, et, j'ajoute, de tout ce qui fait grandir en nous l'amour du Seigneur et du prochain..., sans exclure certains écrits, lus dans une saine lucidité. L'Église n'a jamais décrié les bonnes intentions et la qualité de vie de madame Vassula Ryden.

QUE PENSER DE L'ODEUR DE PARFUMS QUAND ON PRIE?

Que pensez-vous des odeurs de fleurs ou d'encens qui se produisent quand on prie? Ces odeurs adviennent au moment où je m'y attends le moins et m'apportent la paix, la joie et le goût de prier. Vendredi dernier, une odeur d'encens s'est produite à l'instant où j'ai commencé à lire la revue Ste-Anne. Par la suite, j'ai eu le goût de prier et j'étais dans une grande paix.

Que pensez-vous des sensations de douleur et de brûlure ressenties dans les mains et les pieds au moment où je prie. Le tout a débuté en 1973 ou 1974 quand j'imposais les mains à une personne lors d'une soirée de prière. Ces douleurs surgissaient par intervalles dans la suite quand je m'y attendais le moins. Est-ce que le Seigneur veut me faire comprendre quelque chose? Je prie beaucoup depuis trois ans, environ de 4 à 5 heures par jour. Mon vicaire et mon curé m'ont confirmé que j'avais le charisme de la prière.

* * *

Je ne veux pas trancher au couteau par un oui convaincu ou par un non sonore. Certains, j'imagine, le font volontiers. Ils acceptent goulûment la mention de tout phénomène comme venant du Seigneur, ou, au contraire, ils sont allergiques à tout ce qui fait allusion aux visions, apparitions, messages, sensations extraordinaires. Certains ont l'imagination fertile; d'autres ne voient aucun avantage à des interventions sensibles du Seigneur. La réponse la plus saine ne se situerait-elle pas entre ces deux extrêmes?

L'Église, elle, sage de son passé, est prudente avant de crier au miracle ou à toute intervention céleste. Elle n'oublie pas d'ailleurs que l'attention aux phénomènes peut facilement distraire de l'essentiel, de la marche vers Dieu dans la foi, l'ascèse et la vraie vie en Dieu.

Alors, je vous dis: Allez à l'essentiel. Grandissez dans l'amour de Dieu et le dévouement pour le prochain. Ne vous liez pas à ce qui est secondaire, mais, dans la consolation comme dans la peine, attachez-vous au Christ Jésus, avec l'aide de Marie, notre Mère.

Que toute attention à des signes sensibles vous incite à une vie plus fervente.

- XIX -

LA VIERGE MARIE

Dévotion à Marie,
sa virginité,
ses messages,
son immaculée conception,
Garabandal,
les apparitions

NE DONNONS-NOUS PAS TROP D'IMPORTANCE À MARIE?

Les chrétiens non-catholiques nous reprochent souvent de donner plus d'importance à Marie qu'au Christ. N'ont-ils pas un peu raison quand nos églises sont ornées de statues de Marie et que le chapelet semble être la seule prière importante? Pourquoi ne pas encourager la dévotion au Sacré-Cœur, au Saint-Sacrement, etc.?

* * *

En beaucoup d'endroits, les pasteurs encouragent la dévotion au Sacré-Cœur, au Saint-Sacrement, etc. Dieu est le seul que nous adorons.

Il peut arriver qu'il y ait des excès dans la dévotion mariale, dans notre manière de lui rendre hommage. En 1997, sur demande du Vatican, une commission théologique internationale déclarait unanimement que, suivant la direction prise par Vatican II et malgré certaines pétitions, il n'était pas opportun de définir d'autres dogmes comme Marie Médiatrice, Marie Co-rédemptrice, Marie Avocate. L'expression Co-rédemptrice n'est pas utilisée dans les documents papaux depuis une cinquantaine d'années pour éviter une certaine confusion; Jean-Paul II préfère appeler Marie Coopératrice du Christ dans son œuvre de rédemption.

Je doute qu'il y ait abus dans notre amour pour Marie. Peut-on trop l'aimer?

Marie est une créature de Dieu, comme nous, mais unique en sa dignité, elle, «*la Mère de mon Seigneur*», la «*comblée de grâces*», la «*bénie entre toutes les femmes*».

Gardons le Christ Jésus au centre de notre vie; le concile Vatican II nous y a fortement invités. S'il occupe la place centrale de notre cœur, ne craignons pas de trop aimer Marie.

Comme elle est notre Mère spirituelle, nous lui témoignons notre affection de multiples manières. Nous la prions par la récitation du chapelet, comme le pape lui-même nous en donne constamment l'exemple. Il n'y a rien là d'erroné. Qui ne peut réciter l'Ave Maria?

Jésus n'est pas jaloux de sa Maman. C'est lui qui l'a rendue sans tache, belle, parfaite, et combien aimable! C'est lui qui nous l'a donnée comme modèle et Mère. La mission de Marie est de nous conduire à Jésus. Elle réalise cette mission pour tous ceux et celles qui l'aiment, qui la vénèrent en ses sanctuaires, qui la contemplent amoureusement en ses statues et images.

Elle révèle la tendresse de Dieu; elle est le miroir de son infinie bonté. Personne ne craint de s'approcher d'elle, pas même le pécheur embourbé dans le péché. Comme une vraie mère, elle aime ses enfants salis par le péché et cherche à les rendre beaux et propres.

La dévotion mariale, si elle est authentique, ne peut que nous rendre meilleurs disciples du Seigneur.

LA VIRGINITÉ DE MARIE EST-ELLE RECONNUE?

Il semble que la virginité de Marie n'est pas tout à fait respectée. Marie est parfois présentée comme celle qui a songé à marier Joseph. Pourtant, l'Évangile de Luc ne nous parle pas en ces termes, mais bien de l'intention de Marie de demeurer vierge: «Comment cela sera-t-il, puisque je ne connais pas d'homme» (Lc 1, 34)?

Je ne suis pas spécialiste, mais peut-être que nous pourrions parler des coutumes de l'époque et nous verrions possiblement que les parents ont dû jouer un rôle majeur dans les fiançailles des deux jeunes gens, Marie et Joseph. Quant à l'attitude de Marie?...

Je me permets d'intervenir parce que la virginité de Marie est tellement remise en question. Alors, pouvons-nous laisser planer des doutes?

* * *

Cette foi en la virginité de Marie repose sur l'Écriture Sainte et sur la Tradition constante de l'Église.

La virginité de Marie est un dogme de notre foi. C'est un dogme exprimé par le 2ᵉ concile de Constantinople en 553, par le 4ᵉ concile de Latran en 1215 et par le 2ᵉ concile de Lyon en 1274. Le credo nous fait dire: «*Né de la Vierge Marie*».

Nous pouvons relire le premier chapitre de l'évangile écrit par saint Matthieu (18-25), aussi le premier chapitre de l'évangile écrit par saint Luc (26-35). L'Église nous livre l'interprétation authentique de ces textes.

Dès les débuts de l'Église, l'insistance première des chrétiens au sujet de Marie portait sur sa virginité. Nous pouvons nous référer à tous les Pères de l'Église. Nous pouvons citer Ignace d'Antioche (107), Justin (165), Irénée (202), avant de citer des saints prestigieux comme Athanase (373), Ambroise (397), Augustin (430)...

L'évangile ne nous dit pas tous les détails qui concernent Marie. Il ne nous dit pas pourquoi cette jeune femme voulait se préparer au mariage avec Joseph (Lc 1, 27), alors qu'elle voulait rester vierge. Il se peut bien que saint Joseph nourrissait le même désir de virginité, sous l'inspiration de l'Esprit. Tous deux avaient le charisme de la virginité; leur mariage était voulu de Dieu pour que Jésus se développe normalement au sein d'une vraie famille. Ce n'est pas sans motif que Joseph, qui a su si bien veiller sur Jésus, est honoré comme patron de l'Église universelle, la grande famille des enfants de Dieu... (Jean-Paul II).

Nous savons avec certitude que Marie a conçu Jésus d'une conception virginale par l'action de l'Esprit Saint, sans l'intervention d'un homme.

Notre foi nous enseigne également qu'elle est toujours demeurée Vierge, «*aeiparthenos*», «*semper Virgo*», «*avant, pendant et après la naissance*», et cette croyance est aussi celle des Orientaux et même de nombreux Anglicans. L'affirmation «*avant la naissance*», qui touche au mystère de l'incarnation, est la plus importante.

Le pape Jean-Paul II déclarait: Marie «*n'est pas une femme mariée qui a des problèmes de stérilité; elle entend rester vierge par un choix volontaire. Sa volonté de virginité, fruit de l'amour pour le Seigneur, semble constituer un obstacle à la maternité annoncée»*, celle que l'ange lui annonce. *«Je ne connais pas d'homme»*, dit-elle, ce qui, dans le contexte de sa réponse à l'ange, révèle sa virginité et aussi son intention de rester vierge. Enrichie d'une sainteté exceptionnelle, Marie *«est orientée vers le don total – corps et âme – d'elle-même à Dieu, dans l'offrande virginale»* (24 juillet 1996).

L'objection que Jésus eut d'autres frères et sœurs, selon l'expression de l'évangile, ne tient pas, car les mots *«frères»* et *«sœurs»*, en hébreu et en araméen, pouvaient s'entendre de plusieurs degrés de parenté.

NOS PRÊTRES NE PARLENT PAS
DES MESSAGES DE MARIE

Nos prêtres que nous aimons, chose très étrange, ne parlent jamais des messages de la Sainte-Vierge, messages qu'elle nous livre lors de ses apparitions.

* * *

Certains prêtres le font et se manifestent de zélés propagateurs des messages de la Vierge, du moins des messages qui semblent les plus authentiques.

Il y a le Mouvement Sacerdotal Marial, qui se base sur les locutions intérieures reçues par Dom Gobbi. Les cénacles du MSM se multiplient rapidement au Canada et en tous pays; ils sont des milliers à propager l'amour de l'Eucharistie et du Sacerdoce, à répandre les messages de la Vierge.

Il y a aussi les prêtres qui livrent les paroles de Lourdes, de Fatima, etc.

Il y a les prêtres qui se dévouent en tant de centres mariaux.

Les prêtres parlent de Marie, du message de sa vie tel que livré par la Parole de Dieu. Car, plus important encore que les messages privés, il y a le grand message de l'Écriture Sainte; il est celui de l'Église. Aussi, c'est à lui surtout que le prêtre, homme de l'Église, se réfère; c'est lui qu'il proclame.

Pour le reste, surtout en ce qui concerne des lieux d'apparitions non encore reconnus officiellement par l'Église, le prêtre doit refléter un peu l'attitude de l'Église, appuyer surtout la grande révélation de Dieu contenue dans la Bible.

Ce qui n'empêche pas l'ouverture prudente à des messages reçus dans des lieux d'apparitions qui semblent sérieux. Ces messages ne peuvent que confirmer celui de l'Écriture Sainte.

JE NE VOIS RIEN DANS LA BIBLE QUI DIT QUE MARIE N'A PAS PÉCHÉ

Nous appelons la Vierge Marie l'Immaculée Conception, donc pure et sans tache dès sa conception. Elle n'aurait donc pas péché!

Or, je ne vois rien dans la Bible qui me dit que Marie était sans péché. L'Église nous la présente quasiment comme égale à Dieu. Je trouve ça fort, car il est écrit que tous ont péché.

* * *

Relisons les principaux documents de l'Église sur la Vierge Marie, en particulier le chapitre 8 du texte conciliaire sur l'Église, l'encyclique de Paul VI sur le culte de la Vierge Marie, celle de Jean-Paul II sur la Mère du Rédempteur... Il y a trop de préjugés et d'incompréhension.

Votre souci, c'est celui de tous les chrétiens et chrétiennes qui, autrefois comme aujourd'hui, croient à bon droit que personne ne peut se sauver sans Jésus. Marie avait besoin du Rédempteur.

La croyance en l'immaculée conception de Marie, implicite dans l'Écriture, était en germe dans la Tradition dès les premiers siècles de l'Église. Dès le moment de sa conception dans le sein de sainte Anne, Marie fut préservée de tout péché par anticipation des mérites du Christ. Marie fut la première à bénéficier de la

rédemption. Quant à nous, nous sommes délivrés du péché originel par le baptême.

L'Église sait fort bien que la Vierge Marie fut créée par Dieu,
mais elle révère en elle une créature unique en vertu et dignité,
une femme choisie par Dieu pour être sa Mère, à nous donnée
pour qu'elle soit la nôtre.

Marie est l'Immaculée, la sans tache, la pleine de grâces. Il ne
convenait pas que la Mère de Dieu soit pour un temps, même
bref, soumise à Satan par le péché. Elle a été immunisée de toute
tache par l'action de son Fils, le Christ Jésus. Comme l'ange de
l'annonciation le déclare: *«Réjouis-toi, comblée de grâces»* (Lc 1, 28),
Marie est vraiment comblée. Toujours, l'Église, mue par l'Esprit,
l'a présentée sans souillure, sans contamination de fautes, dotée
de tous les cadeaux du ciel. Son Fils pouvait-il agir autrement en
faveur de sa Mère?

En 1854, le pape Pie IX proclamait officiellement le dogme
de l'Immaculée Conception: *«Nous définissons que la bienheureuse Vierge Marie dans le premier instant de sa conception, par
une grâce et un privilège singulier de Dieu tout-puissant, en vertu
des mérites de Jésus Christ, Sauveur de la race humaine, a été
préservée de toute tache du péché originel».*

MARIE PEUT-ELLE NOUS ABANDONNER?

*Dans une prière à Marie, nous lui disons: «**Ne m'abandonne
jamais, moi, ton enfant si faible**».*

*Pourrait-elle vraiment nous adandonner, alors que nous avons
été rachetés par son fils? N'est-elle pas le soutien des faibles?
Alors, pourquoi la supplier de ne jamais nous abandonner,
nous qui sommes si faibles?*

* * *

Cette prière, c'est pour nous que nous la faisons, pour faire
grandir notre foi et notre confiance, pour mieux nous apprêter à

recevoir l'amour et les bienfaits de la Vierge. Elle est tout disposée à nous secourir, car elle sait bien que nous sommes faibles. Mais elle honore notre liberté, elle apprécie notre désir de recevoir son aide.

Il en est de même pour nos prières adressées directement à Jésus. Dieu sait bien que nous sommes ses enfants faibles et impuissants. Il nous aime infiniment. Il désire nous octroyer les grâces obtenues en surabondance sur la croix. Mais, même s'il connaît mieux que nous nos besoins, il nous enseigne à prier: «*Demandez, et vous recevrez*» (Jn 16, 24). Tant de textes bibliques nous incitent à la prière.

Prions le Seigneur avec confiance, dans la joie d'être aimés par lui. «*Veillez donc et priez en tout temps*», proclame Jésus (Lc 21, 36).

«*Notre Père qui es dans les cieux, que ton Nom soit sanctifié... Donne-nous aujourd'hui notre pain quotidien...*» (Mt 6, 9-13). Le Nom de Dieu est déjà saint... et il sait notre dénuement... Mais le Seigneur veut que nous exprimions nos hommages et nos demandes.

J'AI TROUVÉ GARABANDAL UN LIEU SALE ET BIZARRE

J'étais en vacances en Espagne. On nous a offert une visite au lieu des apparitions de la Vierge, à Garabandal. Paraît-il que la Vierge s'est manifestée à trois enfants. J'ignore l'année. J'ai trouvé cela ridicule. Je revenais de Fatima et de Lourdes. Garabandal est une poussière vraiment ridicule; rien de comparable à Fatima et Lourdes. C'est un endroit sale et bizarre. Veuillez, s.v.p., éclairer notre lanterne. Nous sommes restés démunis face à ce spectacle.

* * *

Je ne veux pas juger Garabandal sur la propreté matérielle de ce petit village montagneux de fermiers et de mineurs; le critère serait pour le moins insuffisant.

San Sebastian de Garabandal, en Espagne, est ce village de 300 habitants où la Vierge serait apparue du dimanche 18 juin 1961 au 13 novembre 1965 à quatre fillettes de grande simplicité, de 10 à 12 ans, plus de 2000 fois. Parfois, les enfants, Conchita, Jacinta, Mari Cruz et Mari Loli, étaient en transe pendant plusieurs heures. L'Église ne s'est pas encore prononcée sur ces supposées apparitions, souvent accompagnées d'extases et de phénomènes défiant les lois de la nature.

L'un des principaux messages livrés à Garabandal, le 18 juin 1965, disait: «*Plusieurs cardinaux, plusieurs évêques et plusieurs prêtres sont sur le chemin de la perdition et entraînent beaucoup d'âmes avec eux. De moins en moins d'importance est donnée à l'Eucharistie*».

L'Église garde à bon droit la prudence face aux centaines d'apparitions qui, depuis Fatima, lui sont rapportées. L'Église fut d'abord fort réticente, sinon opposée à l'authenticité des apparitions de la Vierge à Garabandal... Sans délai, elle créa une commission d'enquête, composée de trois prêtres et de deux médecins. Le premier verdict fut un avertissement de prudence et plutôt de rejet, stipulant qu'il n'y avait rien là de surnaturel, bien que le texte ajoutait que rien ne justifiait une condamnation. Une controverse s'ensuivit... Padre Pio, le stigmatisé, avait foi en l'authenticité des apparitions de Garabandal.

Qu'en est-il aujourd'hui? Les voyantes sont maintenant épouses et mamans; trois vivent aux États-Unis. Est-il permis d'ajouter foi à leurs récits, du moins de croire que les apparitions de Garabandal puissent être vraies? Des faveurs ont été obtenues, guérisons et conversions. Les messages de Garabandal ressemblent aux messages reçus à Lourdes et Fatima, un appel à la pénitence, à la conversion, à l'amour de l'Eucharistie. Comme ailleurs, il y a menace d'un châtiment si nous n'amendons pas nos vies, promesse aussi d'un grand miracle et d'un signe permanent. L'avertissement du ciel, dit Jacinta, n'en est pas un de crainte; il ne fait que nous rappeler que Dieu est justice et amour.

En 1986, l'évêque de Santander, Mgr Juan Antonio del Val Gallo, entreprit une nouvelle enquête et il autorisa les prêtres visiteurs à célébrer l'Eucharistie dans l'église locale. L'Église continue son enquête. En attendant une décision, si une décision se prend, vivons de conversion, de ferveur et d'amour de l'Eucharistie.

JE SUIS PRUDENT AU SUJET DES APPARITIONS, CAR ELLES NOUS PARLENT TROP DE MALHEURS À VENIR

J'aime beaucoup Marie et je la prie. Je suis très prudent au sujet des apparitions, car elles nous parlent à peu près tout le temps des malheurs qui s'en viennent et des attaques du Malin. Elles nous parlent très peu de la miséricorde de Dieu, de sa Parole. Ont-elles le même langage que notre Saint-Père qui ne nous enseigne que la Parole de Dieu et sa miséricorde?

* * *

Il est vrai que beaucoup d'apparitions, ces derniers temps, prophétisent des malheurs prochains à moins de conversion. Elles nous préviennent des attaques du Malin. N'est-ce pas avantageux, car nous sommes enclins à nous endormir béatement dans une fausse sécurité, à négliger le monde surnaturel, nos fins dernières, la mort, l'au-delà, le jugement, l'enfer et le paradis, vérités que le pape demande de ne pas désapprendre. «*Souviens-toi de ta fin, et tu ne pécheras jamais*» (Si 7, 36).

Affirmer que ces apparitions nous parlent peu de la miséricorde de Dieu serait nous boucher l'oreille sur l'essentiel de ces messages, qu'ils soient ceux de Lourdes ou de Fatima. Par-delà le rappel des dangers qui nous menacent, il y a l'amour et la miséricorde. Si la pensée des châtiments possibles nous impressionne davantage, rappelons-nous que c'est la miséricorde du Seigneur qui suscite une vraie vie de foi, l'amour de Marie qui nous prévient du danger.

Attardons-nous au message de la bienheureuse sœur Faustine, cette jeune religieuse polonaise, morte le 5 octobre 1938 et béatifiée le 18 avril 1993. Elle a prêché un Dieu de miséricorde qui s'est révélé à elle. Depuis 1978, le Saint-Siège autorise la dévotion qu'elle a préconisée. Jésus lui disait: *«Écris: plus est grande la misère, plus grand est le droit à la miséricorde. Appelle toutes les âmes à avoir confiance en l'abîme incompréhensible de ma miséricorde, car je désire le salut de tous. Le puits de ma miséricorde est grand ouvert à toutes les âmes par la lance sur la croix. Je n'exclus personne».* *«Celui qui refuse de passer par les portes de ma miséricorde devra passer par celles de la justice».*

Le Seigneur ajoutait: *«Le manque de confiance en moi me déchire le cœur. Le manque d'abandon chez les âmes choisies me peine davantage. Malgré mon amour inépuisable, ils n'ont pas confiance en moi!»*

«Dis à l'humanité malade de s'approcher de mon cœur miséricordieux et je la comblerai de paix. L'humanité ne trouvera pas consolation aussi longtemps qu'elle ne se tournera pas avec confiance vers ma miséricorde». *«Si toute âme pouvait comprendre jusqu'à quel point Dieu l'aime! Toute comparaison, même forte et touchante, n'est qu'un pâle reflet de la réalité».*

Ce message de bonté, je le trouve aussi manifesté en d'autres révélations reconnues par l'Église, et même en celles qui ne sont pas reconnues et qui se poursuivent présentement à Medjugorje et ailleurs, en des sites que l'Église n'a pas encore reconnus officiellement.

Les malheurs parfois mentionnés sont des appels à la conversion qui viennent du cœur de Dieu et de l'amour de Marie, qui désirent le salut et le bonheur de tous les enfants de Dieu que nous sommes. Vous avez raison de vous tourner surtout vers la Parole de Dieu et sa miséricorde.

- XX -

LES SAINTS, LES ANGES, SATAN

Les sanctuaires,
Sainte-Anne-de-Beaupré,
sainte Anne,
la canonisation,
les anges,
Satan,
l'exorcisme

EST-CE MAL DE NE FRÉQUENTER QUE LES GRANDS SANCTUAIRES?

Comme la Chapelle de la Réparation, l'Oratoire Saint-Joseph, le Cap-de-la-Madeleine, Sainte-Anne-de-Beaupré...?

Les petites paroisses ne m'apportent pas autant que les grands centres; elles me semblent banales, et certains prêtres n'ont pas l'air convaincu de ce qu'ils disent.

* * *

Beaucoup trouvent grand profit spirituel en fréquentant les sanctuaires, les lieux de pèlerinage. C'est ce que faisait le peuple choisi dans l'Ancien Testament. Dieu veut ces hauts-lieux de prière, ces oasis de paix et de grâces, où la foi se fortifie tout en se célébrant festivement. À Sainte-Anne-de-Beaupré, défilent des foules de pèlerins qui refont leurs forces épuisées pour reprendre ensuite la route pénible de la vie.

Toutefois, je souhaiterais que les chrétiens et chrétiennes puissent se réunir régulièrement dans une communauté chrétienne paroissiale, autour de leur pasteur, pour vivre le train-train quotidien de la foi et de la charité. Alors, se tissent des liens plus étroits de fraternité chrétienne.

Dans l'église paroissiale, il n'est pas toujours possible d'avoir de grandes cérémonies, des fêtes religieuses avec déploiement, chant et musique de choix. Mais Dieu est présent! Dieu qu'il faut célébrer dans la joie, avec ses proches, ceux et celles de sa paroisse et de sa localité. Je vous souhaite une *«pratique religieuse»* fidèle et régulière, dans la foi et l'amour. Votre pasteur, fortifié par votre présence, sera plus inspiré et heureux.

À la suite de la suggestion *«Risquer l'avenir»*, créons de ces petites communautés chaleureuses où grandissent la foi, la charité et l'engagement.

POURQUOI TANT DE GENS VONT-ILS À SAINTE-ANNE-DE-BEAUPRÉ?

* * *

Ce qui se passe à Sainte-Anne-de-Beaupré ne trouve pas de justifications humaines adéquates. C'est le Seigneur qui a voulu, dans sa Providence, ce haut-lieu de foi et de prière. C'est lui qui attire tant de gens au Sanctuaire; c'est lui qui touche les cœurs.

Sainte-Anne-de-Beaupré, sur les bords du Saint-Laurent, en aval de la ville de Québec, présente aux regards admiratifs l'une des plus belles églises de l'Amérique du Nord au point de vue artistique et symbolique.

Ce sanctuaire est dédié à la bonne sainte Anne, la mère de la Vierge Marie, la grand-maman de Jésus. Cette maternité et ce lien familial avec le Christ expliquent la grandeur et la puissance de sainte Anne. Elle se révèle la sainte de la tendresse, comme une vraie grand-maman.

La dévotion à sainte Anne ne date pas d'hier. Elle remonte au début de l'Église, comme le signalait le pape Grégoire XIII, en 1584. Il nous est difficile d'imaginer jusqu'à quel point le culte de madame sainte Anne était populaire dans le passé; il l'est encore aujourd'hui. À tous les siècles, les artistes ont peint sainte Anne, ont sculpté ses statues. Nous trouvons des sanctuaires en son honneur sur tous les continents, à Jérusalem, à Constantinople, à Apt, à Auray... L'église paroissiale du Vatican a sainte Anne comme titulaire. Il y a des églises et des chapelles qui lui sont dédiées dans tous les diocèses. Depuis 1876, elle est la patronne de la Province de Québec.

En 1658, à Sainte-Anne-de-Beaupré, les premiers colons lui ont bâti une petite chapelle de bois; elle fut le site d'un premier miracle. En 1661, ils la remplacèrent par une première église, tôt appelée «*l'église des miracles*». Les contemporains de ces premiers prodiges, le premier curé, l'abbé Thomas Morel, le bienheureux évêque François de Laval, la bienheureuse Marie de l'Incarnation, ont rédigé des récits de ces miracles, récits conservés dans les archives du monastère de Sainte-Anne-de-Beaupré.

Depuis 1878, les Rédemptoristes sont les gardiens du sanctuaire. L'un d'entre eux, le vénérable et sympathique Alfred Pampalon, est mort en odeur de sainteté à l'âge de 28 ans, en 1896. Il fut l'émule de la petite Thérèse. Il repose dans une chapelle de la basilique inférieure. Il est considéré comme le patron des alcooliques et des drogués.

Environ un million et demi de personnes viennent annuellement se recommander à la bonne sainte Anne, dans son sanctuaire de Sainte-Anne-de-Beaupré. Nombreux ceux et celles qui arrivent d'Europe et d'Asie. Sainte-Anne-de-Beaupré est devenue une *«paroisse internationale»*, le Lourdes du Canada, une capitale de vie spirituelle. C'est là que se célèbre avant tant de ferveur la grande neuvaine en l'honneur de sainte Anne, du 17 au 25 juillet, veille de la fête grandiose du 26.

Au sanctuaire est publiée mensuellement la Revue Sainte-Anne.

Pour différents motifs, surtout pour se recommander à sainte Anne, beaucoup écrivent au Secrétariat du Sanctuaire, à Sainte-Anne-de-Beaupré, Qc, Canada, G0A 3C0.

Sainte-Anne-de-Beaupré, oasis de paix et ciel de grâces! Tous y sont bienvenus, jeunes et moins jeunes, malades et bien-portants, pécheurs et justes, chrétiens et non-chrétiens. Dans la fraternité, tous prient sainte Anne et s'approchent de Jésus.

Au sanctuaire, les enfants de Dieu que nous sommes reprennent force et courage pour continuer le pèlerinage de la vie vers la Basilique du ciel.

UNE PERSONNE PROPAGE
LA DÉVOTION À SAINTE ANNE

> *J'aimerais savoir votre opinion au sujet d'une personne qui fait des tournées en propageant la dévotion à grand-maman sainte Anne, comme elle s'exprime elle-même. Je sais que tout en étant prudent, il faut aussi rester dans le vent de l'Esprit.*

* * *

«La communauté avec les saints nous unit au Christ», dit le Catéchisme de l'Église catholique (957).

Ainsi en est-il de notre communauté avec la bonne sainte Anne; elle nous relie au Christ Jésus, son Petit-Fils. La dévotion à sainte Anne fait partie de notre patrimoine chrétien. Beaucoup la prient. Plusieurs organisent des pèlerinages au sanctuaire de Sainte-Anne-de-Beaupré. Cette dévotion et ce zèle suscitent l'admiration.

Certains la font connaître par des conférences. Leur bonne volonté est évidente, ainsi que leur amour pour sainte Anne. Mais le sanctuaire de Sainte-Anne-de-Beaupré n'engage pas son autorité dans ces initiatives privées. Le sanctuaire ne mandate personne pour faire connaître la bonne sainte Anne, sinon le personnel du sanctuaire.

Lorsque des questions lui sont posées à ce sujet, le sanctuaire répond que de telles initiatives privées ne tombent pas sous la responsabilité du sanctuaire, même si elles comportent des éléments positifs. Le sanctuaire de Sainte-Anne-de-Beaupré n'est pas responsable de ce qui s'organise hors du sanctuaire.

Il peut exister dans le peuple chrétien des personnes qui ont le charisme de répandre telle ou telle dévotion. Il faut discerner l'authenticité de ce charisme et éviter tout ce qui s'écarterait d'une saine spiritualité. C'est aux autorités diocésaines d'en faire le discernement et d'intervenir s'il y a lieu.

Les miracles sont des signes de Dieu, non des prodiges qui se multiplient comme à volonté selon l'inspiration du moment. De même en est-il des révélations et des locutions intérieures. Sainte Anne demeure la silencieuse et la contemplative qui nous obtient la force de porter notre croix à la suite du Seigneur.

Au sanctuaire de Sainte-Anne-de-Beaupré, les fidèles vénèrent la bonne sainte Anne et la prient. Les gardiens du sanctuaire la font connaître de multiples façons, même à l'extérieur, par la Revue, par des écrits, par des Soirées en son honneur, de diverses façons. Ils savent que la mission principale de sainte Anne est de nous conduire à Jésus, son Petit-Fils et notre Sauveur, dans un cheminement de foi et de croissance spirituelle, au service du Seigneur et du prochain, en Église.

En agissant ainsi, les responsables du sanctuaire demeurent fidèles à la sainteté de l'Église et à l'équilibre de la foi. Sans accentuer les prodiges et l'aspect miraculeux, les gardiens du sanctuaire conduisent les amis de sainte Anne au but principal de leur dévotion: l'amour du Seigneur et du prochain, dans le progrès spirituel.

Nous nous réjouissons de tout ce qui promeut une saine dévotion à sainte Anne.

POURQUOI ATTENDRE SI LONGTEMPS POUR CANONISER QUELQU'UN?

Pourquoi tant de temps pour canoniser un saint ou une sainte, tel le frère André, le père Alfred Pampalon, sœur Élisabeth Bruyère ou sœur Catherine Aurélia Caouette?

* * *

L'Église ne peut se prononcer à la légère sur la sainteté de quelqu'un; elle ne peut affirmer spontanément que telle personne a vécu de façon héroïque la vie chrétienne et qu'elle jouit désormais de la vision de Dieu dans le ciel. Elle fait enquête, d'abord, si c'est possible, auprès des personnes qui ont connu le serviteur ou la servante de Dieu dont elle étudie la «*Cause*» de sainteté. Les causes de canonisation sont régies par une loi pontificale particulière (Can. 1403). Le 21 mars 1983, Jean-Paul II publiait un décret à ce sujet, «*Divinus perfectionis Magister*».

Voici les étapes prévues:

La première étape consiste en un procès diocésain, là où a vécu le serviteur ou la servante de Dieu. L'enquête peut se faire en plus d'un diocèse. Il faudra étudier les écrits de la «*sainte*» personne pour voir s'ils ne contiennent pas d'erreurs doctrinales ou morales. Si les résultats de ce procès informatif ordinaire sont positifs, le Procès est introduit à Rome.

Une deuxième étape commence... De nouveau, une enquête a lieu, cette fois menée par Rome. Il y a reconnaissance des restes de la personne défunte, une vérification de non-culte et de la réputation de sainteté. Cette nouvelle enquête terminée, le Saint-Père peut proclamer l'héroïcité des vertus, ce qui permet d'attribuer au serviteur ou à la servante de Dieu le titre de « *Vénérable*».

Si un miracle, attribué au serviteur ou à la servante de Dieu, survient après sa mort et est reconnu authentique, le pape pourra procéder à la béatification. Le serviteur ou la servante sera déclaré(e) «*Bienheureux*» ou «*Bienheureuse*». Désormais, un culte public pourra lui être rendu.

Plus tard, le bienheureux ou la bienheureuse, après la reconnaissance d'un autre miracle, pourra être canonisé-e, c'est-à-dire déclaré-e «*Saint*» ou «*Sainte*».

Les procédés sont quelque peu simplifiés quand il s'agit de quelqu'un qui a souffert le martyre à cause de sa foi.

Certaines «*Causes*» ne démarrent pas immédiatement. Les circonstances ne sont pas toujours favorables. Il peut s'agir d'un pays où les chrétiens sont persécutés, où les enquêtes sur la sainteté d'un personnage sont impossibles.

En béatifiant ou en canonisant un défunt, l'Église nous le propose comme modèle et protecteur.

Évidemment, tous les élus du ciel, tous ceux et celles qui sont avec le Seigneur, sont des saints et des saintes de Dieu, même s'ils ne sont pas canonisés. Ils sont légion.

QUELLE ATTITUDE ADOPTER FACE AUX ANGES?

Dans les révélations privées, des archanges de lumière parlent du monde invisible, de la vie après la mort. Ils disent qu'ils nous protègent. Parfois, leur enseignement me laisse confus.

* * *

Le 29 novembre 1996, un communiqué de la Congrégation pour la Doctrine de la Foi dictait ce qui suit: «*Les pasteurs et les fidèles sont invités à un sérieux discernement spirituel et à conserver la pureté de la Foi, des mœurs et de la vie spirituelle sans s'appuyer sur de prétendues révélations. Ils sont invités à suivre la Parole de Dieu révélée ainsi que les directives du Magistère de l'Église».*

Que les anges nous protègent, l'Église l'a toujours enseigné. Aujourd'hui encore, dans le Catéchisme de l'Église catholique, il est question des anges (326-336). Non pas qu'ils doivent éclipser Jésus, centre de nos vies, mais parce qu'ils nous sont donnés comme protecteurs. Ils sont les créatures spirituelles du ciel. Leur mission est d'adorer le Seigneur, de se faire ses messagers et nos protecteurs. Leur existence est une vérité de foi, existence attestée dans l'Écriture Sainte et la Tradition. Ils furent créés par le Seigneur et pour lui. Nous honorons particulièrement nos anges gardiens et certains anges plus élevés, les archanges Michel, Gabriel et Raphaël.

En beaucoup d'endroits, la Bible nous parle des anges, de ces anges qui interviennent dans l'histoire de l'humanité pour la secourir.

Certains anges ont péché. Ces anges déchus sont devenus des démons. La puissance de ces démons, de leur chef Satan, du Mauvais, n'est pas infinie, car le diable n'est qu'une créature (391-395). Il cherche à entraver l'œuvre de salut accomplie dans le Christ (2851).

Depuis quelques années, le Nouvel Âge veut récupérer la doctrine des anges pour l'adapter à sa façon, pour la mystifier, pour l'alourdir de données ésotériques et farfelues. La superstition corrompt la doctrine.

Comme l'écrit André Couture, les anges du Nouvel Âge sont au service du moi, non de Dieu. Ils n'ont plus à protéger du mal et du péché, ils ne font qu'aider l'épanouissement du moi. Le spirituel chrétien disparaît avec le Nouvel Âge, même si des prières sont adressées à ces énergies positives que sont les anges du Nouvel Âge. Avec ces anges, il n'est pas question d'un Dieu personnel. Tout devient expérience personnelle plutôt que saine doctrine. Au sein d'une nouvelle religiosité, les anges du Nouvel Âge n'ont rien de commun avec ceux de notre foi chrétienne.

Retenons ce que nous enseignement l'Écriture Sainte et l'Église au sujet des anges; cela nous suffit.

Si, lors d'apparitions, des anges parlent de l'au-delà, ils ne peuvent que nous rappeler les messages de l'évangile, nous inciter à progresser vers Dieu et nous accompagner de leur appui spirituel.

POURQUOI L'ÉGLISE A-T-ELLE ABANDONNÉ LA PRIÈRE À SAINT MICHEL?

Et aussi celle à l'ange gardien?

* * *

Depuis Vatican II, l'Église a centré davantage son attention sur le Christ. Il ne faut pas conclure que notre amour pour la Vierge Marie, les saints et saintes de Dieu, les anges, surtout notre ange gardien, n'ont plus de place dans notre cheminement spirituel. Ainsi en est-il de la prière à saint Michel Archange et à notre ange gardien. Toujours, nous les prierons avec grand profit spirituel.

Voici la prière à saint Michel, extraite de l'exorcisme de Léon XIII:

Saint Michel archange,
défends-nous dans le combat;
sois notre secours contre la perfidie
et les embûches du démon.
Que Dieu exerce sur lui son empire,
nous le demandons en suppliant.

Et toi, prince de la milice céleste,
refoule en enfer, par la Vertu divine,
Satan et les autres esprits malins
qui errent dans le monde
pour la perte des âmes. Amen.

Les anges sont à l'avant-garde de l'actualité depuis quelques années, surtout avec la publicité qu'en fait le Nouvel Âge. Prenons garde, cependant. Pour le Nouvel Âge, comme pour la foi chrétienne, les anges sont là pour nous aider, mais les anges du Nouvel Âge diffèrent des anges que l'Église nous présente depuis toujours. L'existence des anges est d'ailleurs un dogme de notre foi; l'Écriture Sainte en parle souvent.

Réjouissons-nous du retour des anges dans nos préoccupations et notre vie. Évitons de tomber dans les fausses conceptions que nous présente le Nouvel Âge. Les anges ne sont pas des énergies quasi divines, en lien avec l'énergie divine et cosmique, mais des esprits supérieurs aux humains et inférieurs à Dieu. Leur mission, surtout celle de notre ange gardien, n'est pas de nous rendre tout-puissants sans besoin d'un Dieu sauveur, mais de nous inviter à nous tourner vers notre Dieu de bonté que nous devrons toujours implorer.

Y A-T-IL DES SUPPÔTS DE SATAN AU VATICAN?

Y a-t-il vraiment des suppôts de Satan dans les rangs de diverses commissions au Vatican? Comment le savoir?

* * *

La suspicion qu'il y ait dans les bureaux du Vatican, dans les congrégations romaines, au sein des dicastères, des suppôts de Satan, me surprend, surtout si l'accusation vient de catholiques.

Que de tels propos surgissent dans des sectes religieuses enclines à condamner l'Église catholique à tout prix ne présente rien de nouveau. Mais je n'accepte pas qu'ils viennent de chrétiens sérieux qui aiment l'Église. Ils se laissent emporter par un courant nocif.

Ce sont de telles calomnies qui font le jeu du Malin. Dommage qu'elles trouvent écho sur les lèvres et dans les esprits crédules de membres de l'Église!

Je n'affirme pas que tout est parfait, que tous les membres des congrégations romaines sont des saints authentiques, sans péché, sans défaut. Mais de là à en faire des suppôts de Satan, il y a une route longue à franchir. Le pape, Vicaire du Christ, le supporterait-il?

Colporter de telles accusations gratuites ne m'apparaît pas la façon d'agir de catholiques fervents et renseignés et de chrétiens qui aiment le Seigneur. Essayons d'éviter de telles assertions. Soyons plutôt des gens qui défendent l'Église si vulnérable, face aux dénigreurs.

QUE PENSER DE L'EXORCISME?

Que pensez-vous de l'exorcisme du pape Léon XIII? Est-il recommandé de le dire dans les moments difficiles, spécialement quand on sait qu'une ou plusieurs personnes nous en veulent, sont jaloux de nous?

* * *

Nous pouvons faire un usage privé de l'exorcisme du pape Léon XIII. C'est toujours une prière bénéfique.

Mais je ne vous recommande pas d'en faire usage parce que des personnes vous en veulent, sont jalouses de vous. Ces personnes ne sont pas des démons. Pas plus que vous. Existerait le danger de vous croire supérieur à elles, le danger de les condamner comme coupables, le danger de dramatiser les mésententes...

Se pourrait-il que vous-même vous soyiez quelque peu responsable de ces petites querelles et disputes?

S'il en est ainsi, il ne vous reste plus qu'à vous exorciser...

- XXI -

JUSTICE SOCIALE,
PASTORALE ET ÉVANGÉLISATION

Chrétien au travail,
le travail au noir,
les pauvres,
la vocation,
la pastorale,
l'affirmation de sa foi,
l'usage des médias

COMMENT VIVRE EN CHRÉTIEN AU TRAVAIL?

Comment agir en chrétien pratiquant dans le difficile marché du travail?

* * *

Je n'ai certes pas de suggestions précises. La vie chrétienne peut se vivre dans les milieux les plus diversifiés, pourvu que ce ne soit pas dans un travail frauduleux ou immoral.

Car, il existe toujours des situations nébuleuses où le Christ ne se sentirait pas à l'aise, où il n'approuverait pas telle ou telle attitude plus ou moins honnête. Ainsi doit-il en être pour vous si vous voulez demeurer fidèle à votre conscience et à vos convictions chrétiennes. Dans votre milieu de travail, il faut l'honnêteté, ne pas voler, ne pas frauder, ne pas tricher sur les heures de labeur et négliger le devoir d'état.

Tous les collègues de travail ne partagent pas nécessairement votre foi chrétienne. Ne rougissez pas de votre condition de chrétien. Sans tomber dans le prosélytisme intempestif, ne cachez pas vos convictions. Que votre vie rende témoignage de votre appartenance à Dieu.

Je vous suggère de lire à l'occasion les documents qui concernent la doctrine sociale de l'Église, ceux de Rome et ceux de nos évêques.

Les laïcs sont tenus, selon leur condition, de travailler à ce que le message divin du salut soit connu et reçu par tous les hommes et par toute la terre. Ils doivent imprégner d'esprit évangélique l'ordre temporel: famille, culture, réalités économiques, institutions politiques, relations internationales, etc. (Can. 225).

Toujours il faut agir de façon consciencieuse.

Trouvez dans le Christ votre modèle, lui, qui, de ses mains, a travaillé du métier de charpentier. Il édifie votre vie de son exemple.

Le travail est digne; il est votre chemin de sainteté.

LE TRAVAIL AU NOIR EST-IL PÉCHÉ GRAVE?

* * *

Le travail au noir est normalement illégitime. Est-il toujours péché?

La personne qui peut difficilement survivre économiquement, qui doit voir à la subsistance de sa famille à grands renforts de privations, est-elle coupable de chercher à compenser son manque de revenus par du travail au noir? Faut-il lui jeter la première pierre?

Le droit à l'alimentation est un principe reconnu par la «*Déclaration universelle des droits humains de 1948*» et d'autres déclarations internationales. Les ressources alimentaires de la planète sont plus qu'abondantes; elles se sont mêmes accrues de 18 % ces dernières années. Le Conseil pontifical «*Cor Unum*» publiait au Vatican, le 4 octobre 1996, un texte bien étoffé «*La faim dans le monde*», pour remédier dans la solidarité au scandale de la faim qui dure depuis si longtemps. Est-ce manquer à l'éthique que de voir à se procurer l'essentiel, si politiciens et économistes n'y voient pas?

Contre le libre marché inhumain du néo-libéralisme actuel, l'Église propose une justice sociale respectueuse de la dignité humaine. En préparation du Jubilé de l'an 2000, le Synode des Amériques, en décembre 1997, a mis l'accent sur notre solidarité avec les pauvres, les nôtres et ceux des pays du Tiers-Monde. La Commission épiscopale des affaires sociales des évêques catholiques du Canada déclarait, le 17 octobre 1996: «*Il est inacceptable qu'un taux de chômage aussi élevé que celui que nous connaissons constitue un trait permanent de l'économie du Canada*». Ils insistaient auprès du gouvernement pour qu'il y ait lutte contre la pauvreté et pour une saine répartition des richesses.

Dans ce contexte, nous pouvons comprendre un peu le problème du travail au noir. Sans pour autant tout justifier... Tous doivent éviter la fraude qui serait détournement et pure escroquerie. Certains vivent à l'aise au crochet de la société dans la malhonnêteté évidente. Ils s'approprient des biens mal acquis. Il est alors juste de parler de vol. Il n'est pas rare de nos jours.

Nous pouvons nous fier assez bien à l'interprétation des gens consciencieux et de bonne volonté pour savoir ce qui est légitime et ce qui ne l'est pas en ce qui touche au travail au noir, à cette... vie économique souterraine. L'épikie existe toujours.

Cela ne signifie aucunement qu'il faille manquer d'honnêteté. Ce serait une faute que de frauder les impôts. Pour beaucoup il est facile de contourner la loi de façon malhonnête, de ne pas révéler les sources de revenus taxables, de présenter un rapport financier frauduleux. C'est là de l'injustice. Le gouvernement peut légitimement soulever des taxes que les citoyens sont tenus de payer.

Il faut décrier surtout le profit scandaleux des grandes compagnies multinationales, des banques, des rois du pétrole. Les grands crimes de l'humanité ne sont-ils pas commis par certaines puissances qui contrôlent les vies humaines, qui imposent une misère inouïe aux peuples sous-développés. Ils maintiennent dans la pauvreté, sinon la misère, des millions de gens qui cherchent désespérément le travail auquel ils ont droit pour préserver leur dignité humaine et le bien-être de leur famille.

Les valeurs humaines priment sur le profit.

POURQUOI L'ÉGLISE NE FAIT-ELLE PAS PLUS D'EFFORTS POUR LES PAUVRES?

Pourquoi l'Église ne démontre-t-elle pas plus d'efforts pour améliorer le sort des pauvres par des pressions auprès de nos gouvernants? Je souhaiterais voir l'Église plus présente aux parlements.

* * *

Nous ne vivons pas dans des théocraties, au sein de sociétés dominées par l'autorité religieuse de l'Église. L'Église peut intervenir, et elle le fait, mais elle ne peut contrôler le gouvernement et ses décisions.

Tant de fois le Vatican est intervenu dans des documents sur la justice sociale; il suffit de mentionner les encycliques «*Populorum progressio*» (1967), «*Sollicitudo rei socialis*» (1987) et «*Centesimus annus*» (1991). De même nos évêques canadiens, ensemble ou individuellement, ont pris position pour que les lois éliminent la pauvreté et soutiennent les démunis. Le 17 octobre 1996, dans une lettre pastorale pour l'élimination de la pauvreté, la Commission épiscopale des affaires sociales énumérait les souffrances de divers groupes canadiens pour que justice leur soit rendue. Ce n'est pas une intervention isolée de la part de nos pasteurs. La Commission épiscopale des affaires sociales s'oppose aux compressions budgétaires des programmes d'aide au développement; les populations de pays pauvres en souffriraient, ainsi que les démunis de notre propre pays. Le «*Centre Justice et Foi*», à Montréal, et la revue «*Relations*» s'efforcent de promouvoir la justice sociale.

Nous ignorons souvent tout ce que l'Église accomplit pour améliorer le sort des pauvres, non seulement à travers ses propres organisations, ses centres d'accueil, ses services de santé, de logement et de repas, ses interventions dans le domaine social, l'éducation et le travail, sa lutte contre le chômage et les inégalités sociales, mais aussi grâce à des œuvres comme «*l'Organisation catholique canadienne pour le Développement et la Paix*» (OCCDP) qui, depuis 1967, a secouru des millions de personnes en Amérique latine, en Asie et en Afrique, en améliorant leurs conditions de travail et de vie.

Mentionnons aussi la Société Saint-Vincent-de-Paul fondée en 1833 par le bienheureux Antoine Frédéric Ozanam décédé à 40 ans. Elle est forte de 850 000 membres en 130 pays; elle progresse en Europe de l'Est... Chaque *conférence* de la Saint-Vincent-de-Paul groupe des personnes dans les paroisses qui se soucient surtout des pauvres, multiplient les visites personnelles, accueillent, écoutent, sans oublier la spiritualité.

Je ne dis pas que tout est parfait, mais je suis convaincu qu'il y a beaucoup d'ignorance au sujet de l'action de l'Église, universelle et locale, pour que soit bonifié le sort des pauvres, pour que cessent les injustices criantes.

Les évêques canadiens se mobilisent pour lutter contre la pauvreté. Ils manifestent un choix préférentiel pour les pauvres et invitent chacun à manifester sa solidarité envers les pauvres.

L'Église avertit du nouveau fléau que sont les jeux de hasard et les casinos; ils rapportent des profits faramineux, à la grande joie des gouvernements. L'Église divulgue le danger que courent tant de gens qui, souvent, de façon compulsive, fréquentent ces jeux, surtout les jeunes. Ici aussi, l'Église intervient pour que soient protégés les citoyens.

N'oublions pas que nous sommes l'Église... Que chacun et chacune se demandent: «*Qu'est-ce que je fais, moi, pour aider les démunis?*». Parfois, on se plaint de l'Église, mais sans l'effort personnel qui plaît à Dieu.

POURQUOI LE VATICAN NE VEND-IL PAS SES TRÉSORS POUR LES PAUVRES?

*Vous éclairez les questions sous tous ses angles. On croirait un prisme exposé au soleil... Souvent, je me fais dire: «**Pourquoi le Vatican, si riche avec tous ses trésors renfermés au musée, ne les vend-il pas pour les pauvres? Nous nous arrachons le cœur pour aider les pauvres, et le pape, lui, garde tous ses trésors**». Je ne sais que répondre, si ce n'est que le musée n'est pas la propriété du pape.*

* * *

Certaines personnes, surtout les membres de sectes, critiquent la richesse de l'Église. Même des chrétiens qui, parfois, cherchent à justifier leur manque de générosité.

Il est évident que l'Église, avec ses grandes églises et ses œuvres d'art, donne l'impression qu'elle est riche. Les personnes qui visitent le Vatican et les basiliques romaines sont éblouies par ces édifices grandioses, ces marbres, ces mosaïques, ces verrières, ces statues. Et il y a la chapelle Sixtine...

Ces monuments, ces églises surtout, furent érigés par le peuple croyant au cours des siècles. Il n'est pas possible de vendre ces églises aux enchères.

Je ne crois pas, non plus, que certaines œuvres d'art pourraient être aliénées sans une certaine stupidité. Ce serait de l'iconoclasme moderne.

Si l'Église était si riche, pourquoi a-t-il fallu créer une commission spéciale, il y a peu d'années, pour essayer de balancer le budget, alors qu'un déficit de plusieurs millions s'amplifiait? L'Église n'est pas uniquement spirituelle. Elle vit dans ce monde et doit affronter des problèmes financiers fort graves pour une saine administration, avec ses départements, ses secrétariats, l'aide généreuse qu'elle offre à des œuvres de charité, aux pays de mission et lors de calamités.

Ne ressemblons-nous pas parfois à Judas qui disait: «*Pourquoi ce parfum n'a-t-il pas été vendu trois cents deniers qu'on aurait donnés à des pauvres?*» (Jn 12, 5). Sommes-nous nous-mêmes des modèles de charité pour les pauvres? Je l'espère. L'Église, faite de vous et de moi, n'est pas parfaite, j'en conviens. À chacun et à chacune de la rendre plus belle!

JE NE SUIS PAS CERTAINE D'AVOIR UNE VOCATION

Comment puis-je être convaincue que Dieu m'appelle? Je ressens un désir de faire des études en théologie et peut-être d'aller plus loin. Je suis une jeune femme de 25 ans, mariée, et mon mari me soutient à 100 %. J'aimerais me lancer dans la pastorale ou l'enseignement chrétien avec les jeunes. Je pense à ceci tous les jours. Est-ce une vocation?

* * *

Je le crois. J'espère que votre désir inspiré par le Seigneur pourra se réaliser. Parlez-en à votre pasteur, à un prêtre qui puisse vous guider, peut-être aux responsables diocésains. Ils vous aideront à discerner, et ils vous présenteront des suggestions valables pour que vos rêves se concrétisent.

J'admire vos excellentes dispositions. Purifiez-les dans la prière. Toujours en accord avec votre mari et selon vos possibilités familiales, voyez aux études possibles, en théologie, en ministère pastoral. La formation enrichit les dispositions pieuses et leur permet de porter de bons résultats. Dieu verra à ce que ce germe semé en votre cœur produise du bon fruit au temps voulu.

Le temps des études vous permettra de préciser l'appel et de déterminer où vous pourriez le mieux servir, sans négliger votre famille.

LES PERSONNES EN UNION LIBRE PEUVENT-ELLES AIDER LA PASTORALE?

Les personnes vivant en union libre peuvent-elles aider la pastorale en servant la messe, etc.? Les personnes divorcées et remariées ont-elles le droit d'être animateurs ou lecteurs durant la messe?

* * *

Ces personnes font partie de l'Église de Dieu, autant que nous tous.

Sans louer et approuver leur état de vie, nous devons avec humilité et charité les laisser s'impliquer dans des actions bonnes, dans des œuvres de charité.

Il peut y avoir un contre-témoignage de les voir servir à l'autel, y proclamer la Parole, etc. Il y a de multiples autres façons pour eux de s'impliquer au service de leurs frères et sœurs, au service même de l'Église.

Pour que le bon ordre et la charité règnent dans les cœurs, je vous suggère de laisser au pasteur et à l'équipe de pastorale de décider en chaque cas ce qui convient, et pour les individus et pour la communauté.

COMMENT FAIRE ÉQUIPE AVEC DES PERSONNES EN CONCUBINAGE?

Pour travailler à la préparation des sacrements chez les jeunes, peut-on faire équipe avec des personnes qui vivent en concubinage ou dans l'adultère?

* * *

Travaillez à la préparation des sacrements avec foi et générosité. Avec charité aussi, sans juger le prochain, sans condamner ces personnes qui, comme vous, cherchent à faire connaître le Christ, d'abord à leurs enfants. Admirez leur zèle. Si elles sont fautives dans leur vie morale, à Dieu de les juger. Le travail pastoral ne cautionne pas les faiblesses de la vie morale.

Pour ce qui est de leur présence au sein de l'équipe de préparation aux sacrements, elle relève du pasteur et du Conseil paroissial de pastorale. À eux de prendre l'initiative la plus opportune. Pour que règne la paix, laissez-leur la responsabilité du choix, sans qu'il vous soit nécessaire de l'approuver. Toutefois, vous pouvez toujours en parler discrètement au curé de la paroisse et même questionner la sagesse de la décision.

Il y a tant à faire pour que grandisse le Royaume de Dieu. Mettons en commun toutes les ressources, unissons toutes les personnes de bonne volonté. En nous approchant du Seigneur, en œuvrant pour lui, notre vie chrétienne sans doute s'améliorera.

EST-CE PLUS FACILE D'ÉVANGÉLISER LES AFRICAINS?

Est-ce plus facile d'évangéliser les Africains que nous qui avons eu la grâce de la foi?

* * *

Je n'ai jamais évangélisé les Africains... De nos jours, ils s'ouvrent par millions au message de l'Évangile et nous nous en réjouissons. C'est un peu l'Église de demain qui se construit là-bas.

Évidemment, la situation chez nous diffère... Nous avons plutôt besoin d'une seconde évangélisation. Beaucoup s'imaginent compétents dans la foi, alors que leur connaissance de Jésus Christ est superficielle et se limite à quelques vagues rudiments de savoir religieux.

Une telle notion de la foi ressemble à une dose antibiotique... Leur compréhension simplifiée de la vie chrétienne les immunise contre l'intelligence profonde et amoureuse du Seigneur et de l'Évangile. Trop se satisfont de miettes de la doctrine chrétienne. Aussi, est-il difficile pour eux de s'ouvrir à la conversion radicale au Christ, à la véritable expérience de l'amour de Dieu.

Difficile, mais non impossible: «*car rien n'est impossible à Dieu*» (Lc 1, 37).

LES CHRÉTIENS CRAIGNENT DE PRONONCER LE NOM DE DIEU

Pourquoi les chrétiens ont-ils peur de prononcer le nom de Dieu ou de Jésus en public? Ainsi en est-il à la télévision.

* * *

Sans doute avez-vous raison. Il y a une fausse honte de nous réclamer du beau titre de chrétien et de chrétienne, de disciple de Jésus. Nous rougissons peut-être de professer notre foi en Dieu. Nous craignons d'aller à contre-courant d'une société qui s'affiche incroyant, agnostique, déiste tout au plus, dans la plupart des médias.

Quelques-uns, fermement, mais sans prétention, réagissent. En contre-partie de ce qui se vit un peu partout, certains moyens de communication moderne affichent leurs couleurs chrétiennes et catholiques, qu'ils soient des revues et journaux, des stations radiophoniques, et même des canaux privés de télévision. Mais un vaste chemin reste à parcourir pour la diffusion de la Bonne Nouvelle.

Une certaine prudence est toujours de mise, un gros bon sens, une absence de fanatisme et de prosélytisme. Certains chrétiens et certaines chrétiennes peuvent manquer d'équilibre avec la meilleure volonté du monde.

Écoutons Jésus: «*Ne donnez pas aux chiens ce qui est sacré, ne jetez pas vos perles devant les porcs, de crainte qu'ils ne les piétinent, puis se retournent contre vous pour vous déchirer*» (Mt 7, 6). Faut-il proposer une doctrine sainte à des gens qui ne sont pas disposés à la recevoir et qui pourraient en abuser? Ce texte du Seigneur, comprenons-le en lien avec tout l'évangile.

Cette citation ne signifie pas qu'il faille observer un silence peureux quand nous devons témoigner. Il y a trop de chrétiens caméléons, qui prennent la couleur de leur milieu. Le silence et la peur des qu'en dira-t-on peuvent devenir lâcheté. Jésus fut source de divisions; nous ne pouvons espérer la paix à tout prix. Nous devons être des témoins de l'évangile.

SOMMES-NOUS DES «ZÉLÉS» SI NOUS AFFIRMONS NOTRE FOI OUVERTEMENT?

Sommes-nous des «zélés» si nous affirmons notre foi ouvertement, en groupe, dans des lieux de divertissement?

* * *

Non, pourvu que tout se fasse avec bon jugement et discernement. Il est possible de sombrer dans l'excès qui éloigne de Dieu plutôt qu'il n'en approche.

Je dépasse cette question particulière pour parler du témoignage chrétien et de l'évangélisation.

Il ne faut pas taire notre foi. Les chrétiens de notre pays ont tendance à la pusillanimité, à une fausse pudeur. Il ne faut pas rougir de Dieu et de nos croyances. «*Celui qui aura rougi de moi et de mes paroles dans cette génération adultère et pécheresse, le Fils de l'homme aussi rougira de lui, quand il viendra dans la gloire...*» (Mc 8, 38). Trop de fidèles dissimulent leur identité chrétienne, cachent leur drapeau... Beaucoup agissent à l'inverse des martyrs qui furent des témoins de la foi.

Il faut devenir contagieux de notre foi par notre façon de vivre, sans négliger pour autant la parole qui édifie et éclaire. Nous avons un message à transmettre, une bonne nouvelle à communiquer, une lumière pour éclairer les ténèbres épaisses.

«*Ainsi votre lumière doit-elle briller devant les hommes...*», nous dit Jésus (Mt 5, 16). Il ne faut pas cacher cette lumière au fond de notre cœur, dans le secret de nos maisons, la garder pour nous seuls. Tout baptisé doit être apôtre.

Aujourd'hui, pour certaines gens, «*pratiquer*» sa religion est faire preuve d'intégrisme. L'intégrisme véritable se montre intransigeant et nie tout changement; il incite parfois à la violence. Tel n'est pas le cas du chrétien et de la chrétienne qui vivent joyeusement leur vie chrétienne, dans la charité, et qui en témoignent.

COMMENT FAIRE GOÛTER L'AMOUR DE DIEU?

À travers l'évangélisation, comment faire vivre des expériences d'une rencontre avec Jésus qui incitent les personnes non pratiquantes à vouloir goûter l'amour de Dieu?

* * *

Se trouve-t-il un livre qui facilite l'évangélisation et donne des recettes magiques d'expériences convertissantes?

Plusieurs bouquins traitent de l'évangélisation, de façon plus ou moins heureuse et convaincante. Certains fournissent le témoignage d'évangélisateurs qui ont particulièrement bien réusi. Il est bon de nous familiariser avec leurs méthodes. Il est heureux de nous inspirer de ces modèles pour enflammer notre zèle.

L'ardeur pour répandre la Bonne Nouvelle de Jésus mérite nos efforts généreux pour améliorer ce que nous accomplissons. Soyons à l'écoute de nos pasteurs et à l'affût de tout ce qui peut nous être utile. Dans chacun de nos diocèses s'accomplit une œuvre d'évangélisation aux facettes multiples. Sachons nous unir à de telles initiatives, au besoin créer les nôtres.

Dans la prière, c'est évident. Car il s'agit d'une œuvre qui, de loin, dépasse nos possibilités humaines.

N'oublions pas de faire usage, si nous le pouvons, des moyens modernes de communication, la presse, la radio, la télévision, l'internet. Chacun et chacune peuvent collaborer à l'œuvre primordiale de l'évangélisation, d'abord au sein de la famille.

EST-IL BON POUR LES CATHOLIQUES
DE FAIRE USAGE DES MÉDIAS?

Est-il bon de nous faire entendre de la télévision et des autres médias pour répondre à toutes les attaques contre l'Église? Il y a tant de mensonges dans les journaux et les programmes de téléromans.

* * *

Oui, certes, il est bon. Ne sommes-nous pas en retard dans ce domaine, parfois jugé onéreux? Nous avons à utiliser les moyens modernes de communication, comme fait le Saint-Siège qui a tôt fait son entrée dans le monde de l'information électronique. L'Église exerce sa présence dans l'internet. Des chrétiens utilisent la télévision grâce, surtout, à l'utilisation du câble communautaire. Nous profitons d'antennes de radio, Radio Ville-Marie, Radio-Galilée, etc. Il existe des initiatives privées en diverses localités. Nous savons que la presse catholique possède quantité de revues, sinon de journaux. Parmi les journaux catholiques, faisons mention de L'Informateur catholique qui, grâce à la foi audacieuse de son fondateur, M. Paul Bouchard, et de sa vaillante équipe, répand la Bonne Nouvelle contre vents et marées, dans la fidélité au Christ et à son Église.

Le 22 février 1997, à la Cité du Vatican, paraissait un document du Conseil pontifical pour les communications sociales intitulé:

«Éthique en publicité». Ce n'est pas le premier texte sur les mass médias publié par le Saint-Siège depuis le décret du concile Vatican II sur les moyens de communication sociale, *«Inter Mirifica»*, en 1964.

La publicité croît sans cesse et exerce un impact puissant sur la société. En soi, il n'y a rien en elle qui soit intrinsèquement bon ou mauvais. *«Elle peut être utilisée de manière bonne ou mauvaise»*, affirme le document romain. Surtout auprès des jeunes. Respecte-t-elle toujours la dignité humaine et les codes de déontologie? Il faut une éducation aux médias, ne pas se laisser aller à une certaine passivité à leur égard.

Il ne s'agit pas d'entrer dans une controverse à ne plus finir, face aux moyens modernes de communication, face à des entreprises anti-ecclésiales aux fort moyens financiers. Il s'agit plutôt de présenter sereinement l'Évangile, son message de paix, d'amour et de vie. La Parole de Dieu agit dans les cœurs, par la force de l'Esprit Saint et non à la façon humaine. Elle sera aisément bafouée, mais saura prendre racines dans les âmes ouvertes à Dieu.

«Vivante, en effet, est la parole de Dieu, efficace et plus incisive qu'aucun glaive à deux tranchants... Aussi n'y a-t-il pas de créature qui reste insensible devant elle...» (He 4, 12-13).

Retenons ce message du document *«Éthique en publicité»*: *«Pour l'Église, la participation aux activités médiatiques, y compris la publicité, est aujourd'hui un élément nécessaire de la stratégie pastorale d'ensemble. Cette participation intéresse avant tout les médias appartenant à l'Église (presse, émissions radiophoniques et télévisées, etc.), mais elle regarde aussi la collaboration ecclésiale au sein des médias non-confessionnels»*.

Comme le déclarait Paul VI, il faut *«savoir comment en faire un usage opportun pour répandre le message évangélique»*.

- XXII -

LA RELIGION
ET LE NOUVEL ÂGE

La bonne religion,
les francs-maçons,
les techniques orientales,
les sciences occultes,
la réincarnation,
l'horoscope,
la chiromancie

COMMENT NOUS ALERTER
AUX COUTUMES PAÏENNES?

Plusieurs ne se rendent pas compte des coutumes païennes qui s'installent dans notre société. Comment nous ouvrir les yeux?

* * *

Nous respirons l'air du temps, un air facilement pollué. À force de le respirer, on risque de ne plus se rendre compte de son effet nuisible, et pour nous et pour les jeunes qui dépendent de nous. Comment nous ouvrir les yeux sur les dangers que nous courons dans notre vie morale et spirituelle, dans les maladies psychologiques et spirituelles qui mettent en risque la santé et la vie des enfants?

D'abord, il ne faut pas paniquer. Il ne s'agit pas de fuir ce monde et de nous réfugier dans des ghettos de survie, loin de la réalité.

Les enfants trop bien protégés ne sont pas prêts à affronter la vie, ses obstacles, ses influences malsaines. Un jour, quand ils seront intégrés dans notre monde, ils ne seront pas équipés pour y faire face, et tout chavirera, les convictions et le mode d'agir, parce qu'ils n'auront jamais été immunisés par petites doses sous la surveillance de leurs parents et éducateurs.

Comment se rendre compte des dangers qui nous guettent, de l'immoralité, des erreurs du Nouvel Âge, de l'influence facilement immorale de l'internet, des opinions parfois subversives véhiculées par les mass medias? Le meilleur antidote me semble être une vie chrétienne authentique, dans une spiritualité bien équilibrée, avec des frères et des sœurs dignes de l'être. Aussi par la lecture de bons livres qui nourrissent notre foi et notre intelligence de nourriture équilibrée, dans une diète où les vitamines spirituelles ne manquent pas.

Peu à peu, nous serons aguerris, fortifiés, immunisés. Nous saurons discerner en adultes ce qui est bon de ce qui ne l'est pas, ce qu'il importe de faire et ce qu'il faut éviter dans notre conduite. L'oxygène nous permettra de respirer à pleins poumons un air pur, celui d'un monde où Dieu règne, où les valeurs sont respectées, où il fait toujours bon vivre, sans souci morbide et crainte excessive.

Ne polarisons pas nos attitudes, soit du côté libéral et permissif, soit du côté conservateur et réactionnaire.

COMMENT RÉAGIR QUAND ON NOUS BOMBARDE SUR LA RELIGION?

Lorsqu'on est seul dans un groupe de non croyants et qu'on se fait bombarder sur la religion, comment réagir? Comment sortir de cette situation en paix?

* * *

Demeurez calme. L'Esprit vous dictera ce qu'il faut répondre alors que vous subissez de telles vexations, comme Jésus en a fait la promesse, *«car ce n'est pas vous qui parlerez, mais l'Esprit Saint»* (Mc 13, 11). Affirmez votre foi sans fanatisme, mais avec conviction et une certaine fierté d'être disciple de Jésus.

Pourtant, en certains cas, il ne faut pas, comme dit Jésus, jeter les perles aux pourceaux (Mt 7, 6), à des gens qui se foutent de tout ce qui est sacré et spirituel. Dans de telles circonstances, il peut être préférable de se taire, évidemment sans renoncer à sa foi et à ses croyances. Il semble plus de mise, alors, de changer adroitement la conversation, quitte à approcher calmement certaines personnes en particulier pour leur dire ce que vous pensez, ce que vous ressentez, pour exprimer votre amour de Dieu et votre confiance en lui.

Prudence, discernement, bon jugement, sont toujours des vertus, tout comme votre joie et votre privilège d'être chrétien et de témoigner du Christ.

TOUS FONT-ILS PARTIE DE BONNES RELIGIONS?

Les baptistes, les pentecôtistes, les anglicans, font-ils partie de bonnes religions, oui ou non?

* * *

Dire de toutes les grandes religions qu'elles sont bonnes serait peut-être un énoncé ambigu, car nous pourrions conclure qu'elles se valent toutes.

Nous pouvons répondre, comme le fait officiellement l'Église, qu'il y a du bon dans les religions que vous mentionnez, comme dans toutes les grandes dénominations, qu'elles soient chrétiennes ou non (L'œcuménisme, 3; L'Église et les religions non-chrétiennes, 2, 3, 4).

En affirmant cette vérité, l'Église n'approuve pas automatiquement tout ce qui est enseigné ou vécu dans chacune de ces religions.

Aujourd'hui, certains voudraient même un retour aux traditions premières des peuples autochtones, avec les religions traditionnelles de l'Afrique, les religions populaires de l'Asie et les religions indigènes de l'Amérique et de l'Océanie.

La plénitude de la doctrine du Christ et l'ensemble des moyens de salut se trouvent au sein de l'Église catholique, en cette Église, une, sainte, catholique et apostolique qui est nôtre.

Nos frères et nos sœurs séparés de bonne foi peuvent se sauver et se sanctifier; ils peuvent aimer le Seigneur plus que nous. Les membres de l'Église catholique ne se sanctifient pas automatiquement; ils doivent vivre en fidélité avec ce que nous enseigne le Seigneur; ils ont le privilège de jouir de toute l'aide et de toutes les grâces que leur procure le Seigneur dans l'Église catholique.

Tous sont tenus de faire leur possible pour aimer le Seigneur et obéir à ses commandements, en fidélité avec leur conscience. Tous doivent lui exprimer leur reconnaissance et leur amour par une vie d'enfants de Dieu.

TOUTE RELIGION BIEN PRATIQUÉE EST-ELLE ACCEPTÉE PAR DIEU?

Quelle que soit la religion, si elle est bien pratiquée, n'est-elle pas acceptée par Dieu, qu'elle soit anglicane, protestante ou Témoin de Jéhovah? Celle-ci est la plus discriminée.

* * *

Distinguons entre les grandes dénominations chrétiennes, et les nouvelles religions, souvent désignées comme sectes. Parmi les grandes dénominations chrétiennes, mentionnons les Églises orthodoxes, l'Église anglicane et les Églises protestantes, telle l'Église luthérienne; ces Églises méritent, sinon notre adhésion, du moins notre respect. Même si ces Églises comportent des lacunes, nous avons avec elles beaucoup de choses en commun: la foi en la Trinité, en Jésus, en l'Écriture Sainte, en certains sacrements...

Pour ce qui est des nouvelles Églises, appelés sectes, elles foisonnent. Le danger peut être considérable de les déclarer louables sans dénoncer leurs erreurs et même les dangers qu'elles peuvent receler.

Il y a l'Église des Mormons, aussi appelée l'Église de Jésus Christ des Saints des Derniers jours. Elle a vu le jour aux États-Unis au 19e siècle. Elle recrute ses membres surtout en Amérique du Nord.

Il y a l'Église de l'Unification de Sun Myung Moon; ses adeptes sont désignés comme Moonistes. Venue de Corée, cette Église se croit le point de convergence de toutes les religions.

Il y a l'Église de la Scientologie, fondée par Ron Hubbard. Elle a encouru des condamnations en divers pays. Elle fut représentée comme une pieuvre qui retient ses adeptes et se nourrit de leur argent. Elle serait une puissante machine commerciale, un empire financier, celui de *«nouveaux maîtres du monde»*.

Il y a Eckankar, la Foi Universelle Baha'ie, la Fraternité blanche universelle, le Mouvement Raëlien, l'Ordre rosicrucien A.M.O.R.C., etc. Il y a les Témoins de Jéhovah dont il est question ailleurs dans ce livre.

Il faudrait ajouter aux sectes et aux gnoses les croyances en l'astrologie, il faudrait souligner les intégrismes menaçants, etc.

Il y a des sectes qui, ces dernières années, ont causé bien de l'émoi et ont suscité des drames épouvantables. Qui n'a pas à la mémoire le suicide collectif de Jonestown, en 1978, le drame de membres de la secte de Moïse Thériault au Québec, la tragédie de la secte des Davidiens (David Koresh) à Waco, au Texas, en 1993, la découverte des cadavres de 39 jeunes appartenant à La Porte du Paradis, et le suicide collectif ces dernières années de membres de l'Ordre du Temple Solaire (Luc Jouret) en Suisse et au Québec, etc.? Et ça continue.

Devant l'essor de ces sectes, cosmiques ou non, ésotériques ou non, mystiques ou non, faites de syncrétisme et de fondamentalisme, préservons notre équilibre humain, notre santé spirituelle, notre foi basée sur une saine compréhension de la Parole de Dieu, interprétée officiellement par l'Église. Prenons garde aux dérives de la pensée.

Il ne s'agit pas de mépriser tous les membres de ces mouvements religieux, de ces réveils, de ces courants, mais en divers milieux n'est pas respectée la liberté de l'acte de foi. En trop de sectes religieuses, la peur est accentuée, un gourou exige une crédulité sans critique, des accents millénaristes engendrent la crainte.

Pour contrebalancer ces influences nocives, répandons la Bonne Nouvelle et la vérité en vivant authentiquement notre foi chrétienne et catholique.

Si vous désirez de meilleurs renseignements sur les nouvelles religions, vous pouvez vous adresser au Centre d'Information sur les Nouvelles Religions (CINR), 8010, rue Saint-Denis, Montréal, Qc, H2R 2G1, tél. (514) 382-9641.

LES CATHOLIQUES PEUVENT-ILS DEVENIR FRANCS-MAÇONS?

L'Église nous enseigne que nous ne pouvons adhérer à la doctrine des francs-maçons et, en même temps, nous dire catholiques. Qui sont les francs-maçons? Quelles sont les erreurs qu'ils propagent?

* * *

Le 26 novembre 1983, la Congrégation pour la Doctrine de la Foi publiait une Déclaration sur les Associations maçonniques. Ce n'était pas le premier document de l'Église à leur sujet, car de telles condamnations furent nombreuses.

L'Église rejette dans la franc-maçonnerie des points de vue philosophiques et des conceptions morales en opposition absolue avec la doctrine catholique; il s'agit d'un naturalisme rationaliste et même d'activités contre l'Église.

Déjà, le 8 décembre 1892, Léon XIII dénonçait l'anti-cléricalisme de la franc-maçonnerie et ses erreurs doctrinales. Il écrivait: «*La religion chrétienne et la maçonnerie sont totalement inconciliables, de sorte que s'inscrire dans les rangs de l'une équivaut à se séparer de l'autre*». De nombreux papes avant lui avaient condamné la franc-maçonnerie et nul catholique ne pouvait y adhérer sous peine d'excommunication.

La religion de la franc-maçonnerie est le naturalisme, l'hommage au grand Architecte de l'univers, du Temple de l'humanité, et les rites sont incompatibles avec notre foi chrétienne. Le déisme ou le théisme de la franc-maçonnerie ont cédé la place à l'athéisme en de nombreuses obédiences (groupements de loges). Ce qui ne signifie pas que tous les membres des loges se comportent mal et que les francs-maçons n'apportent pas leur contribution sociale et charitable.

Pour décrire tous les aspects de la franc-maçonnerie, il faudrait faire état de son histoire qui remonte au Moyen-Âge, alors qu'existaient des confréries de maîtres-maçons bâtisseurs de cathédrales. Plus tard, cette franc-maçonnerie devint spéculative; depuis environ trois siècles, une orientation plus philosophique a pris le dessus. Tout raconter serait long et complexe.

Il y eut, ces dernières années, un dialogue entre des personnalités catholiques et des représentants de quelques loges qui rejetaient tout sentiment d'hostilité envers l'Église et qui manifestaient même de la sympathie pour elle. Car s'il y a des francs-maçons athées, beaucoup croient en Dieu. Les loges ne s'y opposent pas, au contraire.

La maçonnerie affirme rassembler «*les hommes de bonne volonté sur la base de valeurs humanistes compréhensibles et acceptables par tous*». Pourtant, l'Église demeure convaincue que les principes de la maçonnerie et ceux de la foi chrétienne sont fondamentalement inconciliables, indépendamment d'attaques ou d'absence d'attaques contre l'Église catholique. La franc-maçonnerie propose des valeurs humanistes sans plus, même s'ils sont acceptables par tous les gens de bonne volonté.

La franc-maçonnerie n'admet aucune révélation surnaturelle de Dieu, nie l'incarnation du Fils de Dieu et l'existence de l'Église comme communauté de salut.

L'Osservatore Romano rappelait que «*la communauté des francs-maçons avec ses obligations morales se présente comme un système progressif de symboles au caractère extrêmement engageant*» (19 mars 1985). Le secret exigé de ses membres comporte aussi des risques.

Les catholiques peuvent collaborer avec la franc-maçonnerie pour certaines œuvres sociales et caritatives, mais ils ne peuvent s'y affilier comme membres, ce qui leur est strictement défendu. Quelle que soit l'attitude locale d'une loge maçonnique, tout chrétien ne peut devenir franc-maçon sans faute sérieuse, faute qui lui interdit l'accès à la communion; telle fut la déclaration de la Congrégation pour la Doctrine de la Foi, en 1983, même si la revision du Code de Droit canonique, la même année, ne parle pas d'excommunication et ne mentionne plus explicitement la franc-maçonnerie (Can. 1374, remplaçant l'ancien canon 2335).

Un chrétien ne peut vivre deux allégeances, une humanitaire et supra-confessionnelle, l'autre personnelle, intérieure et chrétienne. *«Il ne peut cultiver des relations de deux types avec Dieu... Jésus Christ est le seul Maître de la Vérité»* (Oss. Rom.).

EST-CE DE L'IDOLÂTRIE D'UTILISER DES TECHNIQUES ORIENTALES?

Ceux qui, sous prétexte de favoriser l'intériorité, font appel à des techniques orientales, en répétant des formules magiques qui n'ont rien à voir avec notre manière de nous adresser à un Dieu vivant et aimant, font-ils un genre d'idolâtrie?

* * *

Peut-être.

Parmi les techniques orientales, il faut discerner ce qui est utile et ce qui ne l'est pas. Si certaines techniques s'accompagnent d'une doctrine religieuse différente de la nôtre, il nous faut prendre garde de ne pas contaminer notre foi.

Parfois, en des milieux universitaires ou autres, l'étude de ces techniques se poursuit grâce à des experts en spiritualité et en religions orientales. C'est leur mission, ce n'est pas nécessairement la nôtre et celle de tout chrétien.

S'il faut éviter le syncrétisme religieux et la pollution de la foi, rien ne nous empêche de nous enrichir de ce qui est bon dans les autres religions, ne serait-ce qu'une technique de recueillement, une position du corps qui favorise la prière. Bien que nous ayions tout cela dans notre tradition catholique, une riche tradition de vie ascétique et mystique trop facilement ignorée...

Que désigne-t-on comme formules magiques? Les mantras dont se servent bouddhistes et hindouistes? N'avons-nous pas, dans notre Église catholique, les oraisons jaculatoires qui nous permettent de prier à toute heure du jour, en lançant vers Dieu, vers Marie, vers les saints et les saintes, nos louanges et nos appels: *«Seigneur, sauve-moi! Jésus, je t'aime! Marie, viens à mon secours!...»*

Ou, tout simplement, la répétition d'une prière amoureuse: *Jésus! Jésus!* ou *Jésus, Marie!* Des mantras chrétiens qui nous font respirer Dieu et l'amour à pleins poumons.

Ce n'est pas là de la magie, mais une prière qui s'incarne dans notre vie, qui fait usage de nos sens pour s'intérioriser.

POURQUOI LES SCIENCES OCCULTES SONT-ELLES UN MAL?

* * *

Il y a un occultisme doctrinal et un occultisme empirique.

L'occultisme doctrinal est celui des gnoses, etc. Le tout s'apparente à la connaissance de la Cabale, de cette science occulte, de cet écrit théosophique juif ancien, de cette prétendue sagesse divine.

L'occultisme empirique, celui qui repose sur l'expérience, se diversifie. Il y a le spiritisme, cet effort pour entrer en communication avec les esprits, soit par des médiums, soit par des tables tournantes, comme les tables oui-ja...; il y a la cartomancie, divination par les cartes, comme le tarot; il y a la chiromancie, divination par l'étude de la main; il y a l'oniromancie, divination par les rêves; etc. Il y a surtout l'astrologie, la divination par les horoscopes, rendus populaires par les journaux, les revues, la télévision... Les devins font usage de boules de cristal, d'amulettes et d'invocations. De la divination se rapproche la magie.

Les sciences occultes sont des sciences qui touchent à des connaissances cachées, obscures, mal définies. Il ne s'agit pas ici de sciences qui cherchent à bon droit à éclairer nos connaissances présentes, comme dans le domaine de la médecine.

Il s'agit plutôt de certaines connaissances qui nous mettent en relation avec l'au-delà, les forces du subconscient, la maîtrise de l'avenir. Dans ces sciences occultes et enténébrées, le Malin a beau jeu pour se glisser et agir à sa guise. Les sciences occultes peuvent devenir les sciences du mal. Elles peuvent alors comprendre la sorcellerie, la magie noire, les messes noires, le satanisme.

Il y a un renouveau de l'occultisme depuis les années 60, un renouveau aussi de la théosophie, une doctrine syncrétiste, gnostique, ésotérique, avec accent sur la fraternité universelle et l'étude des forces cachées de la nature, des recherches psychiques, avec croyance aussi en la réincarnation. De telles notions et un tel spiritualisme influencent les Rosecroix, surtout AMORC et ses loges.

Pour qui se livre aux sciences occultes, il y a danger de névrose, et même de psychose. Trop de personnes souffrent de ces contacts avec les sciences occultes; certains en font goulûment usage qui souffrent ensuite de maux profonds et parfois durables. Ne vaut-il pas mieux s'en détourner pour se tourner vers le Seigneur, le seul qui libère et pacifie?

L'ÉGLISE AFFIRME QU'IL N'Y A PAS DE RÉINCARNATION

Que deviennent les âmes de ceux et de celles qui ne sont pas prêts d'aller vers Dieu. Qu'arrive-t-il au juste après la mort?

* * *

Se basant sur la Bible, l'Église proclame sa foi en la vie sans fin. Elle nous rappelle que le Seigneur Jésus nous a rachetés du péché et de la mort éternelle. Il est notre seul Sauveur (Ac 4, 12; I Jn 4, 14). Dieu nous a créés pour le ciel.

Après la mort, il y aura la rencontre avec Dieu dans le jugement particulier. Pensons au bon larron à qui Jésus prédit l'entrée dans le paradis le jour même (Lc 23, 43). Puis, ce sera le ciel pour les élus, l'enfer pour les damnés (Mt 25, 41), le purgatoire pour les ami(e)s de Dieu qui doivent se purifier (2 M 12, 45). Lors de la parousie, au moment du retour du Christ à la fin des temps, il y aura un monde nouveau, un ciel nouveau, une terre nouvelle (Ap 21, 1). Ce sera le jugement général, la résurrection des corps, le début de la fête éternelle.

Nous sommes libres d'accueillir ou de refuser l'amour du Seigneur et son plan de salut. Si nous refusons, nous nous créons l'enfer. L'enfer est une vérité, un dogme de notre foi. Jean-Paul II a écrit au sujet de l'enfer: «*Les paroles du Christ sont sans équivoque. Chez Matthieu, il parle clairement de ceux qui connaîtront des peines éternelles. Qui seront-ils? L'Église n'a jamais voulu prendre position. Il y a là un mystère impénétrable*» («*Entrez dans l'espérance*», p. 272). L'enfer, c'est l'absence de Dieu et de son amour, c'est donc la privation du bonheur.

L'Église enseigne également que nous pouvons mourir sans être tout à fait prêts à paraître devant Dieu. Il existe une possibilité de purification après la mort; c'est le purgatoire, autre dogme de notre foi.

Comme chrétiens, nous rejetons la théorie païenne de la réincarnation. Cette théorie va à l'encontre de l'enseignement de Jésus. D'après cette théorie, l'âme, après la mort, s'unit à un autre corps, puis à un autre corps, peut-être des milliers de fois, avant d'atteindre, par les simples forces humaines, l'état de perfection. C'est la loi du karma. Travail onéreux, difficile, désespérant. Un Dieu personnel n'a pas sa place dans cette théorie panthéiste et pélagianiste de la réincarnation. Pas de place pour le Christ Jésus, pour son amour, pour son salut, pour sa grâce, pour son pardon, pour la prière.

Notre foi en la résurrection est de loin plus consolante. La résurrection promise par Jésus (Jn 11, 25), et obtenue grâce à la bonté de notre Dieu (Rm 8, 11), nous fera goûter au bonheur du ciel. Ce sera comme un banquet de noces (Mt 22, 2).

«*Je crois en Dieu,... à la résurrection des morts...*» (Credo). Vivons avec la joie de l'espérance (Rm 12, 12).

L'HOROSCOPE, J'Y CROIS

* * *

Je respecte votre opinion, même si je ne la partage pas.

L'horoscope, c'est l'astrologie populaire. C'est cette croyance que les astres, selon le moment de notre naissance, influent sur notre vie pour la déterminer.

Rien de nouveau dans cette croyance d'origine païenne, puisqu'elle remonte surtout au temps des Chaldéens, à 10 000 ans avant Jésus Christ.

De nos jours, alors que les gens négligent la foi en Dieu et l'action de sa providence, face à une multitude de dangers, dans l'inquiétude de l'avenir, beaucoup cherchent à découvrir l'avenir en lisant chaque jour leur horoscope. Ils gobent avidement les données positives et négatives de leur horoscope.

La Parole de Dieu a tellement plus à nous offrir pour éclairer nos vies que l'horoscope qui peut, à première vue, fasciner, mais dont l'utilisation nous laisse toujours insatisfaits.

La boulimie de l'horoscope est sustentée par les mass médias, par la télévision, par la radio, par les journaux, par les revues... Elle engendre des profits substantiels.

Je ne nie pas la sincérité de certaines personnes qui traitent des horoscopes, mais je déplore que tant de chrétiens et de chrétiennes soient dupes et entichés de leur horoscope. C'est l'acceptation d'un certain fatalisme face à la vie, face à l'avenir.

Nous sommes les enfants de Dieu appelés à grandir dans la confiance en lui et une foi sans mélange.

EST-IL ADMISSIBLE DE PORTER UN SIGNE ASTRAL?

Un chrétien pratiquant qui porte au cou un signe astral, est-ce là une preuve d'amour de Dieu? Exemples: une pyramide qui donne de l'énergie, un éléphant dont la trompe en l'air apporte la chance...

* * *

Ce n'est pas une preuve d'amour de Dieu. Ce n'est pas, non plus, un geste d'apostasie. C'est une pratique fréquente, souvent un simple artifice de coquetterie.

Et aussi un brin de superstition. Un aspect du Nouvel Âge. Comme tel, il est certes préférable de s'en abstenir. Car la superstition de nos jours est en pleine forme, meilleure que jamais.

Ces amulettes remplacent malheureusement les signes chrétiens que sont la croix et les médailles.

Trop de vedettes mondaines exibent une croix sur la poitrine. Elle détonne et contraste avec les valeurs que l'artiste véhicule. Elle semble parfois un contre-témoignage de leur conduite à tournure païenne.

Témoignons de notre vie chrétienne par notre comportement, par des signes religieux authentiques et l'absence de fétiches.

QUE PENSEZ-VOUS DE LA CHIROMANCIE?

Quel effet peut-elle produire sur une personne?

* * *

La chiromancie est un procédé de divination d'après l'étude de la main, de ses formes, de ses lignes, etc.

Nous pourrions y joindre d'autres mancies, d'autres procédés de divination pour connaître ce qui est caché et prévoir l'avenir. Parmi les principales, mentionnons l'oniromancie, la divination par les songes, la pyromancie, la divination par la couleur et la forme des flammes, la cartomancie, la divination si populaire par l'usage des cartes, surtout par le jeu de tarots, la divination par le marc de café, et surtout la divination si prospère de l'astrologie, les horoscopes. Aujourd'hui, le Nouvel Âge y trouve un champ de prédilection.

C'est un peu le monde de l'occultisme qui est envahi de la sorte, un occultisme d'ordre pratique. Nous y trouvons beaucoup de charlatans, nous y trouvons beaucoup de crédules. Tout se passe au seuil d'un monde obscur, de ténèbres.

Il ne s'agit pas de tout dramatiser. Mais ne faut-il pas mettre en garde devant cet univers «*profitable*»? Un univers qui comporte ses risques. Nous pénétrons plus ou moins profondément dans la superstition. Nous devenons paralysés par les oracles. Nous sommes facilement les victimes du fatalisme causé par les médiums, les clairvoyants et les devins. Nous glissons dans la passivité.

Remettons notre avenir à Jésus, le Christ. Avançons joyeusement sur son chemin qui en est un de lumière. Il nous dit: «*Je suis la lumière du monde. Qui me suit ne marchera pas dans les ténèbres, mais aura la lumière de la vie*» (Jn 8, 12).

Notre foi doit chasser tout illuminisme, tout fétichisme, toute naïveté, que ce soit dans le monde de la divination ou celui de la magie.

QUE FAIRE D'UNE CHAÎNE DE LETTRES?

Mon amie m'a envoyé une lettre. «Ce n'est pas une chaîne», dit-elle, «c'est une neuvaine à sainte Thérèse. Elle a commencé en 1953».

Voici le message de cette lettre: «Pendant les neuf prochains jours, dis un Notre Père et un Je vous salue, Marie, et remarque bien ce qui va se passer le 4e jour. Ne brise pas cette neuvaine, elle est puissante.

En moins de 24 heures, tu dois envoyer cette lettre à quatre personnes. Mentionne ton nom au début comme quoi tu as fait parvenir cette neuvaine. Copie exactement la même lettre et laisse-moi savoir ce qui t'arrive. Aie confiance».

Je n'ai pas brisé cette neuvaine...

* * *

Ceci fait partie d'une chaîne de lettres, quoi qu'on vous dise.

L'Église s'oppose à cette pratique superstitieuse, à cette prière en chaîne qui promet des effets automatiques, à cette neuvaine magique qui enlève à Dieu sa liberté, qui le contraint d'agir, à tel moment, à tel jour.

Il en est autrement de toute vraie prière qui respecte la liberté de Dieu, comme les neuvaines. Nous prions avec humilité et confiance, mais nous laissons au Seigneur la décision d'exaucer ou non nos prières spécifiques. Nous le prions avec sérénité et nous nous soumettons à sa divine volonté. Il lui est loisible, dans sa sagesse, de nous accorder les grâces les plus profitables, au temps voulu par sa Providence.

Si vous recevez des lettres comme celle que vous me citez, détruisez-les sans craindre les menaces qu'elles comportent. Vous mettrez un terme à une pratique crédule et naïve, vous ne succomberez pas à la superstition.

- XXIII -

CERTAINES NOUVELLES RELIGIONS

Certaines sectes,
l'Armée du Salut,
Vie et Réveil,
le Pentecôtisme,
les «renés»

IL NE FAUT PAS CITER EN EXEMPLE
CERTAINES SECTES

Vous avez parlé de l'Armée du Salut... Par ici, ils sont très actifs et j'ai entendu des hauts gradés ergoter contre les communautés religieuses catholiques.

Ma sœur a aussi une amie chrétienne évangélique. D'après elle, nous les catholiques et tous ceux qui ne font pas partie de leur Église sommes damnés.

Je ne crois pas qu'il faille les citer en exemple. Il n'y a pas de dialogue possible avec eux.

Leur enseignement est tentant... Les Mormons et les Témoins de Jéhovah n'ont pas d'enfer. Beaucoup préfèrent le néant à la damnation éternelle.

Il y a beaucoup d'éclairage dont nous avons besoin.

* * *

Il faut respecter les personnes et agir dans un esprit de charité. Des membres de ces religions manifestent de grandes qualités et se révèlent charitables. Mais il n'est aucunement question de pactiser avec les faussetés auxquelles ils adhèrent. Parfois, l'estime des personnes donne l'impression que les erreurs qu'elles prônent sont honorables, du moins acceptables; ce qui est trompeur. Par ailleurs, condamner les hérésies ou les illusions donne l'impression qu'il y a réprobation des personnes qui seraient de bonne foi et de conduite édifiante.

Souvent, l'Église est vertement condamnée, censurée et flétrie par certaines sectes religieuses fanatiques. On a l'impression que leur doctrine ne consiste qu'à dénoncer à haute voix l'Église catholique. Derrière ces désaveux et ces blâmes suscités par un zèle intempestif, se cachent des faussetés qui passent plus facilement inaperçues.

Ne tolérez pas ces attaques et ces dénigrements de l'Église. Autant que vous le pouvez, soutenez votre foi catholique. Exigez qu'on respecte vos croyances. Au besoin, retirez-vous de telles conversations où l'Église est prise à parti.

Nourrissez votre foi, surtout sur certains points controversés, par une doctrine exposée par l'Église. Acceptez l'autorité confiée par Jésus aux apôtres et à leurs successeurs, plutôt que d'écouter des gens qui se considèrent infaillibles quand ils attaquent sans aucune charité l'Église qui proclame la vérité, celle du Christ.

POURRIEZ-VOUS ME RENSEIGNER SUR L'ARMÉE DU SALUT?

Mon garçon est en amour avec une femme qui fait partie de la religion «l'Armée du Salut». Nous sommes tous des enfants de Dieu. Pouvez-vous nous renseigner un peu plus sur cette religion?

* * *

Il nous est facile de reconnaître les membres de l'Armée du Salut. Leur uniforme et leur oganisation d'allure militaire les rend bien visibles, officiers et soldats, surtout au temps de Noël, alors qu'ils se tiennent au coin des rues et nous tendent la main pour secourir les pauvres, les sans-abri, les ivrognes, les prisonniers, les orphelins, et leur offrir gîte et couvert.

L'Armée du Salut est une dénomination protestante, même si ses membres se disent au-dessus des divisions religieuses. Elle est répandue dans le monde et ne se limite plus aux taudis, mais organise un service social. Nous pouvons à bon droit admirer son dévouement et sa grande charité, même si nous ne devons pas oublier que l'Armée du Salut a aussi ses croyances qui ne sont pas les nôtres et est mue par un objectif d'évangélisation. Sa théologie n'est pas très développée, s'avère fondamentaliste, et les sacrements sont absents et remplacés pas divers rites.

Son fondateur, William Booth, naquit en Angleterre en 1829. Cet homme, un méthodiste père de huit enfants, manifesta la grande charité de son cœur. En 1878, son organisation prit le nom *«Armée du Salut»* (*Salvation Army*). L'Armée du Salut s'implanta aux États-Unis en 1880. William mourut en 1912. Il fut vraiment un évangéliste de grande charité.

Nous pouvons œuvrer comme fait l'Armée du Salut, collaborer à ses œuvres de charité, mais nous ne devons pas oublier qu'il s'agit d'une Église protestante et non catholique. Sa doctrine diffère de la nôtre. Certains de ses membres, malheureusement, attaquent notre Église.

Nous avons, quant à nous, catholiques, une multitude d'organisations de charité comme Développement et Paix, la Société Saint-Vincent-de-Paul, des établissements de charité de tous genres, des maisons pour femmes battues, pour mères dans le besoin, pour sidéens, nous avons nombre de communautés qui se consacrent au service des pauvres et de tous les nécessiteux.

QUE PENSER DU MOUVEMENT «VIE ET RÉVEIL»?

* * *

L'Église «*Vie et Réveil*» est dans la lignée du mouvement pentecôtiste; aussi attire-t-elle d'une façon spéciale certains membres du Renouveau charismatique. Elle diffère en des points cruciaux de l'Église catholique. Jeune encore, localisée principalement dans la région de Montréal, cette nouvelle religion gagne de nouveaux adeptes par des contacts personnels, du porte à porte, l'usage des moyens modernes de communication, radio, télévision, et une revue «*Le Vainqueur*».

Son fondateur et directeur se nomme Alberto Carbone; il naquit à Montréal en 1946, se convertit au Christ, fit des études aux États-Unis, subit l'influence du Protestantisme, du Pentecôtisme et, en particulier, des Assemblées de Dieu.

En 1974, il fonda l'Église «*Vie et Réveil*». L'essor fut donné en Haïti et à Montréal. Par la radio, par des cassettes, par des publications, par la télévision, Alberto Carbone se fit connaître.

Comme l'indique le Centre d'Information sur les Nouvelles Religions (CINR) dans le livre «*Nouvel Âge... Nouvelles Croyances*» publié en 1989, l'Église «*Vie et Réveil*» est issue du Pentecôtisme, s'inspire uniquement de la Bible, croit que le monde est dominé par Satan, que l'être humain est corrompu, que son salut ne peut se réaliser que par la foi seule en Jésus, insiste sur le rôle de l'Esprit Saint qui opère des guérisons, fait parler en langues, etc. Le Baptême de l'Esprit et l'imposition des mains sont fréquents dans l'Église «*Vie et Réveil*».

Le pasteur Carbone exerce une influence prédominante au sein de son Église. Il est assisté de quelques personnes et de centaines de bénévoles.

Les membres de cette Église se réunissent fréquemment, chaque semaine, dans des assemblées, dans des cellules, pour un partage biblique, pour la louange de Dieu et le réconfort mutuel.

Apparemment, c'est beau tout cela. Encore faut-il chercher la volonté du Seigneur là où il nous veut. Nous ne pouvons accepter l'unique référence à l'Écriture, l'influence d'un leader et d'un groupe qui ne s'en remettent qu'à eux-mêmes et à leur discernement individuel et émotionnel, fut-il collectif. En fait, existent-ils chez eux et chez d'autres religions nouvelles de vrais critères de discernement?

Trouvons dans notre Église catholique toute la richesse des dons du Seigneur. Notre Église catholique fut fondée par Jésus sur Pierre, les apôtres et leurs successeurs, le pape et les évêques. En elle se trouve la plénitude de la doctrine du Christ et des moyens de salut et de sainteté: «*Tu es Pierre, et sur cette pierre je bâtirai mon Église*» (Mt 16, 18). Ne cherchons pas ailleurs des éléments qui peuvent être trompeurs, même s'ils plaisent à notre sensibilité religieuse; cherchons plutôt ce que le Seigneur a voulu en instituant son Église.

QUE DIRE À UN JEUNE HOMME DEVENU PENTECÔTISTE?

Je connais un jeune homme de 21 ans. Il se rend régulièrement aux réunions de pentecôtistes. Selon lui, c'est plus emballant que la messe. Il est très impressionné par le respon-

sable. Comme les témoins de Jéhovah, ce responsable fait allusion au peu d'élus, à la fin imminente du monde... Les prêtres, selon lui, sont les scribes et les pharisiens condamnés par Jésus. La confession à Dieu suffit. Il remet en doute l'authenticité de l'Église.

*Voici ce que je lui ai répondu: «**Jésus a remis à ses apôtres le pouvoir de remettre les péchés... Jésus est le fondement de l'Église et les apôtres furent les premiers prêtres... Il faut prendre garde aux sectes qui endoctrinent avec fanatisme... Je lui ai dit que je me réjouis de le voir cheminer, lui qui passait son temps dans les bars, mais j'ai ajouté qu'il lui manquerait quelque chose un jour, l'eucharistie, etc...**»*

Que répondre à ce jeune homme qui désire connaître la vérité et grandir dans le bon chemin? Bien des discussions sont stériles. Je suis très compréhensif, car j'ai passé par là. Il agit avec une certaine peur, vu le peu d'élus et la fin des temps...

* * *

Votre question comporte une réponse, la vôtre, et je la trouve excellente. Continuez à offrir à votre ami la justification de votre foi qui est aussi celle du gros bon sens.

Trop de personnes en quête de Dieu se laissent prendre par le sentiment plutôt que par la raison et les données de la vraie foi. S'il surgit sur leur chemin un leader éloquent et vivant, ils sont hypnotisés par son dynamisme. Beaucoup s'aperçoivent bientôt que la faim spirituelle les tenaille toujours, que chips, sucreries et crème glacée, ne suffisent pas...

La vie chrétienne n'est pas composée uniquement de sentiments, d'émotions, d'enthousiasme, mais de foi, de Parole de Dieu, de croissance spirituelle même aride, de vie en Église. En cette Église voulue par le Christ, enseignent les pasteurs mandatés par le Christ, et non des pasteurs qui se mandatent eux-mêmes, aux qualités humaines indéniables, mais sans mandat officiel du Seigneur.

CHEZ LES PENTECÔTISTES, C'EST PLUS VIVANT!

Un jeune couple qu'on aime beaucoup fréquente les pente-côtistes. À ma question: «Qu'est-ce que vous trouvez là plus que chez nous?», il répond: «La louange, la joie, le droit de parole. C'est vivant. Chez nous, à l'Église, c'est mort, les célébrations sont plates». Ça me fait mal!

* * *

Ce qui nous meut dans la vie chrétienne, ce ne sont pas nos sentiments et notre bon plaisir, mais la foi, la volonté de Dieu et son bon plaisir à lui. La religion, ce n'est pas nous qui la créons, mais Dieu. Elle n'est pas faite simplement pour nous satisfaire d'un plaisir passager, mais pour nous donner l'opportunité d'honorer Dieu selon ses désirs et de recevoir ses bienfaits.

Je déplore que certaines cérémonies catholiques soient plutôt ennuyantes, et non festives. Mais l'or demeure de l'or malgré la poussière qui le recouvre. Ainsi en est-il de la sainte messe, la grande prière qui vient du Christ, qui se vit avec le Christ, en union avec tout le Corps du Christ qu'est l'Église. À nous de réveiller notre foi. Notre premier intérêt ne doit pas être la satisfaction de nos émotions. Nos chants ne peuvent se substituer à la doctrine et au bon vouloir du Christ, mais seulement les accompagner.

Le cardinal Danneels, archevêque de Bruxelles, écrivait: «Autant, jadis, le prêtre disparaissait derrière les rites, autant on exige aujourd'hui de lui que sa qualité d'animateur nous satisfasse, qu'il soit un acteur plutôt qu'un serviteur... La célébration n'est pas une parole humaine mais une réponse humaine à la Parole de Dieu».

Que va chercher votre couple ami? Une parole humaine qui charme, ou la Parole de Dieu qui sanctifie?

J'AIMERAIS EN SAVOIR PLUS SUR LES PENTECÔTISTES

* * *

Loin de moi de vouloir dénigrer les Pentecôtistes ou d'autres groupes religieux. Je me réjouis de leur recherche de Dieu et de leurs qualités. Cependant, je ne puis me montrer d'accord avec leur doctrine qui diffère de celle de l'Église catholique.

Les Pentecôtistes, nombreux aux États-Unis, parmi les Noirs en particulier, nombreux aussi en Scandinavie, en Amérique Latine, en Afrique et ailleurs, mettent l'accent sur l'Esprit Saint, la Pentecôte, le baptême dans l'Esprit, la conversion, et sur les dons, surtout le don des langues, la glossolalie.

Le Pentecôtisme, d'origine protestante, remonte au début du 20ᵉ siècle et prend racines dans le renouveau créé par John Wesley au 18ᵉ siècle. Il connaît, grâce à un zèle missionnaire agressif, une croissance surprenante en ce temps de négligence de la pratique religieuse, alors qu'il y a une quête individuelle de Dieu, la recherche d'une expérience religieuse où le sentiment joue un grand rôle. Le Pentecôtisme semble réagir contre une religion trop cérébrale et froide.

Les Églises pentecôtistes sont nombreuses et variées; mentionnons les «Assemblées de Dieu». Certains de leurs «preachers» sont célèbres, comme Oral Roberts, qui fut un peu le rival de l'évangéliste Billy Graham. Aussi David du Plessis, homme de grande ouverture et de dialogue, l'un des observateurs au concile Vatican II.

La doctrine des Pentecôtistes peut s'identifier au protestantisme fondamentaliste, et elle repose sur une interprétation littérale de la Bible. La morale est de tendance puritaine.

Alors que les Églises pentecôtistes connaissent une expansion, l'Esprit souffle aussi dans les grandes dénominations protestantes. Quant à l'Église catholique, à la suite du grand geste de l'Esprit Saint que fut le concile Vatican II (1962-1965), elle s'est ouverte depuis 1967 au renouveau de l'Esprit connu sous le nom de Renouveau charismatique. Le Renouveau charismatique a droit de cité dans l'Église, car il est très respectueux de la saine doctrine et de l'enseignement du Magistère. À l'instar de Paul VI, Jean-Paul II y a vu une chance pour l'Église.

D'autres mouvements, Focolarini, Communione e liberazione, le Cursillo, la famille Encounter, le Néo-catéchuménat, l'Opus Dei, etc., etc., ainsi qu'une foule d'associations et de communautés révèlent la présence de l'Esprit vivant au sein de l'Église catholique.

QUELLE EST VOTRE OPINION SUR LES «REBORN», LES «RENÉS»?

Je connais plusieurs personnes qui ont abandonné la religion catholique pour devenir des «Reborn in Christ» (des «Renés dans le Christ»). Une d'entre elles, qui était une fervente catholique dans le passé, m'avouait: «Je suis dans une grande paix, paix que je n'ai jamais ressentie dans la religion catholique. Je n'ai que ma Bible. Je peux passer des heures à la lire. Je rejette toute idole (images saintes, statuettes, etc.)». Elle ne prie pas la Vierge Marie, elle dit que Marie était une femme ordinaire. J'aimerais connaître votre opinion.

* * *

Quel est le critère qui indique à cette bonne dame qu'elle est dans le bon chemin, que sa conception de la foi et de la religion est la bonne? Son sentiment? Son raisonnement? L'opinion de certains leaders pentecôtistes ou évangélistes?

Pourquoi ne pas étudier davantage la foi de l'Église catholique, apostolique d'origine? Il existe des catholiques fervents, mais dont les connaissances chrétiennes sont embryonnaires; ils peuvent facilement être influencés par des pasteurs non-catholiques, goûter une paix plus sentimentale que cette paix pascale dont parle Jésus, une paix pascale qui n'est pas superficielle et qui s'accompagne du signe d'un disciple du Christ, la croix.

Quant au rejet de certaines vérités enseignées par l'Église, il y est répondu ailleurs dans ces pages. Les idoles dont la dame parle ne sont pas des idoles aux yeux des chrétiens catholiques que nous sommes, pas plus que le portrait de notre mère sur notre bureau. La Vierge Marie a joué un rôle de premier plan dans la naissance et la vie de Jésus, notre Sauveur; nous l'honorons en conséquence, tout en laissant au Christ le cœur de notre vie. Nous aussi, nous croyons en la place primordiale de la Parole de Dieu. En beaucoup d'endroits se donnent des cours de Bible pour une interprétation qui soit authentique.

Nous sommes tous, de par notre baptême, des *reborn*, des *renés*, engendrés pour la vie éternelle. Notre baptême est cette renaissance dans l'eau et l'Esprit Saint voulue par Jésus.

L'Église, fondée par le Seigneur, groupe autour des pasteurs, pape et évêques qu'il a voulus et choisis, des frères et des sœurs qui cheminent vers Dieu, se nourrissent du Pain de vie qu'est Jésus, s'alimentent des sacrements, grandissent dans la foi, l'espérance et l'amour. Les chrétiens qui le comprennent et en vivent sont dans une paix profonde, celle voulue par le Seigneur.

- XXIV -

LE SOIR DE NOTRE VIE
ET LA FIN DU MONDE

La Vie Montante,
le testament biologique,
la miséricorde du Seigneur,
l'incinération,
la résurrection de la chair,
les services religieux,
la fin du monde,
le retour du Christ

QU'EST LA VIE MONTANTE?

* * *

1997 marquait le 25ᵉ anniversaire de fondation de la *Vie Montante* canadienne, cette association catholique qui s'adresse particulièrement aux personnes retraitées. L'association connut ses débuts au Canada en 1972, dans le diocèse de Saint-Jean-Longueuil. Le père François Sailler, O.M.I., s'en fit l'ardent promoteur. En 1990, le mouvement devint connu au Canada anglais sous l'appellation *Ascending Life*. S'intensifie le désir que sainte Anne et son époux, saint Joachim, deviennent les patrons du mouvement *Vie Montante*.

Depuis le 25 mars 1996, un Décret du Conseil pontifical pour les Laïcs reconnaît *l'Association Vie Montante Internationale* (VMI) comme Association internationale privée de fidèles, de droit pontifical. Que nos aînés continuent leur rôle précieux au sein de la communauté civile et ecclésiale!

Grâce à la *Vie Montante*, s'accomplit une éducation mutuelle de la foi, et les membres du mouvement se nourrissent de spiritualité, d'apostolat et d'amitié. Le mouvement prend de l'ampleur en de nombreux diocèses canadiens. Il se fortifie localement et lors de congrès, aussi par un journal qui paraît cinq fois l'an. Il compte environ 300 000 membres répartis en Europe, en Asie, en Afrique, dans les Amériques, dans une trentaine de pays.

«Que nos aînés présentent une vision pleinement humaine et chrétienne de la vie, manifestent la sagesse de leur expérience, fassent le lien entre les diverses générations, témoignent de l'affection fidèle, du don gratuit de soi, de la sérénité, de la joie discrète et rayonnante, de la force dans l'épreuve, de l'intériorité, de l'espérance dans l'au-delà de la vie, de ce que l'on pourrait appeler le charisme du soir de la vie» (Jean-Paul II).

Les aînés sont, au dire de Jean-Louis Allard, co-responsable national, des *témoins de la Sagesse, des dispensateurs de la tendresse de Dieu...*

(La Vie Montante canadienne, 2665, boul. Pie IX, app. 2, Montréal, Qc, H1V 2E8. Tél.: 1 (514) 253-4066).

QUELLE EST VOTRE OPINION
SUR LE TESTAMENT BIOLOGIQUE?

* * *

Pour pallier d'avance aux problèmes qui peuvent surgir lors d'une maladie mortelle ou de l'inconscience à la fin de la vie, il est loisible de rédiger un testament biologique, un testament de vie, une clause d'un mandat d'inaptitude (loi 145), pour que, le moment venu, et selon telles conditions, on ne soit pas réanimé ou maintenu en vie de façon inappropriée, alors que la guérison s'avère impossible. Une personne mandatée, selon les dictées du testament ou du mandat d'inaptitude, consentira ou refusera des traitements au nom de la personne malade et inconsciente.

La prudence est de mise dans la rédaction d'un tel document, en ces temps où la perspective de l'euthanasie légale gagne du terrain.

Il ne faut pas qu'un tel papier signé devienne prétexte à l'euthanasie, qu'elle soit volontaire, selon le désir de la personne malade, ou involontaire, selon le désir du médecin ou d'un proche de la personne malade. Le testament biologique pourrait être interprété de façon libérale et conduire à l'action...

Que les personnes âgées soient prudentes face à certaines pressions qui s'exercent sur elles. Les conseils d'amis sûrs, chrétiens et désintéressés, sont précieux; ceux aussi d'un avocat consciencieux.

Le testament biologique peut être utile, pour éviter l'acharnement thérapeutique; il n'est pas indispensable.

PUIS-JE ESPÉRER LA MISÉRICORDE?

Seigneur, la vie que tu m'avais prêtée, je l'ai tout simplement perdue. Je suis rendu à 65 ans. Je suis divorcé. J'ai des enfants. Ils m'ont abandonné; ils ont pris parti pour leur mère.

J'ai travaillé dans plusieurs industries. Partout, j'ai volé, j'ai falsifié des factures, j'ai truqué des ordinateurs. Il s'agissait de très grosses sommes d'argent. Je ne me suis jamais fait prendre. Je faisais la grosse vie. En plus des vols, j'avais plusieurs femmes dans ma vie; une ne me suffisait pas.

Je me retrouve seul. Il m'est impossible de remettre les sommes d'argent; je vis sur l'aide sociale. Les remords me poursuivent jour et nuit.

Aujourd'hui, j'ai peur de la mort, du jugement de Dieu. Je vois venir le jour où je paraîtrai devant le Grand Maître. Je ne pourrai plus mentir ni le déjouer. Quel sera son jugement sur moi?

*Vous me direz de croire à la miséricorde de Dieu. Mais avant tout Dieu est juste, et pour un pécheur qui a péché toute sa vie, sans regret aucun, quel n'est pas le jugement sévère que Jésus va prononcer? «Va, **maudit, au feu éternel; sois privé pour toujours de la vue de ton Maître**».*

Père, aidez-moi, répondez-moi.

* * *

Ma réponse spontanée ne pourrait être que sentimentale. Ma réponse s'inspirera de la Parole de Dieu et... sera sentimentale. La réponse, c'est Dieu qui vous tend les deux bras, aussi grands qu'il le peut, comme le père de l'enfant prodigue (Lc 15, 11ss). C'est Dieu qui guette votre retour depuis si longtemps. Dieu dont vous demeurez toujours l'enfant, malgré vos frasques. Dieu qui s'est ennuyé de vous. Dieu qui veut organiser pour vous la fête éternelle, le banquet, les réjouissances. Dieu qui ne peut cesser d'être ce qu'il est: miséricorde et tendresse, *«car il est bon, car éternel est son amour»* (Ps 107, 1).

Il nous dit, déjà dans l'Ancien Testament: *«Je n'agirai pas selon l'ardeur de ma colère..., car je suis Dieu, et non pas un homme..., et je ne viens pas pour exterminer»* (Osée, 11, 8-9).

C'est le Dieu de l'Évangile; il n'y en a pas d'autre. *«Dieu a tant aimé le monde qu'il a donné son Fils unique... non pas pour juger le monde, mais pour que le monde soit sauvé par lui»* (Jn 3, 16-17). Il nous suffit de l'accueillir, de lui ouvrir la porte de notre cœur. Même si c'est au dernier jour de notre vie, comme pour le bon larron (Lc 23, 43).

Le jugement, c'est pour ceux qui refusent jusqu'à la fin la clémence d'un Dieu venu pour les pécheurs, et non pour les justes (Mt 9, 13). Ne tardons pas à lui offrir notre vie, à suivre la voie du bonheur, celle de ses commandements. Ne reportons pas à plus tard la joie de l'aimer de tout notre cœur.

Recevez le sacrement du pardon qui vous pacifiera en profondeur. C'est le sacrement de l'amour et de la miséricorde.

Pour vous pacifier, que vous dire de plus? Regardez le crucifix.

Le ciel serait vide sans l'indulgence de Dieu.

Jetez-vous dans les bras de Marie, la maman immaculée qui accepte tous ses enfants barbouillés par le péché. Pleurez dans ses bras les erreurs passées, mais pleurez avec confiance.

«Il y aura plus de joie dans le ciel pour un seul pécheur qui se repent que pour quatre-vingt-dix-neuf justes qui n'ont pas besoin de repentir» (Lc 15, 7).

EST-IL VRAI DE DIRE QUE JÉSUS NE PUNIT PAS?

Devons-nous avoir peur de la mort en pensant à notre vie pleine d'accrocs? Est-il vrai de dire que Jésus n'est qu'amour et ne punit pas?

* * *

Vous n'aurez pas peur de la mort, si vous vous tournez avec confiance vers un Dieu tout de bonté et de miséricorde. *«Car Dieu a tant aimé le monde qu'il a donné son Fils unique, afin que quiconque croit en lui ne se perde pas, mais ait la vie éternelle»* (Jn 3, 16).

Nous sommes pécheurs, mais, si nous nous repentons, nous pouvons sourire à la vie, surtout à la vie éternelle, car elle est pour nous.

N'ayons pas peur de Dieu, notre Père. Jésus, son divin Fils, s'est fait notre salut. «*Car le Fils de l'homme est venu chercher et sauver ce qui était perdu*» (Lc 19, 10). «*Il est mort pour tous*» (2 Co 5, 15). «*Dieu ne nous a pas réservés pour sa colère, mais pour entrer en possession du salut par notre Seigneur Jésus Christ*» (I Th 5, 9).

Dites-vous dans votre confiance en ce Dieu de bonté et de miséricorde: «*J'exulterai en Dieu mon Sauveur!*» (Ha 3, 18). Il n'est pas un Dieu de punition et de vengeance, mais un Dieu d'amour. La punition, c'est nous qui nous l'infligeons en nous éloignant de lui.

Regrettez les accrocs de votre vie passée, mais le regard tourné vers un Seigneur de bonté et de miséricorde.

Comme le prophète Michée, implorons le Seigneur: «*Quel est le dieu comme toi, qui enlève la faute, qui pardonne le crime,... qui prend plaisir à faire grâce? Aie pitié de nous!... Jette au fond de la mer tous nos péchés!*» (Mi 7, 18-19).

Le Seigneur jettera au fond de la mer tous nos péchés. Puis, comme quelqu'un l'a écrit, il mettra une enseigne sur le bord de la mer: «*Défense de pêcher!*»...

AU MOMENT DE LA MORT, L'ACTE DE CONTRITION SUFFIT-IL?

Une personne, en état de faute grave et en danger de mort, ne peut se confesser à un prêtre. Peut-elle revenir en état de grâce par un acte de contrition?

* * *

Certainement, et que ce soit là la consolation et l'espérance de beaucoup, surtout en un temps où le nombre de prêtres diminue. L'acte de contrition, s'il est sincère et bien motivé, redonne l'amitié de Dieu que le péché grave a fait perdre. Si c'est possible, il faut, cependant, recevoir le sacrement de réconciliation.

Que lisons-nous dans le Code de Droit canonique? «*La confession individuelle et intégrale avec l'absolution constitue l'unique mode ordinaire par lequel un fidèle conscient d'un péché grave est réconcilié avec Dieu et avec l'Église; seule une impossibilité physique ou morale excuse de cette confession, auquel cas la réconciliation peut être obtenue aussi selon d'autres modes»* (Can. 960, 1).

Pourquoi ne pas développer l'habitude de formuler dans notre cœur un acte de contrition après une faute, surtout si elle est sérieuse? Pourquoi ne pas réciter un acte de contrition avant de nous endormir le soir, à la pensée des faiblesses morales de la journée?

Rappelons-nous l'acte de contrition que, peut-être, nous avons oublié: *«Mon Dieu, j'ai un extrême regret de vous avoir offensé, parce que vous êtes infiniment bon, infiniment aimable, et parce que le péché vous déplaît. Pardonnez-moi, par les mérites de Jésus Christ, mon Sauveur. Je me propose, moyennant votre sainte grâce, de ne plus vous offenser et de faire pénitence».*

Nous pouvons désapprendre la formule; conservons du moins les sentiments de regret. Détestons nos péchés avec la résolution de ne plus les commettre.

QUE PENSE L'ÉGLISE DE L'INCINÉRATION?

Nous ne sommes pas argentés. Mon mari et moi nous préparons notre décès. Ça coûte cher, c'est ridicule. Je préfère être enterrée, mon mari aime mieux être incinéré car le coût est moins élevé.

* * *

L'Église ne s'oppose pas à l'incinération. Elle l'autorise, du moment que nous croyons en la résurrection des corps.

«L'Église recommande vivement que soit conservée la pieuse coutume d'ensevelir les corps des défunts; cependant elle n'interdit pas l'incinération, à moins que celle-ci n'ait été choisie pour des raisons contraires à la doctrine chrétienne» (Can. 1176, par. 3).

Comme commentaire à cette loi de l'Église, ajoutons que l'incinération est permise et pas seulement tolérée. Nulle juste cause n'est requise pour qu'une personne choisisse d'être incinérée. Qu'il y ait incinération ou inhumation, l'Église, en chaque diocèse, a légiféré pour que des obsèques chrétiennes soient célébrées pour chaque défunt, peut-être dans la maison mortuaire, dans l'église et au cimetière.

Que tout se fasse dans la vénération de ce corps qui fut le temple de l'Esprit Saint, qui est appelé à la résurrection et pour la consolation des vivants.

Respectons les dernières volontés des défunts. Voyons à ce que leurs cendres, s'ils sont incinérés, soient conservées dans un endroit décent et chrétien.

COMMENT EXPLIQUER LA RÉSURRECTION DE LA CHAIR?

Nous croyons à la résurrection de la chair. Comment l'expliquer? Seul Jésus Christ est ressuscité et monté au ciel!

* * *

Nous croyons en la résurrection de la chair; nous l'affirmons dans le credo. Elle ne survient pas avant notre mort... Comment l'expliquer?

Ne cherchons pas d'explications trop terre-à-terre, simplistes et selon nos seuls critères visibles. La foi nous fait croire en cette résurrection. En quel état serons-nous quand notre corps sera ressuscité? Sans doute, semblable au prototype qu'est Jésus. Comme vous dites, il est ressuscité et monté au ciel. Cette croyance aussi fait partie de notre foi, en fait elle se situe au creux de notre foi.

«*Si le Christ*, dit saint Paul, *n'est pas ressuscité, vide alors est notre message, vide aussi votre foi*» (I Co 15, 14).

Pour nous, nous savons qu'après notre mort, nous paraîtrons devant le Seigneur. Si nous sommes morts dans son amitié, nous serons à jamais avec lui dans le paradis.

Un jour, à la fin des temps, le Christ reviendra dans la gloire; ce sera la parousie. Ce sera aussi le début de la fête éternelle, des cieux nouveaux et d'une terre nouvelle. Les morts ressusciteront, certains pour la vie éternelle, d'autres pour leur perte éternelle.

Nous ressusciterons. Nos corps deviendront glorieux, comme le devint celui du Christ après sa résurrection. Comme le grain se transforme en arbre ou en fleur magnifiques, ainsi notre corps misérable et faible deviendra le compagnon glorieux de notre âme pour l'éternité.

Que sera-t-il? L'inséparable compagnon du bonheur dont nous jouirons. Saint Paul nous en donne une lueur en s'exclamant: L'œil de l'homme n'a pas vu, dit-il, son oreille n'a pas entendu, ce n'est jamais monté au cœur de l'homme, «*tout ce que Dieu a préparé pour ceux qui l'aiment*».

«*De ma chair, je verrai Dieu*», dit Job (19, 26).

QUE SERONT NOS CORPS RESSUSCITÉS?

À la fin des temps, le Seigneur ressuscitera les corps. Est-ce en corps de chair, ou spirituels ou glorieux?

* * *

Éliminons dès l'abord la pensée de la réincarnation. «*La croyance en la réincarnation ne doit pas être considérée comme une erreur de peu d'importance chez les personnes qui professent la foi chrétienne*», déclarait le cardinal Francis Arinze. Le cardinal Joseph Ratzinger abondait dans le même sens. Le Catéchisme de l'Église catholique est explicite: «‹*Les hommes ne meurent qu'une fois› (He 9, 27). Il n'y a pas de réincarnation après la mort*» (No 1013).

Il n'est peut-être pas aisé de préciser la réponse à la question posée. Selon les données bibliques, l'au-delà se conçoit pour un Royaume de Dieu qui ne sera pas la copie du Royaume terrestre. Aussi est-il difficile de parler avec abondance et en termes lumineux de ce que nous deviendrons lorsque nous serons transformés dans le Seigneur. Est-ce nécessaire que tout nous soit clair et précis? Dans notre foi, nous écoutons saint Paul: «*Puisque nous croyons que Jésus est mort et ressuscité, de même, ceux qui se sont endormis en Jésus, Dieu les emmènera avec lui... Nous serons avec le Seigneur toujours»* (2 Th 4, 14. 17).

Alors que nous récitons le credo, nous affirmons notre foi dans la résurrection: *«Je crois à la résurrection de la chair, à la vie éternelle»*. Nous ressusciterons à la suite du Christ.

Avec la résurrection du Christ commence une nouvelle création (Catéchisme de l'Église catholique, 349). *«Il est impossible d'interpréter la résurrection du Christ en dehors de l'ordre physique»* (l.c., 643). Il ne s'agit donc pas d'un simple *«produit»* de la foi ou de la crédulité des apôtres (l.c., 644). Son corps ressuscité porte encore les traces de sa passion. *«Ce corps authentique et réel possède pourtant en même temps les propriétés nouvelles d'un corps glorieux»* (l.c., 645).

La résurrection du Christ est principe et source de notre propre résurrection. Aussi voulons-nous *«lui devenir conforme dans sa mort, afin de parvenir si possible à ressusciter d'entre les morts»* (Ph 3, 10-11). La personne qui souffre sera la même personne qui jouira de la gloire de la résurrection (625). *«Celui qui a ressuscité le Christ Jésus d'entre les morts donnera aussi la vie à vos corps mortels par son Esprit qui habite en vous»* (Rm 8, 11). Même nos corps mortels reprendront vie; pas seulement notre âme.

«Comment certains parmi vous peuvent-ils dire qu'il n'y a pas de résurrection des morts», demande saint Paul. Ce serait nier la résurrection du Christ et vider notre foi. *«Mais non; le Christ est ressuscité d'entre les morts, prémices de ceux qui se sont endormis»* (I Co 15, 12. 20).

Saint Paul pose la même question que celle à laquelle je réponds: *«Mais, dira-t-on, comment les morts ressuscitent-ils? Avec quel corps reviennent-ils? Insensé! Ce que tu sèmes, toi, ne reprend vie s'il ne meurt. Et ce que tu sèmes, ce n'est pas le corps à venir, mais un simple grain... et Dieu lui donne un corps à son gré... On est semé dans la corruption, on ressuscite dans l'incorruptibilité..., dans la gloire..., dans la force...; on ressuscite corps spirituel»* (I Co 15, 35-44).

Je trouve une réponse succincte à la question quand je lis l'enseignement du Catéchisme de l'Église catholique: «*L'Église enseigne que chaque âme... est immortelle: elle ne périt pas lors de sa séparation du corps dans la mort, et s'unira de nouveau au corps lors de la résurrection finale*» (366). L'Esprit Saint nous fait déjà participer à la résurrection du Seigneur (556). Dans la mort, il y a séparation de l'âme et du corps, mais Dieu rendra la vie incorruptible à nos corps en les unissant à nos âmes; tel est l'enseignement de l'Église (997). Ce ne sera pas un retour à la vie terrestre, mais le corps sera transfiguré en «*corps de gloire*»(Ph 3, 21).

Le «*comment*» n'est accessible que dans la foi. Le moment sera le dernier jour, à la fin du monde (Jn 6, 39-40, 44. 54). Ce sera lors de l'avènement du Seigneur (I Th 4, 16).

Déjà, respectons ce corps, même lorsqu'il souffre.

En attendant la résurrection des corps lors du jugement général, les âmes des élu-e-s sont au Royaume des cieux et au paradis céleste avec le Christ (LG 49).

L'assomption de la Vierge est une anticipation de notre résurrection.

LES SERVICES RELIGIEUX AUX HELL'S ANGELS SONT UN SCANDALE

Les services religieux accordés aux Hell's Angels groupent des motards criminalisés, ce qui me semble un scandale. À qui refuse-t-on le service religieux?

Comment ne pas protester quand on voit le trafic de la drogue auquel ils se livrent?

* * *

Le trafic de la drogue demeure l'un des grands fléaux de notre société moderne, calamité qui affecte tant de jeunes. Aussi, l'Église, récemment, par le Conseil pontifical pour la famille, s'opposait fermement à la libéralisation des drogues, non seulement des «*drogues dures*», mais même des «*drogues douces*» (février 1997). La toxicomanie se répand, surtout la toxicomanie juvénile, au grand désespoir des parents; les problèmes en découlent. Malgré les discours favorables à la légalisation, nous devons nous y opposer car elle ne réglerait pas les problèmes, au contraire. La servitude gagnerait du terrain.

Plusieurs motards facilitent le commerce de la drogue. Évidemment, il faut éviter le scandale d'offrir des funérailles religieuses à une personne qui, en toute certitude, est morte sans regret de péchés commis publiquement. Aussi, le Code de Droit canonique stipule-t-il:

«*Doivent être privés des funérailles ecclésiastiques, à moins qu'ils n'aient donné quelque signe de pénitence avant leur mort:*

...les autres pécheurs manifestes, auxquels les funérailles ecclésiastiques ne peuvent être accordées sans scandale public des fidèles.

Si quelque doute surgit, l'Ordinaire du lieu, au jugement duquel il faudra s'en tenir, sera consulté» (Can. 1184).

Il n'est pas toujours facile de décider ce qui est le plus opportun. Avant de refuser les funérailles chrétiennes, il faut vraiment s'assurer qu'elles sont un scandale public. De nos jours surtout, le danger de scandale n'est pas toujours évident. «*L'Église qui, comme Mère, a porté sacramentellement en son sein le chrétien durant son pèlerinage terrestre, l'accompagne au terme de son cheminement pour le remettre entre les mains du Père*» (Catéchisme de l'Église catholique, 1683).

L'Église trouve le moment venu d'offrir un rituel plus adapté aux nouvelles réalités. À l'occasion, l'Église propose un temps de prière sans qu'il y ait célébration de l'Eucharistie. Elle recommande au Seigneur miséricordieux la personne qui vient de quitter cette terre.

Dieu seul est juge de l'état d'âme du défunt et de la défunte. Peut-être y a-t-il eu repentance au moment suprême de la mort. Ne jugeons pas; prions et confions à Dieu l'âme qui paraît devant lui, en espérant qu'un jour d'autres prieront pour nous.

L'Église est devenue plus consciente que les funérailles religieuses, non seulement sont un temps de prière pour la personne défunte, mais rappellent à tous que la vie terrestre est un passage vers l'éternité. L'Église se préoccupe du défunt, elle veut aussi annoncer à la communauté la vie éternelle (l.c., 1684). Les funérailles religieuses offrent une consolation de foi aux membres de la famille de la personne disparue et à tous les amis consternés.

MON ENFANT, TÉMOIN DE JÉHOVAH, AURA-T-IL DROIT À DES FUNÉRAILLES CATHOLIQUES?

J'ai un enfant qui est témoin de Jéhovah depuis 14 ans. Il est malade. Advenant son décès, est-ce qu'il a le droit d'être exposé au salon, d'entrer à l'Église pour un service religieux et d'être enseveli dans notre lot au cimetière?

* * *

Qu'il soit exposé au salon funéraire, je ne vois pas de problème, en autant qu'il dépend de vous.

Au sujet des funérailles religieuses dans l'Église catholique, il faudrait discuter de chaque cas avec votre pasteur, car beaucoup de circonstances concrètes peuvent influencer la décision.

Existent des lois selon lesquelles peuvent être accordées ou refusées les funérailles ecclésiastiques.

Selon le Code de Droit canonique, doivent être privés des funérailles ecclésiastiques, à moins qu'ils n'aient donné quelque signe de pénitence avant leur mort, «*les apostats, hérétiques et schismatiques notoires*», etc. Les Témoins de Jéhovah me semblent du nombre.

Les funérailles de l'Église seraient refusées si le défunt a manifesté clairement sa volonté de ne pas avoir de service religieux dans l'Église catholique (Can. 1183).

Les Témoins pourraient s'opposer à des funérailles catholiques.

Quant au cimetière, je crois que votre fils pourrait être enterré dans votre cimetière et dans votre lot familial.

LA FIN DU MONDE EST-ELLE IMMINENTE?

Mises à part les prédictions de fin du monde par certains mouvements sectaires, que doivent penser les chrétiens du retour du Seigneur?

Jésus nous a dit de reconnaître les signes: tribulations, séismes, guerres, famines, maladies, inondations, etc.

Il y a les apparitions et les messages extraordinaires de Marie. Il y a les prophéties de notre temps... Que faut-il en penser?

* * *

Les sectes eschatologiques continuent de prêcher un retour imminent du Christ Jésus et la fin de ce monde. Elles l'ont fait tout au long de l'histoire.

Nombreux furent les chrétiens qui, au cours des siècles, ont cru que la fin des temps était venue. Surtout au moment de grands cataclysmes: la persécution de l'empire romain, la venue des Barbares, la Peste Noire, les guerres interminables, des cataclysmes naturels. Et le temps inexorable a continué...

Nous sommes au seuil d'un nouveau millénaire. La société, bien que sophistiquée, est pleine de souffrances; les gens vivent dans le stress et l'anxiété. La guerre mondiale, l'holocauste, l'esclavage du communisme, les pays totalitaires, les génocides, les calamités naturelles créées par les séismes et les inondations, le danger toujours présent d'une destruction nucléaire, sont pour beaucoup les signes dont parlait Jésus (Mt, 24), signes qui leur paraissent évidents d'une fin du monde prochaine. Ils oublient que le Seigneur ajoute que ce ne sera pas de sitôt la fin (Lc 21, 9).

Quoi qu'il en soit, ne nous a-t-il pas prévenus que nul ne sait ni le jour ni l'heure (Mt 24, 36)?

Ces signes, les apparitions vraies ou présumées de la Vierge qui mentionne des punitions pour les péchés si nombreux, font réfléchir. Puissent-ils susciter la conversion de nos cœurs!

L'important n'est-il pas de nous tenir toujours prêts et vigilants dans la prière (Mt 24, 42; Lc 21, 36)?

FAUT-IL CROIRE LES PROPHÈTES
QUI ANNONCENT LES DERNIERS TEMPS?

* * *

Ils sont nombreux. Pour qui connaît l'histoire, il n'y a rien de surprenant. À tous les siècles, il y eut des prophètes qui ont prédit les derniers temps, la venue prochaine du Christ, la parousie. Non seulement des membres de sectes eschatologiques, mais même des chrétiens, catholiques ou non. Il s'en trouve encore de nos jours.

Les derniers temps, les temps nouveaux, sont arrivés avec l'ère du Christ. C'est le seul nouvel âge authentique.

Quant à la fin du monde, nous ne savons pas quand elle surviendra. Seul notre Père du ciel le sait, dit Jésus (Mt 24, 36).

Déjà, au temps des apôtres, les chrétiens espéraient que l'avènement du Christ glorieux serait pour bientôt. Certains cessèrent même de travailler pour mieux s'y préparer. Saint Paul, sans doute avec un brin d'humour, leur donne ce conseil: «*Si quelqu'un ne veut pas travailler, qu'il ne mange pas non plus*» (2 Th 3, 10).

Vivons dans la ferveur de l'amour de Dieu et du prochain. La fin des temps, ou la fin de notre vie, ne nous prendra pas par surprise.

En mai 1996, le cardinal Cahal Daly, d'Armagh, Irlande du Nord, se souciait du nombre de prétendus visionnaires qui prétendent avoir reçu de Jésus et de Marie des avertissements de feu du ciel, de catastrophes, de fin du monde. Cet accent sur la colère divine et les punitions sont un élément inquiétant des prétendues visions, croyait-il. Ne faut-il pas plutôt, selon l'évangile, centrer notre attention sur le pouvoir guérisseur du Christ et l'appel au salut? Le langage des apparitions semble banal comparé au langage d'espérance qui se dégage de l'évangile.

Personnellement je respecte les révélations qui semblent authentiques. Parfois, certains chrétiens déforment et biaisent involontairement le message de ces révélations. En insistant trop sur les malheurs à craindre, ils oublient l'essentiel: le Seigneur ou la Vierge Marie, en toute bonté, nous invitent instamment à la conversion, au véritable amour de Dieu et du prochain. Nous sommes tellement enclins à adopter les tendances païennes d'une société qui refuse Dieu!

J'écoute le pape, vicaire du Christ... Il nous parle d'un nouveau printemps pour l'Église, d'un nouvel avent missionnaire. Il ne semble pas se soucier outre-mesure d'une fin prochaine des temps. Un nouveau millénaire s'introduit par un grand Jubilé en l'honneur de Jésus né il y a 2000 ans.

Malgré les pronostics déprimants, l'Esprit continue son œuvre, sans bruit, sans se lasser. Il y a tant de bons fruits sur le vieil arbre de l'Église. Jésus continue de fasciner les cœurs. Puis-je mentionner, en guise d'exemple, les «Marches pour Jésus» inaugurées à Londres en 1987? Des millions de personnes participent aux «Marches pour Jésus» en 170 pays et en 2000 villes. Ils étaient récemment deux millions de marcheurs à Sao Paulo, Brésil.

L'univers et la conquête de l'espace ne font que s'ouvrir à l'être humain qui a mission de soumettre la terre et de dominer l'œuvre de la création (Gn 1, 28).

Quand viendra la parousie, le retour du Christ? Nous ne le savons pas. Il importe de nous tenir prêts, comme nous y invite le Seigneur (Mt 24, 44). Sans paniquer, sans tomber dans les excès dramatiques des sectes eschatologiques. Quand viendra le Seigneur, ce sera «un ciel nouveau, une terre nouvelle» (Ap 21, 1). Ce sera le commencement de la fête éternelle. «Amen, viens, Seigneur Jésus» (Ap 21, 20).

LES TROIS JOURS DE GRANDE NOIRCEUR

Que penser des trois jours de grande noirceur? Le prêtre ne semble pas connaître ces choses-là.

* * *

Je ne le blâme pas... Il y a tant de supposées révélations apocalyptiques sur le marché. Faut-il tout lire? Il y a tant de bons livres qu'il ne faut pas s'attarder à tout produit d'imagination. Il y a l'enseignement du Seigneur et de l'Église que nous pouvons trouver dans la Bible et le Catéchisme de l'Église catholique. Il ne faut pas entrer dans le jeu des sectes eschatologiques.

Ne vous souciez pas outre-mesure de tout avertissement qui n'est pas entériné par l'Église, ni de ces trois jours de grande noirceur ou de ténèbres; ils ne font pas partie du credo ni de l'enseignement de l'Église. N'y perdez pas votre temps.

Des prophètes de malheur, nous pouvons en trouver partout, dans une foule d'écrits plus ou moins alarmistes, truffés de citations bibliques mal interprétées ou comprises dans un fondamentalisme enfantin, étoffés peut-être d'écrits de saints et d'illustres inconnus. Ils sont propagés par des gens qui disent recevoir des messages et s'attribuent un rôle de prophètes des derniers temps.

Que notre référence soit la Bonne Nouvelle proclamée par le Christ et l'Église, le pape et les évêques. De quoi entretenir l'espérance chrétienne! Et non la peur!

Si nous sommes sensibles à certains messages, que ce soit pour transformer notre vie en meilleur amour de Dieu et dilater notre cœur de confiance en Jésus qui a vaincu le monde et qui y est toujours à l'œuvre, lui, le seul Maître de l'histoire.

ON ENTEND DIRE QUE LE RETOUR DU CHRIST EST PROCHE

Ce sera bientôt la foudre de sa justice. Il y a des avertissements, il y aura des châtiments, une ère de paix, il va se passer des choses extraordinaires qui vont bouleverser la face de la terre, et c'est urgent de changer nos vies...

* * *

Lorsque je lis l'Apocalypse, je distingue entre la substance de l'annonce apocalyptique et les images qui peuvent l'illustrer.

L'essentiel de ce message livré par le Christ et repris par l'Église, c'est le retour du Christ, la parousie à laquelle nous devons nous préparer par un changement de nos vies: «*La fin de toutes choses est proche. Soyez donc sages et sobres en vue de la prière. Avant tout, conservez entre vous une grande charité...*» (I P 4, 7-8). «*Il viendra, le Jour du Seigneur, comme un voleur*» (2 P 3, 10).

Les images ou les circonstances qui accompagnent ce retour ne sont pas toujours faciles à comprendre. Certains chrétiens, certaines sectes eschatologiques, attachent beaucoup d'importance aux signes qui manifesteront ce retour, aux cataclysmes possibles. Fondamentalistes et millénaristes, enclins à voir ce monde comme intrinsèquement mauvais, crient des avertissements, accentuent la peur de personnes déjà craintives. Ils mettent l'accent sur un salut individuel en oubliant les responsabilités sociales.

Écoutons l'Église; elle se fait l'écho du Seigneur. Nous ne savons ni le jour ni l'heure. Pour Dieu, mille ans sont comme un jour (2 P 3, 8).

Prêtons l'oreille à saint Paul: «*Ne vous laissez pas trop vite mettre hors de sens ni alarmer... Que personne ne vous abuse d'aucune manière*» (2 Th 2, 2-3).

Ce qui importe, c'est d'être vigilant dans la prière, de vivre chaque jour dans l'amitié de Dieu. Laissons-nous mouvoir et peut-être consoler par l'hymne liturgique:

«*Il viendra,*	*Il viendra,*
Un soir	*Un soir*
Où nul ne l'attend plus,	*Pareil à celui-ci,*
Peut-être.	*Peut-être.*
Il viendra,	*Il viendra,*
Un soir	*Un soir*
Où rôde le malheur,	*Sera le dernier soir*
Peut-être.	*Du monde.*

Un silence d'abord,
Et l'hymne éclatera.
Un chant de louange
Sera le premier mot
Dans l'aube nouvelle».

- XXV -

LA VIE DANS L'AU-DELÀ

L'au-delà,
les limbes,
le purgatoire,
l'enfer,
le ciel

JE SUIS TOUJOURS À SONDER LE MYSTÈRE DE L'AU-DELÀ

Je suis toujours à sonder le mystère de l'au-delà pour le pauvre humain qui quitte la terre après une vie mal vécue... J'ai aimé votre pensée: «Le jugement est pour ceux qui refusent jusqu'à la fin la clémence d'un Dieu venu pour les pécheurs».

Gros cadeau que la liberté, cadeau «empoisonné» pour plusieurs... Je ne crois pas que Dieu nous ait légué cela.

L'écart entre la toute puissance et la toute pureté divines et la fragilité de l'homme blessé par la faute originelle me paraît démesuré.

Ma question est la suivante: «L'écart immense entre Dieu et sa créature sera-t-il comblé par la clémence divine qui dépasse tout ce que le cerveau humain peut imaginer?» À part la créature qui, dans la lumière, refuse son Créateur, toutes les autres faibles créatures qui ne refuseront pas Dieu au jugement particulier, ont toutes les portes ouvertes pour aller au ciel, après le bain de purification.

Continuez ce bon apostolat.

* * *

Une petite rectification préalable pour mieux saisir l'enseignement de l'Église. Fidèle à la Parole de Dieu, elle enseigne qu'une faute grave commise avec connaissance suffisante et plein consentement de la volonté, le péché mortel, tue la vie divine en nous. S'il n'est pas regretté, il nous prive du bonheur du ciel.

Elle nous enseigne surtout la bonté du Sauveur mort et ressuscité pour nous. «*Où le péché s'est multiplié, la grâce a surabondé*» (Rm 5, 20).

Je suis d'accord avec vous: nous ne comprendrons jamais suffisamment cet écart dont vous parlez. Nous ne pouvons saisir dans notre intelligence, et dans notre imagination la plus folle, l'infinie miséricorde du Seigneur pour les pécheurs que nous sommes. Cette miséricorde divine est le reflet de l'amour inconcevable de Dieu pour les chétives créatures que nous sommes.

Aussi pouvons-nous nous exclamer comme le psalmiste, dans l'ébahissement le plus total: «*Yahvé, notre Seigneur, ...qu'est donc le mortel, que tu t'en souviennes?... À peine le fis-tu moindre qu'un dieu; tu le couronnnes de gloire et de beauté*» (Ps 8, 5-6).

Il ne nous reste plus qu'à chanter éternellement l'alleluia de notre reconnaissance.

Il n'y a que la folie, l'ignorance, pour refuser un tel amour, une telle miséricorde. Cette faute stupide est possible, puisque nous sommes libres d'une liberté dont nous pouvons abuser par le péché.

LES LIMBES EXISTENT-ILS?

*Je n'ai jamais vu le mot «**limbes**» dans la Bible, non pas que je refuse d'y croire, mais on dit que tout se trouve dans la Bible. On nous a appris à l'école que les âmes des bébés morts sans baptême vont aux limbes. C'est pour cela que lorsque j'étais enceinte, je priais beaucoup pour ne pas perdre un bébé qui n'aurait pas été baptisé.*

*Ce mot «**limbes**» a-t-il été inventé de toutes pièces ou est-ce un autre nom donné à l'enfer pour le faire paraître «**moins pire**»?*

* * *

Voici quelques éclaircissements... Les limbes n'ont jamais été considérés comme un lieu de punition, comme un purgatoire, encore moins comme l'enfer.

Les limbes seraient un lieu où iraient les défunts qui, sans avoir offensé Dieu, sont morts sans baptême, les fœtus, les embryons et les bébés non baptisés. Ce mot et cet endroit désignés comme «*limbes*» ont été inventés par des théologiens qui cherchaient une solution au problème de ces êtres innocents qui ne seraient ni au ciel, parce que non baptisés, ni au purgatoire ni en enfer, parce que morts sans péché. L'Église n'a jamais enseigné officiellement l'existence des limbes, d'un endroit de bonheur naturel qui ne serait pas le bonheur du ciel.

Si les limbes n'existent pas, qu'advient-il des bébés ou des personnes mortes sans péché mais sans la grâce du baptême?

Il peut y avoir d'autres possibilités de salut pour qui n'a pas été baptisé sans que ce soit de sa faute. La miséricorde du Seigneur, venu sauver le monde (Jn 12, 47), peut s'exercer de diverses façons.

En 1997, l'Académie pontificale pour la vie étudiait le baptême des embryons. La solution n'est pas facile, car pour baptiser un embryon, il faudrait le décongeler puis l'hydrater, ce qui causerait sa mort. L'Académie soulignait la dignité humaine de l'embryon qu'il fallait protéger contre toute manipulation (L'Actualité religieuse).

Le baptême de l'eau et de l'Esprit n'en demeure pas moins une nécessité, selon l'enseignement du Seigneur: «*À moins de naître d'eau et d'Esprit, nul ne peut voir le Royaume de Dieu*» (Jn 3, 5). Le baptême nous rend enfants de Dieu et membres de son Corps, l'Église.

L'Église enseigne que «*tout homme qui, ignorant l'évangile du Christ et son Église, cherche la vérité et fait la volonté de Dieu selon qu'il la connaît, peut être sauvé*».

«*Quant aux enfants morts sans baptême, l'Église ne peut que les confier à la miséricorde de Dieu*», cette miséricorde du Seigneur si bon pour les enfants (Lc 18, 16) et qui veut que tous les hommes soient sauvés (I Tm 2, 4).

QUEL EST L'ENSEIGNEMENT SUR LE PURGATOIRE?

J'ai lu un petit livre sur le purgatoire... Je croyais que nos corps restaient au tombeau jusqu'au jour où Jésus reviendra à la fin des temps. Sainte Marguerite décrit les âmes souffrantes avec leur corps comme dans un océan de feu. Est-il vrai qu'au purgatoire, on souffre le martyre?

* * *

Il y a des chrétiens qui ne croient plus au purgatoire. Ils sont entichés de parapsychologie et de l'imaginaire du Nouvel Âge. À la doctrine sur le purgatoire, ils préfèrent la théorie de la réincarnation, selon le principe du karma; notre vie sur terre ne serait qu'un maillon d'une multitude de vies qui cherchent à s'améliorer.

D'autre part, les révélations privées sur le purgatoire sont assez abondantes, mais elles ne font pas partie de notre credo.

Voici l'enseignement officiel de l'Église: «*Ceux qui meurent dans la grâce et l'amitié de Dieu, mais imparfaitement purifiés, bien qu'assurés de leur salut éternel, souffrent après leur mort une purification, afin d'obtenir la sainteté nécessaire pour entrer dans la joie du ciel*» (Catéchisme de l'Église catholique, 1030).

Nous ne savons pas de détails sur le purgatoire. La Bible ne nous en livre guère. Par contre, son existence est un dogme de notre foi, basé sur certains textes bibliques, comme 2 M 12, 45, Lc 12, 47, I Co 3, 15, I P 1, 7, et exprimé par les définitions des conciles œcuméniques de Florence (1439-1443) et de Trente (1545-1563). Depuis ses débuts, l'Église a toujours prié pour les défunts, surtout par l'offrande de l'Eucharistie.

Immédiatement après notre mort, il y aura le jugement particulier. Nous serons en présence du Seigneur pour goûter le bonheur du ciel, ou nous éloigner de lui si nous lui avons été infidèles et sans repentance. La parabole de Lazare et la parole de Jésus au bon larron l'attestent (Lc 16, 22ss; 23, 43). Il est possible qu'il soit nécessaire de nous purifier avant de jouir du bonheur du ciel, et ce sera le purgatoire.

En quoi celui-ci consistera-t-il? Ce sera la peine de ne pas être avec le Seigneur dans son ciel, mais cette peine sera acceptée volontiers car nous comprendrons le pourquoi de cette purification: la faiblesse de notre amour. Au purgatoire, tous sont les amis de Dieu.

Au retour du Christ, au moment de la parousie, à la fin des temps, nos corps ressusciteront (Jn 6, 39-40); nos corps seront transfigurés en corps de gloire, comme l'écrit saint Paul (Ph 3, 21). Ce sera la fête éternelle (Ac 24, 15; Jn 5, 28-29). Ce sera la victoire définitive sur la mort. Le Royaume de Dieu atteindra sa plénitude.

QUELLE EST LA DURÉE DU PURGATOIRE?

Lorsque quelqu'un meurt, les messes payées en son nom le font-elles monter au ciel?

Puisqu'une seule messe a une valeur infinie en terme de grâce, pourquoi ceux pour qui nous faisons célébrer des messes demeurent-ils si longtemps dans le purgatoire?

Certains prêtres disent que certaines âmes peuvent rester des siècles dans le purgatoire. Vu la bonté de Dieu et son infinie miséricorde, je serais porté à croire que le passage au purgatoire est peut-être terrible mais sûrement très, très court.

Le purgatoire serait, d'après moi, la reconnaissance de mon peu d'amour pour Dieu pendant mon séjour sur la terre et de ma paresse à ne pas avoir fait les efforts nécessaires pour le connaître, l'aimer et le faire connaître.

* * *

L'Église, se basant sur l'Écriture Sainte (2 M 12, 46, etc.) et sa longue Tradition (Conciles de Florence et de Trente), a toujours cru en l'existence du purgatoire.

La croyance de l'Église ne contredit pas les données de la raison; au contraire! Nous pouvons mourir avec des péchés pardonnés mais non expiés, avec une certaine propension volontaire à ce qui est mal. Alors, la mort ne nous trouve pas parfaitement prêts à paraître devant Dieu.

Nous ne savons pas la durée du purgatoire pour les défunts qui doivent y séjourner. D'ailleurs, dans l'au-delà, le temps se calcule-t-il comme sur la terre? Nous laissons au Seigneur de décider la purification nécessaire pour jouir du bonheur du ciel. Quant aux âmes du purgatoire, comprenant toute la perfection du ciel, elles acceptent volontiers de compléter la préparation de la vision bienheureuse de Dieu. Elles sont les amies du Seigneur.

Elles regrettent, comme vous le dites, le peu d'amour que, sur terre, elles avaient pour Dieu, et leur négligence à mieux le connaître, l'aimer et le servir. Il faut alors une purification finale. C'est, dit-on, comme un mariage retardé. C'est le purgatoire.

La messe a vraiment une valeur infinie en elle-même, mais nos prières sont facilement limitées et imparfaites. À nous de les améliorer, à nous de les reprendre sans cesse pour implorer le Seigneur en faveur de nos frères et sœurs qui nous ont précédés dans la vie éternelle. Confions-les sans cesse à la miséricorde de Dieu, surtout par l'offrande de la messe (l.c., no 1032).

EST-CE VALABLE DE DEMANDER L'INTERCESSION DE NOS PARENTS DÉFUNTS?

Faudrait-il prier pour eux si on les croit au ciel?

* * *

Je renvoie à la question précédente pour plus d'explications sur le purgatoire.

N'hésitez pas à demander l'intercession de vos parents défunts. Ils demeurent vos parents et, en Dieu, ils s'intéressent à vous qu'ils continuent d'aimer; ils veulent vous secourir; ils le font en intercédant en votre faveur auprès de Dieu. Pourquoi le Seigneur briserait-il des liens si précieux qui unissent parents et enfants? Demandez-leur donc de s'unir à vous dans la prière, surtout en des moments difficiles de la vie.

De par notre baptême, nous sommes membres du Corps mystique de Jésus Christ. En profonde communion les uns avec les autres grâce au Christ ressuscité qui nous rassemble, nous pouvons nous aider mutuellement à nous rapprocher du Père du ciel. La prière d'intercession est toute indiquée en ce sens.

Vous pouvez à bon droit les croire au ciel avec le Seigneur. Comme la certitude n'est pas parfaite, priez pour le repos de leur âme. S'ils sont déjà au ciel, Dieu se servira de vos prières en faveur d'autres défunts.

L'ENFER EXISTE-T-IL VRAIMENT?

Une bonne dame dit sur une cassette que, pour aller en enfer, il faut dire «Je le veux» et rejeter Dieu complètement. À part cela, il semble que Dieu s'arrange pour sauver tout le monde.

Est-ce vrai? L'enfer existe-t-il vraiment?

***

Cette assertion de la dame me paraît ambiguë. Elle porte à diverses interprétations.

Rappelons-nous... Le Seigneur Jésus nous a sauvés du malheur éternel, de l'enfer, par sa mort et sa résurrection (Lc 19, 10). À nous d'accepter ou de rejeter son amour et le salut.

Il est vrai que, pour nous perdre éternellement, il nous faut pécher gravement, avec une vraie décision de notre volonté. L'Église a toujours enseigné que, pour un péché dit mortel, celui qui cause la mort de l'âme, il faut matière grave, connaissance suffisante et plein consentement de la volonté. Si la dame, par *«Je le veux»*, signifie la nécessité qu'il y ait plein consentement de la volonté pour commettre une faute grave et mériter l'enfer, elle a parfaitement raison.

Mais si la dame limite le péché qui donne la mort à l'âme à la seule décision explicite de vouloir l'enfer et, ainsi, de rejeter Dieu, elle n'exprime pas la pensée de l'Église, elle ne présente pas vraiment la Parole de Dieu. Le pape mentionne qu'il ne faut pas réduire la valeur morale à une *«option fondamentale»*, tout comme il ne faut pas restreindre les contenus de la loi morale au seul précepte de la charité, souvent vaguement compris... (22 mars 1996).

Toute action gravement mauvaise, accomplie avec connaissance suffisante et plein consentement de la volonté, équivaut à dire cette phrase: *«Je le veux»*. C'est le message de la Bible, en divers endroits. C'est ainsi que Jésus s'exprime pour diverses actions gravement peccamineuses: le blasphème contre l'Esprit Saint, ce refus délibéré de Dieu malgré l'évidence (Mc 3, 28-30); le rejet de sa Personne et de sa mission, qui équivaut à la mort dans le péché (Jn 8, 21); une vie sans miséricorde et amour (Mt 25, 41 ss); la servitude idolâtre de l'argent (Mt 6, 24)... Saint Paul déclare que tout être qui se livre sans repentance à l'injustice, à l'impudicité et aux mœurs infâmes, n'héritera pas du Royaume de Dieu (I Co 6, 9ss). Une telle façon d'agir équivaut à dire: «*Je le veux*».

L'endurcissement dans la faute sérieuse fait mourir dans le péché, loin de Dieu. Être loin de Dieu, c'est l'enfer.

«*Nous ne pouvons aimer Dieu si nous péchons gravement contre lui, contre notre prochain ou contre nous-même... Jésus parle souvent de la ‹géhenne› du ‹feu qui ne s'éteint pas›, réservée à ceux qui refusent jusqu'à la fin de leur vie de croire*» (Mt 10, 28). «*L'enseignement de l'Église affirme l'existence de l'enfer et son éternité*» . Pour aller en enfer, enseigne l'Église, «*il faut une aversion volontaire de Dieu (un péché mortel), et y persister jusqu'à la fin*» (Catéchisme de l'Église catholique, 1033-1034-1037).

Dieu n'a pas voulu l'enfer; il ne le veut absolument pas. Aussi est-il mort sur la croix pour nous en sauver. Il respecte toutefois notre liberté. Par notre vie, par nos actions aussi, nous pouvons nous éloigner de Dieu et nous créer l'enfer.

Voyons l'aspect positif de notre vie chrétienne, de cet appel à vivre éternellement. À nous de mettre Dieu dans notre vie, de nous convertir à lui. Rêvons du ciel, de la vie éternelle, du banquet de noces que prépare le Seigneur à tous ceux et celles qui s'efforcent d'aimer Dieu et le prochain. L'aide du Seigneur ne nous fera jamais défaut.

Disons: «*Je le veux*» au projet de Dieu, à son amour. Mais n'oublions pas de vivre en conséquence...

POURQUOI LA CRÉATION DES FUTURS DAMNÉS?

Pourquoi Dieu a-t-il créé des êtres qui allaient se damner?

* * *

Tout ce que Dieu a créé était bon, très bon, comme nous le lisons dans le livre de la Genèse (Gn 1, 31). Dieu, dans sa sagesse et sa bonté, a créé des êtres libres, libres d'une vraie liberté, non des robots qu'il aurait manipulés à sa guise.

De cette liberté, certains ont abusé qui se sont éloignés de Dieu dans la désobéissance orgueilleuse. Loin de Dieu, c'est l'enfer, l'absence de la vraie vie, de l'amour et du bonheur. Car Dieu est vie, amour et bonheur. Si des êtres se sont damnés, ce fut leur choix, non celui du Seigneur.

Dieu s'est tellement opposé à cette damnation qu'il nous a envoyé son propre Fils pour notre salut. «*Car Dieu a tant aimé le monde qu'il a donné son Fils unique, afin que quiconque croit en lui ne se perde pas, mais ait la vie éternelle*» (Jn 3, 16). L'amour peut-il aller plus loin sans brimer la liberté des êtres et les détruire dans ce qu'ils sont fondamentalement?

COMMENT PARLER DE DAMNATION AUX ENFANTS?

J'aimerais savoir expliquer la damnation éternelle à de jeunes enfants. Doit-on s'y prendre comme autrefois?

Doit-on parler du péché, de l'enfer, alors qu'ils ne pèchent pas encore?

* * *

Mettez l'accent sur l'amour de Dieu. Parlez de l'amour de Dieu à votre enfant. Notre Dieu s'appelle «*Amour*» (I Jn 4, 8). Il est tendresse et miséricorde. La Bible nous le répète. Jésus nous le dit par sa parole et ses actions. Surtout par sa mort et son Eucharistie. Répétez-le à vos enfants.

La damnation et l'enfer viennent du refus de Dieu, de son amour, de son salut. La damnation existe, et il ne faut pas la taire. Mais elle se comprend uniquement dans le contexte de l'amour. Elle est le rejet de l'amour de Dieu, du chemin du bonheur qu'il nous a indiqué dans l'évangile.

Que l'enfant, à travers vous, son parent, découvre la tendresse de Dieu pour lui. Au besoin, après une saute d'humeur de votre part, rappelez-lui votre amour pour lui, malgré vos limites. Dieu, lui, aime d'amour tendre et fort, sans faille aucune.

Encore une fois, s'il faut parler de damnation, faites-le avec délicatesse, sans trahir la vérité, mais dans une insistance sur l'amour de Dieu.

EST-CE VRAI QUE LE FEU DE LA TERRE EST COMME DE LA GLACE COMPARÉ AU FEU ÉTERNEL?

Je trouve cela décourageant de penser que nous avons tous des parents qui vont endurer ces tourments pour l'éternité. Les enfants de Fatima en ont vu des milliers qui tombaient comme des tisons. Pouvez-vous m'expliquer cela?

* * *

La Bible parle de l'enfer en utilisant des images fortes. Jésus parle souvent du «*feu qui ne s'éteint pas*» (Mt 5, 22. 29, etc.) Sans doute aussi plusieurs visionnaires. Il y a de quoi faire réfléchir.

Nous n'avons pas à nous attarder à telle ou telle image saisissante plutôt qu'à la réalité de l'enfer. Mais, au lieu de vivre sans cesse dans un climat d'effroi, réjouissons-nous à la pensée du ciel, de la vraie vie, du bonheur sans fin, de ce pour quoi nous avons été créés. Nous sommes «*appelés enfants de Dieu. Et nous le sommes!*» (I Jn 3, 1). «*Enfants, et donc héritiers*», ajoute saint Paul (Rm 8, 17).

Gardons l'espérance au sujet de nos parents défunts, de ceux et celles que nous avons aimés. Dieu, qui est Amour, est venu en Jésus nous sauver. Il est venu pour les pécheurs et non pour les justes (Mt 9, 13), pour ceux et celles qui avaient besoin de sa rédemption; il est venu pour nous tous. Il est le Dieu de la miséricorde. «... *Poussé par sa seule miséricorde, il nous a sauvés...*» (Tt 3, 5).

Au sujet de l'eschatologie et des visions apocalyptiques, le cardinal Joseph Ratzinger déclarait: «*La Vierge ne cherche pas le sensationnalisme; elle ne sème pas la peur par des visions apocalyptiques... Marie mène les âmes à son Fils, et c'est là l'essentiel*».

Rappelons-nous sans cesse l'évangile, la Bonne Nouvelle.

COMMENT LE BON DIEU A-T-IL PU INVENTER LE FEU ÉTERNEL?

Et cela pour punir ses enfants? Moi aussi, je suis père. Mes enfants pourraient m'offenser, mais je ne saurais jamais les jeter au feu éternel. Cet enseignement de l'Église a rendu notre bon Dieu monstrueusement tyrannique, ce que j'ai beaucoup de peine à croire.

Que pensez-vous du Dieu guerrier et vengeur de l'Ancien Testament?

* * *

Dieu n'est pas un tyran. Même si la conception primitive le présentait comme un Dieu guerrier. C'est un Père, et le meilleur qui soit. Jésus le dit: «*Si donc vous, qui êtes mauvais, vous savez donner de bonnes choses à vos enfants, combien plus le Père du ciel donnera-t-il l'Esprit Saint à ceux qui l'en prient!*» (Lc 11, 13). Ce Père si bon est celui qui organise la fête, la célébration, la danse, pour son enfant prodigue qui lui revient, après avoir gaspillé son argent (Lc 15, 23-25. 32).

L'enfer, Dieu ne le veut pas, lui qui, dans son amour, nous a créés pour que nous puissions jouir de son bonheur à lui, de son ciel à lui, éternellement. L'enfer, c'est de lui dire non, de le refuser dans notre vie, de lui désobéir en quelque point essentiel de la vie, comme tuer, comme agir avec extrême dureté envers le prochain. L'enfer, c'est de s'éloigner de lui volontairement, sciemment, sans repentir.

L'Écriture Sainte emploie des images terrifiantes pour nous décrire l'enfer. Le Seigneur parle d'un feu qui ne s'éteint pas (Mt 25, 41). Ce n'est pas là invention de l'Église.

L'enfer, c'est la peine que nous nous imposons, non celle d'un Dieu dont le nom est Amour (I Jn 4, 8).

QU'EST-CE QUE LE CIEL?...
REVERRAI-JE MON MARI?

Mon mari, encore jeune, vient de mourir. C'est comme si je l'attendais toujours. Je n'ai goût à rien. Je suis seule. Il y a un grand vide. Quelque chose a lâché en-dedans de moi. Je me sens saisie comme par l'angoisse.

*Je me demande s'il y a autre chose après la mort. Est-ce que l'on voit tous ceux qu'on a connus sur la terre? Avant de mourir, il disait: «**Papa, ouvrez-moi les portes; maman, ouvrez-moi les portes!**» Qu'est-ce qu'il voulait dire? Qu'est-ce que le ciel? Je suis croyante, mais je ne comprends pas... Est-ce que mon mari souffre de ne plus nous voir, de ne plus voir sa maison? Est-ce qu'il s'inquiète pour nous? Je ne fais que penser à lui. On était heureux ensemble.*

* * *

Je compatis à votre souffrance et à votre solitude, face à la séparation cruelle causée par la mort de cet être si cher qui, depuis nombre d'années, partageait votre vie.

Vous avez la foi. Ranimez l'espérance. La mort est une naissance, elle est le passage de la vie à la Vie, elle est l'entrée dans le monde nouveau, écrivait le cardinal Suenens («*De la vie à la Vie*»). Dites, comme cette veuve citée par le cardinal: «*Je sais que mon mari est arrivé, à présent à la maison du Père, qu'il partage son glorieux Royaume et que sa joie est totale. C'est là que je le retrouve*». Malgré les apparences, votre mari est près de vous, il vous aime, il vous aide en intercédant pour vous. Priez pour le repos de son âme, demandez-lui de vous seconder de ses propres prières. Nous sommes une grande famille et nous pouvons nous entraider, nous de la terre et eux de l'au-delà.

Jésus nous parle souvent de vie éternelle, d'un bonheur sans fin pour ceux et celles qui croient en lui. Il compare le ciel à un banquet éternel, à un festin de noces, à une fête sans fin. Il n'y aura plus de pleurs ni de souffrances (Ap 21, 1-4).

Même si nous ne savons pas tout du bonheur du paradis, nous sommes instruits de l'essentiel. Nous connaissons que nous serons réunis avec le Seigneur, avec nos parents et amis, avec tous ces êtres chers que nous avons tant aimés. Saint Paul écrit: «*Nous annonçons ce que l'œil n'a pas vu, ce que l'oreille n'a pas entendu, ce qui n'est pas monté au cœur de l'homme, tout ce que Dieu a préparé pour ceux qui l'aiment*» (I Co 2, 9). Ce Dieu essuiera nos pleurs (Ap 21, 4).

Le Seigneur est la résurrection et la vie. «*Qui croit en moi, même s'il meurt, vivra*», nous dit-il (Jn 11, 25). Reprenez votre sourire, la vie est en avant. Beaucoup comptent sur vous. Votre mari vous veut heureuse et il vous attend.

OÙ EST LE CIEL?

On m'a dit que le ciel était partout. Pourquoi Jésus levait-il les yeux quand il priait? Pourquoi une voix vint-elle des nuages au moment de son baptême?

* * *

Le ciel est-il un lieu d'abord? Le ciel ne consiste-t-il pas à être avec le Seigneur Dieu qui satisfera nos aspirations et nous comblera de joie?

Si Jésus levait les yeux vers le ciel matériel, c'est que son regard interprétait le ciel comme un bonheur sublime, supérieur au-dessus de tous nos soucis, élevé par-delà nos limites terrestres. Tout comme l'enfer s'identifie comme un lieu inférieur de ténèbres.

Ainsi en est-il de la voix qui venait du ciel au moment du baptême de Jésus. Il ne faudrait pas prendre l'image pour la réalité.

Le ciel, c'est d'être avec la Trinité de qui nous avons tout reçu. Le ciel, c'est d'être avec Jésus le premier ressuscité, avec Marie, avec les saints et les saintes, avec nos parents et amis ressuscités. Le ciel est là où nous goûtons le bonheur promis par le Seigneur.

TABLE ANALYTIQUE

F

M

N

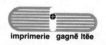

imprimerie gagné ltée

IMPRIMÉ AU CANADA